# VERNON SUBUTEX

## Tome 2

Virginie Despentes publie son premier roman, *Baise-moi*, en 1993. Il est traduit dans plus de vingt pays. Suivront *Les Chiennes savantes*, en 1995, puis *Les Jolies Choses* en 1998, aux éditions Grasset, prix de Flore et adapté au cinéma par Gilles Paquet-Brenner avec Marion Cotillard et Stomy Bugsy en 2000. Elle publie *Teen Spirit* en 2002, adapté au cinéma par Olivier de Pias, sous le titre *Tel père, telle fille*, en 2003, avec Vincent Elbaz et Élodie Bouchez. *Bye Bye Blondie* est publié en 2004 et Virginie Despentes réalise son adaptation en 2011, avec Béatrice Dalle, Emmanuelle Béart, Soko et Pascal Greggory. En 2010, *Apocalypse bébé* obtient le prix Renaudot. Virginie Despentes a également publié un essai, *King Kong théorie*, qui a obtenu le Lambda Literary Award for LGBT Non Fiction en 2011. Elle a réalisé sur le même sujet un documentaire *Mutantes, Féminisme Porno Punk*, qui a été couronné en 2011 par le prix CHE du London Lesbian and Gay Film Festival.

# VIRGINIE DESPENTES

# *Vernon Subutex*

## Tome 2

ROMAN

GRASSET

© Virginie Despentes et les Éditions Grasset & Fasquelle, 2015.
ISBN : 978-2-253-08767-0 – 1ʳᵉ publication LGF

*A Fabienne Mandron*
*Aurélie Poulain*
*Roland et Schultz Parabellum*

« *Ring the bells that still can ring*
*Forget your perfect offering*
*There is a crack in everything*
*That's how the light gets in.* »

Leonard COHEN, *Anthem*

INDEX DES PERSONNAGES
APPARUS DANS LE PREMIER TOME

**Vernon Subutex** : Héros du livre. Ancien disquaire. Expulsé de son appartement, il a squatté chez de vieilles connaissances avant de se retrouver à la rue à la fin du tome 1.

**Alexandre Bleach** : Chanteur à succès, genre rock indé, textes en français. Est mort d'overdose dans un hôtel. Ami de jeunesse de Vernon, il l'aidait financièrement et a laissé dans son appartement la cassette d'un auto-entretien qu'il a réalisé, une nuit de défonce, alors que Vernon s'était endormi. De nombreux personnages chassent ce « trésor »…

**Emilie** : Ancienne bassiste. Amie de Vernon. Elle est la première à l'héberger, mais refuse de le dépanner plus d'une nuit.

**Xavier Fardin** : Scénariste frustré. Ancien ami de Vernon, il l'héberge le temps d'un week-end. A la fin du tome 1, il retrouve Vernon devenu SDF et se fait tabasser par un groupe de jeunes fafs.

**Marie-Ange Fardin** : Femme de Xavier.

**Céleste** : Elle a croisé Vernon dans un bar, il a pensé qu'elle le draguait mais elle l'avait seulement reconnu : son père l'emmenait au magasin quand elle était toute petite. Tatouée, elle travaille au bar le Rosa Bonheur, aux Buttes-Chaumont.

**Laurent Dopalet** : Producteur. Attention : danger public…

**La Hyène** : Ancienne « privée », aujourd'hui spécialisée dans le lynchage cybernétique. Elle est embauchée par Laurent Dopalet pour remettre la main sur l'entretien d'Alex Bleach.

**Anaïs** : Assistante de Laurent Dopalet.

**Sylvie** : « Ex » d'Alexandre Bleach, qui abrite un temps Vernon avec qui elle a une brève aventure. Il part de chez elle en lui « empruntant » quelques livres et une montre. Elle le recherche partout sur les réseaux sociaux, décidée à lui nuire.

**Lydia Bazooka** : Rock critique, fan de Bleach, elle veut écrire sa « biographie ». C'est ainsi qu'elle rencontre Vernon et l'héberge quelques jours.

**Daniel** : Ex-star du porno, aujourd'hui trans, a changé de nom, est responsable d'un magasin de cigarettes électroniques, très proche de Pamela Kant.

**Pamela Kant** : Ex-star du porno. Championne de Tetris en ligne.

**Kiko** : Trader sous coke. A hébergé Vernon quelques jours, puis l'a chassé.

**Gaëlle** : Amie de Kiko, de Marcia, de Vernon et de la Hyène. C'est pour rendre service à cette dernière qu'elle a hébergé Vernon quelques jours (chez Kiko, où elle habite).

**Marcia (nom d'origine Leo)** : Sublime trans brésilienne, coiffeuse de stars, vit chez Kiko.

**Vodka Satana (nom d'origine Faïza)** : Ex-star du porno. Mère d'Aïcha. Ex-maîtresse de Bleach. Ex-collègue de Daniel et Pamela.

**Sélim** : Ancien mari de Faïza. Universitaire progressiste et laïc. Elève seul sa fille depuis la mort par overdose de Faïza/Vodka Satana.

**Aïcha** : Fille de Faïza/Vodka Satana et de Sélim. Jeune musulmane pieuse. Ami de la Hyène, Sélim lui a demandé de l'aider à cerner la personnalité de sa fille, qui lui échappe.

**Patrice** : Ancien ami de Vernon, ancien compagnon de Cécile. Homme violent en ménage. A rompu tous les liens avec le monde de la musique. Il est la dernière personne à avoir hébergé Vernon, avant que celui-ci ne se retrouve à la rue.

**Noël** : Employé chez H&M. Ami de Loïc.

**Loïc** : Coursier, ami de Noël. A la fin du tome 1, c'est lui qui porte à Xavier Fardin le coup le plus violent au crâne qui lui vaut d'être hospitalisé, dans le coma.

**Laurent** : SDF. Il donne à Vernon quelques conseils et contacts pour sa nouvelle vie de « galérien ». Il traîne autour du parc des Buttes-Chaumont.

**Olga** : SDF, grande femme rousse au caractère farouche. Elle insulte les fafs qui distribuent des couvertures aux SDF. La rue est son royaume.

Vernon attend qu'il fasse nuit et qu'autour de lui toutes les fenêtres se soient éteintes pour escalader les grilles et s'aventurer au fond du jardin communautaire. Le pouce de sa main gauche le lance, il ne se souvient plus comment il s'est fait cette petite écorchure, mais au lieu de cicatriser, elle gonfle, et il est étonné qu'une blessure aussi anodine puisse le faire souffrir à ce point. Il traverse le terrain en pente, longe les vignes en suivant un chemin étroit. Il fait attention à ne rien déranger. Il ne veut pas faire de bruit, ni qu'on détecte sa présence au matin. Il atteint le robinet et boit avec avidité. Puis il se penche et passe sa nuque sous l'eau. Il frotte vigoureusement son visage et soulage son doigt blessé en le laissant longuement sous le jet glacé. Il a profité, la veille, de ce qu'il faisait assez chaud pour entreprendre une toilette plus poussée, mais ses vêtements empestent tant qu'après les avoir remis, il se sentait encore plus sale qu'avant de se laver.

Il se redresse et s'étire. Son corps est pesant. Il pense à un vrai lit. A prendre un bain chaud. Mais rien n'accroche. Il s'en fout. Il n'est habité que par une sensation de vide absolu, qui devrait le terrifier, il en est conscient, ce n'est pas le moment de se sentir bien, cependant rien ne l'occupe qu'un calme silencieux et plat. Il a été très malade. À présent la fièvre est retombée et il a retrouvé depuis plusieurs jours assez de force pour se tenir debout. Son esprit est affaibli. Ça reviendra, l'angoisse, ça reviendra bien assez tôt, se dit-il. Pour l'instant, rien ne le touche. Il est suspendu, comme cet étrange quartier dans lequel il a échoué. La butte Bergeyre est un plateau de quelques rues, auquel on accède par des escaliers, on y croise rarement une voiture, il n'y a ni feu rouge, ni magasin. Rien que des chats, en abondance. Vernon observe le Sacré-Cœur, en face, qui semble planer au-dessus de Paris. La pleine lune baigne la ville d'une lueur spectrale.

Il débloque. Il a des absences. Ce n'est pas désagréable. Parfois, il entreprend de se raisonner : il ne peut pas rester là indéfiniment, c'est un été froid, il va choper une nouvelle crève, il ne doit pas se laisser aller, il faut redescendre en ville, trouver des vêtements propres, faire quelque chose... Mais alors même qu'il tente de renouer avec des idées pragmatiques, ça démarre : il part en vrille. Les nuages ont un son, l'air contre sa peau est plus doux qu'un tissu, la nuit a une odeur, la ville s'adresse à lui et il en déchiffre le murmure qui monte et l'englobe, il s'enroule à l'intérieur et il plane. Il ne sait pas combien de temps cette folie douce l'emporte, à chaque fois. Il ne résiste pas. Son cerveau, choqué par les événements de ces dernières semaines, aura décidé d'imiter les montées de stupéfiants qu'il a ingérés, au cours de sa vie antérieure. Ensuite, à chaque fois, c'est un déclic subtil, un réveil lent : il reprend le cours normal de ses pensées.

Penché au robinet, il boit, de nouveau, de longues gorgées qui lui écorchent la trachée. Sa gorge est endolorie, depuis la maladie. Il a cru qu'il allait crever, sur ce banc. Le peu de choses qu'il ressente encore avec intensité sont d'ordre physique : une brûlure atroce dans le dos, la main blessée qui pulse, les ampoules aux chevilles qui s'infectent, la difficulté à déglutir... Il cueille une pomme au fond du jardin, elle est acide, mais il a faim de sucre. Il escalade avec peine les grilles qui séparent le jardin de la propriété où il a pris l'habitude de dormir. Il s'accroche aux branches pour soulever son corps et se casse à moitié la gueule de l'autre côté. Il finit sa course sur les genoux, dans la terre. Il aimerait se faire pitié, ou horreur. Quelque chose. Mais rien. Que cette tranquillité absurde.

Il traverse l'arrière-cour de la maison abandonnée où il a établi ses quartiers. Au rez-de-chaussée, ce qui était destiné à devenir un patio avec vue sublime sur la capitale est resté un préau de béton, au fond duquel on est bien protégé du vent et de la pluie. Des poteaux de soutien en fer rouillé quadrillent l'espace. Vernon a appris, il y a peu, de la bouche d'un gars du chantier d'en face, que les travaux sont laissés en friche depuis des années. Les fondations menaçaient de s'écrouler, les murs porteurs se fissuraient et le propriétaire s'était lancé dans de grands travaux. Mais il est mort dans un accident de la route. Ses héritiers ne sont pas tombés d'accord. Ils se déchirent par notaires interposés. La maison a été cadenassée et désertée. Vernon y dort depuis plusieurs nuits déjà, il serait incapable de dire si ça fait dix jours ou un mois – la notion du temps s'est embrouillée, comme le reste. Il aime sa planque. Il ouvre un œil, à l'aube, et reste immobile, frappé par l'ampleur du paysage. Paris se découvre, vue de si haut qu'elle paraît accueillante. A l'heure où le froid devient trop intense, il se recroqueville dans un angle et replie ses genoux contre son corps. Il n'a pas de couverture. Il ne peut compter que sur sa propre chaleur. Un chat roux, borgne et obèse, vient parfois se blottir sur son ventre.

Les premières nuits sur la butte Bergeyre, Vernon a dormi sur le banc où il s'était écroulé en arrivant. Il avait plu sans arrêt, pendant des jours. Personne ne l'avait dérangé. Hallucinant d'une fièvre brûlante, il avait fait là un voyage incroyable, déraisonnant avec ferveur. Il était revenu à lui, progressivement, avait émergé à regret du coton confortable de son délire. Un vieux poivrot, le trouvant sur son banc au premier jour de soleil, l'avait d'abord copieusement insulté, mais le voyant trop faible pour répondre, s'était inquiété pour son état, puis pris d'affection pour lui. Il lui avait apporté des oranges, et une boîte de Doliprane. Charles est bruyant et loufoque. Il aime râler et évoquer son Nord natal, où son père était cheminot. Il s'esclaffe volontiers en se tapant sur les cuisses et ses éclats de rire dégénèrent en toux glaireuse qui menace de l'étouffer. Vernon est sur « son » banc. Après une rapide évaluation dont les critères n'étaient connus que de lui-même, le vieux a décidé de devenir son copain. Il s'occupe de lui. Il passe vérifier que tout va bien. Il l'avait prévenu : « Ne reste pas dormir là maintenant qu'il fait beau » et il avait désigné la maison, à quelques mètres. « Démerde-toi pour entrer là-dedans et te cacher à l'arrière. Fais-toi oublier quelques heures par jour, sans quoi les services municipaux vont venir te déloger, vite fait. T'as besoin de te reposer encore un peu, mon gars... »

Vernon n'avait pas écouté l'avertissement, mais avait compris le sens du conseil dès le deuxième matin de beau temps. Les agents de la ville passaient les trottoirs au jet. Il ne les avait pas entendus arriver. L'un d'entre eux l'avait visé au visage, avec son tuyau. Il s'était levé d'un bond et l'employé avait fait voler les cartons qui le protégeaient du froid. C'était un jeune Black aux traits fins, qui le dévisageait haineusement. « Fous le camp d'ici. Les gens n'ont pas envie de voir ta sale gueule de feignasse le matin, en ouvrant leur fenêtre. Dégage. » Et Vernon avait saisi, au ton, qu'il avait intérêt à obtempérer immédiatement : les coups de pied n'étaient pas loin. Il avait titubé, les membres engourdis d'avoir passé autant de temps allongé. Il s'était traîné le long des rues environnantes. Il surveillait le son de la camionnette de nettoyage et cherchait à s'en éloigner. L'injustice de sa situation le laissait parfaitement indifférent. C'est ce jour-là qu'il avait commencé à comprendre que quelque chose ne tournait pas rond, chez lui. Il se demandait où il avait atterri. Il avait mis un certain temps avant de comprendre pourquoi cet endroit lui paraissait aussi étrange : il ne croisait aucune voiture, n'en entendait même pas le bruit. Il n'y avait autour de lui que des petites maisons basses bordées par des jardins, à l'ancienne. Si le banc qu'il venait de quitter n'avait pas donné directement sur le Sacré-Cœur, il aurait pensé que, dans un accès de fièvre, il avait pris le train et se retrouvait en province. Ou dans les années 80…

Trop faible pour poursuivre ses déambulations, il était revenu à son point de départ dès que la camionnette s'était éloignée. Il se frottait les joues avec la paume de la main, surpris de sentir qu'il avait autant de barbe. Tout son corps était meurtri par le froid, il avait soif, il sentait l'urine. Il se souvenait bien des événements des derniers jours. Il avait abandonné un ami à l'hôpital, après une bagarre de rue qui l'avait laissé sur le carreau, sans se demander s'il reviendrait à lui. Il avait erré sous la pluie et s'était retrouvé là, il avait été malade comme un chien, et heureux comme un pauvre fou. Mais il avait beau l'attendre, il ne sentait toujours pas la morsure dégueulasse de l'angoisse. Peut-être l'aurait-elle incité à réagir. Il n'y avait que son corps douloureux, et sa propre odeur, qui à vrai dire lui tenait agréablement compagnie. Les émotions communes l'avaient déserté. Il s'était mis à regarder le ciel, et ça lui avait occupé la journée. Charles était revenu s'asseoir à côté de lui, sur ce même banc, un peu avant que la nuit tombe :

— Content de voir que tu sors de ta léthargie, mon con. Il était temps !

Il lui avait expliqué qu'il se trouvait dans le nord de Paris, pas loin du parc des Buttes-Chaumont. Charles lui avait offert une bière et tendu la moitié d'une baguette de pain molle et écrabouillée, qu'il devait traîner dans son sac depuis un moment et sur laquelle Vernon s'était jeté avec avidité. « Merde, vas-y doucement ou tu vas te rendre malade. Tu seras encore là, demain ? Je t'apporterai du jambon, il faut que tu te requinques. » Le vieux n'était pas un clodo, ses mains n'étaient pas abîmées, ses chaussures étaient neuves. Mais il n'était pas non plus de première fraîcheur. Il semblait avoir l'habitude de boire avec des gars qui sentent la pisse. Ils étaient restés un moment, comme ça, assis, sans se dire grand-chose.

Depuis, Vernon est en apesanteur. Une main invisible a tourné tous les boutons de sa table de mixage : tout est équalisé différemment. Il ne parvient pas à s'éloigner de ce banc. Tant qu'on ne le déloge pas de force, la butte Bergeyre est suspendue, une île minuscule et planante. Il s'y sent bien.

Il fait de courtes promenades, pour se délier les jambes et ne pas occuper le banc toute la journée. Il s'assoit parfois dans les escaliers qui délimitent son territoire, s'attarde dans une rue, mais il revient toujours à son point de départ. Son banc, en face d'un jardin partagé, avec vue imprenable sur les toits de Paris. Il commence à prendre ses habitudes.

Les ouvriers qui travaillent dans la rue Remy-de-Gourmont, juste à côté, l'ont d'abord ignoré. Jusqu'à ce que le chef de chantier vienne fumer une clope pendant sa pause, en passant un coup de fil. Il s'était dirigé vers le banc et Vernon lui avait cédé la place, il s'éloignait pour se faire oublier quand le mec l'avait hélé – ça fait deux jours que je te regarde... Tu n'avais pas une boutique de disques ? Vernon avait hésité – l'espace d'une seconde il avait eu envie de répondre non et de passer son chemin. Son ancienne identité ne l'intéressait plus. Elle lui avait glissé le long du dos comme un vieux manteau lourd et encombrant. Qui il avait été, pendant des décennies, concernait quelqu'un d'autre que lui. Mais le mec ne lui avait pas laissé le temps – tu ne te souviens pas de moi ? J'étais apprenti boulanger, je bossais à côté… je venais assez souvent. Son visage ne lui disait rien. Vernon avait écarté les bras – je n'ai plus toute ma tête, et le bon-homme avait rigolé – ouais, je comprends, la vie t'a joué des tours… Depuis, il passe chaque jour pendant sa pause papoter deux minutes. Quand on vit dehors, un rituel de trois jours est déjà une vieille habitude. Stéphane porte des bermudas et de grosses baskets de sport, il a les cheveux bouclés et il fume des rou-lées. Il aime raconter ses souvenirs de festival, parler de ses gosses et détailler ses problèmes avec les gars du chantier. Il évite toute allusion au fait que Vernon dorme dehors. Difficile de dire s'il s'agit d'un tact hors norme ou d'une insensibilité à tout crin. Il lui propose de se servir dans son tabac, lui laisse parfois des chips, ou ce qu'il reste de Coca… Et lui autorise l'accès aux toilettes du chantier dans la journée. Ça change tout pour Vernon, qui avait déjà creusé deux trous au fond du jardin de la maison où il dort, mais c'est toute une affaire pour aller assez profond dans la terre à mains nues, puis recouvrir de façon à ce que ça ne sente rien, même quand il fait chaud… à moyen terme, ça l'aurait perdu. Les habitants du quartier auraient fini par se plaindre de l'odeur.

Depuis trois jours, Jeanine vient le voir en cachette. Elle nourrit aussi quelques chats errants. Elle apporte à manger à Vernon dans des Tupperware. Elle se cache car les locaux lui ont déjà dit de ne pas encourager les SDF à rester. Il n'est pas le premier. Elle le lui a raconté : au début, tout le monde trouvait ça sympathique, et désirait aider son prochain, mais il y a eu trop de problèmes : des traces de vomi, une radio laissée allumée toute la nuit avec le son à fond, un allumé bavard qui ne connaissait pas les limites et voulait entrer chez les gens discuter, un autre sous psychotropes qui parlait seul et faisait peur aux enfants… Le voisinage n'a pas eu le choix : il a fallu freiner sur la compassion. Jeanine s'entête à partager son dîner avec lui. C'est une minuscule bonne femme, voûtée, coquette, les sourcils dessinés au crayon d'un trait rarement régulier, le rouge à lèvres, par contre, est toujours bien mis, et ses cheveux blancs encadrent son visage poudré en boucles impeccables. « Chez moi, c'est bigoudis tous les matins, j'arrêterai quand on me descendra dans la tombe. » Elle porte des couleurs vives et regrette que l'été soit si moche, à cause des belles robes qu'elle ne peut pas mettre, « et je ne sais pas si je serai encore là, l'an prochain, pour en profiter ». Elle dit à Vernon qu'il est un « petit mignon, ça se voit tout de suite, à mon âge on a l'œil, vous êtes un petit mignon, et vous avez des yeux magnifiques ». Elle dit la même chose aux chats qu'elle nourrit. Elle lui remplit des bouteilles d'eau, et lui amène du riz, dans lequel elle a fait fondre de généreuses doses de beurre. Elle ne fait aucun commentaire, mais Vernon la soupçonne de considérer que ce qui est bon pour le poil des chats l'est forcément aussi pour l'homme. La veille, elle avait préparé quelques carrés de chocolat, dans du papier aluminium. Il a été surpris du plaisir qu'il a pris à le manger. Un bref instant, ses pupilles lui ont presque fait mal. Il avait déjà oublié ce que c'est, introduire dans sa bouche quelque chose dont on aime le goût.

Comme tous les jours vers dix-huit heures, Charles quitte le comptoir du PMU de la rue des Pyrénées et remonte l'avenue Simon-Bolivar jusqu'à l'épicerie face à l'entrée du parc. Le garçon au comptoir n'a pas le sourire facile. Il détache à peine son regard de l'écran sur lequel il suit des matchs de cricket pour lui rendre sa monnaie.

Le vieux entre à pas lents dans les Buttes-Chaumont. Rien ne presse. Des parents attendent, sans se parler, devant le petit théâtre de Guignol. A l'intérieur, leurs rejetons braillent « attention, derrière toi ! ». Son banc d'élection se situe sur la gauche, pas trop loin des toilettes publiques. Il essuie le bois peint en vert du plat de la main, il y a toujours des corniauds pour y laisser d'épaisses couches de boue, parce qu'ils mettent les pieds dessus pour faire des pompes surélevées. Il ouvre sa première canette, au briquet. En face de lui, deux chats se tournent autour, poussant de temps à autre d'inquiétants miaulements, sans se décider à se lancer dans le vif de la bagarre.

Charles a toujours aimé ce parc. Il prend son apéro ici, après avoir passé l'après-midi à s'épargner la lumière blafarde du grand jour, planqué au fond de son bistrot. Le grand problème des Buttes-Chaumont, c'est les

25

dénivelés : un jour ou l'autre, il crèvera en cherchant à grimper une côte.

Laurent le rejoint. Il connaît les horaires. Il y a toujours une bière pour lui. Il ressasse infiniment les mêmes cinq ou six histoires, qu'il ponctue d'un rire caverneux. La dixième fois qu'on l'entend raconter la même baston, on a envie qu'il change de disque, mais Charles n'en demande pas trop à ses contemporains. On ne peut pas être à la fois soiffard et regardant sur la compagnie. Laurent fait partie du déroulement de sa journée. Bien sûr, il préférerait que ce soit la grosse Olga qui prenne l'apéro avec lui. Il a toujours eu un faible pour les folles. Il se prendrait bien une nouvelle rasade d'emmerdements, si par un soir d'été Olga se laissait conter fleurette. La première fois qu'il l'a vue, elle portait des sabots vert pomme, il s'était foutu de sa gueule en l'appelant Bozo le Clown, elle l'avait mandalé, direct. Charles avait dû la dérouiller en retour. Elle aurait voulu lui rendre coup pour coup mais elle n'y peut rien, Olga est une tendre. Quand elle cogne, c'est comme des bisous. Ça l'a touché, le vieux, la voir se démener avec tant de conviction et qu'il ne sente que de l'affection. Elle lui en veut encore, pour cette première rencontre. Il les aime folles et moches. Il a toujours prétendu le contraire. Il acquiesce quand des potes lui parlent d'une meuf pas chiante comme d'un trésor à cajoler, il a souvent prétendu qu'il rêvait d'une petite poulette bien faite qui ne ferait pas de vague et ne casserait jamais la vaisselle mais ça fait partie des salades que les mecs comme lui se racontent : quand il a eu les moyens de prendre une meuf convenable, il est resté avec la Véro, et chaque fois qu'il lui est infidèle, la meuf ne ressemble à rien. Tous les goûts sont dans la nature. Les meufs décentes l'ennuient.

Les allées du parc sont trempées. La pluie est tombée pendant des heures. Tout le monde ne parle plus que de ça, dans les bistrots, la météo, comment le printemps a été pourri. Les promeneurs mettront du temps à revenir. Il n'y a que des joggeurs autour d'eux, qui semblent avoir attendu, embusqués dans les fourrés, de pouvoir jaillir et haleter comme des torturés. Il y en a, on voudrait les arrêter tout de suite, au nom du bon sens, tant il est évident que ce qu'ils s'imposent est dangereux pour leur santé. Laurent regarde ses chaussures, écœuré :

— Tu ne chausserais pas du 40, toi ?

— Je mets du 44. Pourquoi tu me demandes ça ?

— T'as toujours de belles pompes. J'en cherche une paire… Celles-là ne me plaisent pas du tout.

— C'est des chaussures de chantier, ça. Ce n'est pas confortable.

— Je me suis traîné jusqu'au vestiaire du Secours populaire pour trouver ça… il n'y avait rien. C'est la crise, les gens gardent leurs affaires.

— T'es en galère.

— J'irai voir rue Ramponeau demain, j'espère qu'ils auront une paire à ma pointure, celles-ci me frottent au talon, je vais choper des ampoules.

Sur le banc d'à côté, un colosse black en jogging argenté harcèle un Blanc chétif, qui se démène, en short, sous ses ordres. D'une voix de stentor, le coach hurle « t'arrête pas, t'arrête pas, tu prends la corde, pas de pause, allez, t'arrête pas ! » et le fluet de sautiller sur place en regardant dans le vide, éreinté, subclaquant. Laurent ne s'occupe pas d'eux longtemps, il est fasciné par une grosse dondon qui remonte les allées, en combinaison bleue, tel un cosmonaute ivre. Charles passe une nouvelle bière à Laurent, et dit :

— Ça ne tiendrait qu'à moi, j'interdirais le parc aux sportifs. Ils nous saccagent l'ambiance.

— Tu nous priverais de tous les jolis petits lots qui courent à moitié nues. Prends celle qui arrive, ce ne serait pas dommage de lui interdire de nous émerveiller ?

Le problème des mecs comme Laurent, et ils sont légion, c'est qu'on peut toujours prévoir leurs réactions. L'étudiante blonde proprette qui dévale la pente à petites foulées n'a strictement aucun intérêt. Ça sent le savon même quand ça court, ça. Ce n'est pas que Charles ait un barème moral s'appliquant à la libido des autres. Mais les mecs sont devenus tous identiques, on dirait qu'ils prennent des cours du soir pour se ressembler le plus possible. Si on ouvrait le cerveau de Laurent en deux pour lui regarder la mécanique, on y trouverait exactement le même arsenal de conneries que dans celui du cadre sup en détresse qui fait ses abdos à côté d'eux : des petites poulettes ultra light, de la verroterie Rolex et une grosse maison sur la plage. Que des rêves de connard.

Il existe une différence de taille entre sa génération et celle de Laurent. La sienne n'adulait pas les bourgeois.

Quoi qu'ils en disent, les prolos d'aujourd'hui voudraient tous être nés du bon côté du manche. A Lessines, où il a grandi, les sirènes des carrières rythmaient le temps. On méprisait les bourgeois du haut de la ville. On ne buvait pas avec le patron. C'était la loi. Dans les bistrots, ça ne parlait que de politique, la haine de classe nourrissait une véritable aristocratie prolétaire. On savait mépriser le chef. Tout cela a disparu, en même temps que l'amour du travail bien fait. Il n'y a plus de conscience ouvrière. Tout ce qui les intéresse, les gars, c'est ressembler au chef. Un mec comme Laurent, si on lui laissait carte blanche, ce qu'il désire n'est pas de forcer les nantis à partager mais d'entrer dans leurs clubs. Uniformité des désirs : tous des beaufs. Ça fera de la bonne chair à canon, ça.

Plus loin dans l'allée, postés à côté d'un massif de fleurs, quatre gardiens fument des cigarettes en compagnie d'un homme en costume gris. Un Asiatique trapu et souriant, un habitué des lieux qui porte toujours un Stetson, remonte une pelouse en pente, à reculons. Il fait toujours ça quand il vient au parc, et il ne parle avec personne. Un vieux chien gris court sur pattes et à poil long cavale autour de lui. Charles demande à son collègue :

— Tu sais pourquoi les Chinois font ça ?

— Monter les côtes à l'envers ? Aucune idée. C'est une autre culture.

— C'est vrai qu'on fait pas ça, d'habitude.

Laurent s'est installé sur les voies ferrées abandonnées qui traversent le parc en contrebas, depuis le début du printemps. Ils sont peu nombreux à dormir là, et les gardiens ferment les yeux, tant que personne ne traîne sur les pelouses pendant la nuit.

Une femme hésite aux alentours de leur banc, elle semble chercher son chemin. Elle porte un long manteau rouge boutonné sur le devant, un vêtement de petite fille qui accentue la flétrissure du visage. Elle doit être institutrice. Si elle était souvent en contact avec des adultes, elle porterait un manteau différent. Laurent lève la main en la voyant, la salue de loin. Elle paraît surprise, puis le reconnaît et s'approche :

— Bonjour ! Vous allez bien ?

— Impec. Une petite gorgée ? demande-t-il en lui tendant sa boutanche.

Elle recule instinctivement d'un pas, comme s'il allait lui enfoncer le goulot de force dans la bouche.

— Non, non, non, merci. Je cherche le Rosa Bonheur, vous savez dans quel sens je dois aller ?

— Mais vous êtes tout le temps en train de chercher quelque chose, vous…

Laurent la joue dragueur. Charles est embarrassé pour lui. Mon con, comment veux-tu qu'une dame bien mise et propre comme ça boive dans ta bouteille et s'intéresse à ton bazar ?

— Pour le Rosa Bonheur, c'est pas compliqué, vous prenez ce chemin-là et vous suivez, tout droit, sur cinq cents mètres. Vous l'avez retrouvé, votre Subutex ?

— Non. Vous ne l'avez jamais revu ?

— Jamais… mais je peux prendre vos coordonnées, si j'entends quoi que ce soit, je vous tiens au courant…

Laurent débite son baratin sur un ton d'hôtesse d'accueil. Il bombe le torse et ouvre la fermeture de son épaisse gabardine kaki, en extirpe un vieux calepin orange et demande un stylo à la dame, en lui décochant un sourire édenté. Il fait peine à voir quand il essaie de montrer qu'il peut être civilisé. La dame en rouge fait une légère grimace de contrariété, et s'arrache un poil entre les deux yeux machinalement. Laurent continue de parler, comme à son habitude – quand il tient un nouvel auditeur il ne le lâche pas facilement :

— Vernon s'est mis dans de sales draps, parce qu'il a traîné avec la mauvaise pouffe… Typique du novice : trop coulant. Si je l'avais vu avec Olga, je l'aurais prévenu de faire attention. On se fait tous avoir. Elle a l'air sympa, au début, sauf que dès que tu traînes avec elle, tu te retrouves le nez dans la merde… C'est pas fait pour les filles, la rue. C'est moins compliqué à éviter, d'ailleurs, pour elles. La Olga, elle se serait fait faire trois lardons quand elle avait l'âge, et vas-y les allocs et j'aime autant te dire qu'on t'en trouve, du logement social, quand t'es mère célibataire. Nous, les mecs sans enfant, on peut crever… mais les familles, c'est sacré ! Eh bien elle, non, pondre, c'était encore trop lui en demander… une foireuse de première, Olga. Il faut qu'elle fasse tout comme un bonhomme… sauf que les coups, pour les chercher, elle est là, mais pour les prendre, surprise, c'est toujours sur le type à côté que ça tombe…

— Si jamais vous le voyez, dites-lui bien qu'on le cherche, hein ? Vous lui dites Emilie, Xavier, Patrice,

Pamela, Lydia… On le cherche, tous. Dites-lui qu'on se fait du souci pour lui… et qu'on a des choses à lui dire, des choses importantes…

— Je prends votre numéro, alors ? C'est quoi votre petit nom ?

La femme au manteau rouge ne sait pas dire non. Elle s'appelle Emilie, elle donne son 06 sur un ton hésitant, puis elle s'éloigne en se hâtant. Ses hanches sont un peu larges, sa démarche est mal assurée. Charles demande « d'où tu la connais celle-là ? » et Laurent fanfaronne :

— Ils sont une petite bande, comme ça. Ils cherchent Vernon Subutex, mais je n'ai aucune idée d'où il est allé se fourrer…

— C'est qui ce zig ?

— Un zonard. Une fraîcheur. Un mec pas fait pour ça. Trop doux. Trop frêle. Je ne sais pas où il est passé, mais ça se voyait que le mec n'était pas armé pour la vie en plein air. Au moins les anciens toxicos ont un peu d'expérience de la rue, mais lui… trop précieux, le gars. Il est allé de bagarre en bagarre, jusqu'à ce qu'un pote à lui se fasse méchamment allumer et reste sur le pavé. Et là, le machin a disparu. Ses potes le cherchent, depuis…

— Elle n'avait pas l'air fâchée.

— Ils n'ont pas l'air de le chercher pour lui mettre une trempe, non… c'est plutôt une bande d'allumés qui traînent dans le parc depuis trois jours à la recherche de Subutex…

— Il ressemble à quoi, le gars ?

— Français, freluquet, beaux yeux, une dégaine de pédé de rocker, cheveux longs… il ne ressemble pas à grand-chose, en fait, mais ce n'est pas le mauvais bougre.

La description ressemble bigrement à son gars de la butte Bergeyre. Charles se méfie. Il a été tellement malade, le mec, le vieux a cru qu'il allait crever sur son banc. S'il se cache, il a ses raisons de le faire. Chacun ses secrets, chacun sa façon de les gérer.

— Et tu n'as pas la moindre idée de ce qu'elle lui voulait, cette bonne femme ?

— Pourquoi ça t'intéresse tant que ça ?

— Ce n'est pas courant, ça, une dame comme elle qui court après un SDF…

— Toujours se méfier avec les femmes. Elles dissimulent tout le temps… ça doit être quelque chose sur un mort.

— Un mort ?

— Elles nous bassinent sans arrêt que tout ce qui les intéresse c'est les enfants… faire des bébés, s'occuper des petits et tout le bazar… nous on ne demande qu'à les croire sur parole. Mais réfléchis. Le seul truc qui les obsède, les bonnes femmes, c'est les morts. C'est ça qu'elles ont. Elles ne les oublient pas. Elles veulent les venger, elles veulent les enterrer, elles veulent être sûres qu'ils reposent en paix, elles veulent qu'on respecte leur mémoire… les femmes ne croient pas en la mort. Elles n'y arrivent pas. Elle est là, la vraie différence entre elles et nous.

— Je ne sais pas d'où tu la sors, ta théorie à la con, mais elle a le mérite d'être originale…

— Repenses-y en cuvant ton vin, ce soir. Tu verras. Ça a son sens.

— Ça ne nous dit pas ce qu'elle lui voulait.

— Non. Mais je lui causerais volontiers du pays, à la dame. Je suis d'une nature serviable. J'aime bien ce genre de femme, timide, comme ça, ça donne envie de faire le hussard…

Charles le laisse déblatérer ses vannes de libidineux. Il est vraiment surpris que la femme en rouge leur ait adressé la parole. Charles aussi a l'air d'un clodo. Les gens hésitent à lui parler. Mais quand il a envie de discuter avec quelqu'un, il sait comment s'y prendre. C'est la même chose qu'avec les pigeons et les corbeaux, il s'agit de distribuer régulièrement des petits bouts d'attention. Il fait comme cette petite vieille qu'on croisait dans le quartier, jusqu'à l'été dernier. Elle vivait rue de Belleville et quand elle sortait de chez elle, à seize heures, les pigeons la reconnaissaient aussitôt. Ils se rassemblaient en énormes grappes dans le ciel et au sol, et la suivaient. Elle semait au pied des arbres, par poignées, des petits tas de miettes et de graines. Il est interdit de nourrir les oiseaux. Pour qui ne repérait pas son manège, ces meutes d'oiseaux qui s'abattaient synchrones tout le long de l'avenue Simon-Bolivar avaient quelque chose d'extrêmement inquiétant. Un jour, ses enfants l'ont placée en institution. Charles l'a appris au comptoir du bar qui est en face des grilles du parc. Elle était propriétaire de son appartement. Les enfants ont dû sentir le vent tourner, la crise s'annoncer, ils ont préféré vendre avant que ça dévalue. Au crevoir ! Elle était fringante et n'avait jamais levé le coude, son unique plaisir de vieille dingue consistait à nourrir les pigeons à l'heure de la promenade… elle n'emmerdait pas grand monde. Ça le fait rire, Charles, les gens qui font des gamins en pensant que c'est une assurance vieillesse. Il a l'âge d'avoir observé qu'on ne fait que nourrir de futurs vautours impatients. Personne n'aime les vieux, pas même leurs propres enfants.

Il y en a un autre, comme elle, au parc. Un mec qui marche courbé, lui aussi, et qui se pointe tous les jours, il écoute quelque chose au casque. Il a les cheveux longs et porte un blouson noir élimé. Lui, il est copain avec les corbeaux. Dès qu'il arrive, les bestioles le reconnaissent et s'assemblent en cercle autour de lui. Ça a l'air sacrément mieux organisé que les pigeons, les corbeaux. Ils sont gros comme de la volaille, d'un beau noir luisant et d'une intelligence inquiétante pour des humains habitués à considérer que les animaux ne comprennent pas grand-chose. Les corbeaux du parc saisissent vite à qui ils ont affaire. Ils n'ont pas besoin du vieux pour manger – ils éventrent le fond des poubelles à coups de bec et se servent. Mais il faut croire qu'ils aiment sociabiliser. Ils ne se contentent pas de rappliquer quand il vient avec ses graines : ils l'attendent. Et si le bonhomme doit bouger parce que les gardiens le surveillent, les bestioles ne se déstabilisent pas : elles le suivent et se préviennent en corbeau que l'endroit du rendez-vous a changé. Le vieux a cessé de venir au début du printemps, Charles n'a pas su ce qui s'était passé. Il a probablement été hospitalisé. Il est bien trop jeune pour avoir été placé par ses enfants, même quand ils sont pressés de toucher leur part de pognon c'est difficile de se débarrasser d'un parent encore en forme, surtout s'il a toute sa tête – il faut savoir prendre son mal en patience. Charles a demandé à la Véro de regarder sur le Net qu'est-ce que bouffent ces oiseaux. Et il est venu, tous les jours, à la même heure, au même endroit, nourrir les machins. Il s'est dit qu'il fallait que quelqu'un prenne la relève. Et il a compris pourquoi il y en a qui font ça – les corbeaux ne sont pas moins drôles que les copains de bistrot. Ils ont des petits yeux vifs et te font bien rigoler. Charles se rend toutes les semaines au rayon animalerie de Bricorama. C'est le rayon qui pue le plus de tout le magasin, infesté de moucherons parce qu'ils laissent des paquets éventrés de bouffe pour chien – il s'est retrouvé à crapahuter là-dedans avec son dos qui le lance et les genoux qui ne tiennent plus très bien – il a les guiboles qui flanchent, le bonhomme part en couille, c'est l'âge, c'est normal. Mais il se cramponne. C'est avec l'âge que lui est venue cette manie de la gentillesse.

Charles a gagné à la loterie. Ouais. Lui, le vieux furoncle séché. La bonne blague. Il joue souvent aux courses, mais rarement au Loto. Comme tous les gogos du PMU, il lui arrivait de remplir sa grille, tenté par une grosse cagnotte. Dans l'affaire, le plus miraculeux n'a pas été de gagner, mais qu'il soit devant sa télé le soir du tirage, trop feignant pour se lever et changer de chaîne, alors qu'il n'y avait plus de piles dans la télécommande. Il a fallu cet enchaînement de circonstances pour qu'il s'intéresse au résultat – il n'imaginait pas pouvoir faire partie des gagnants. Quoi que ce soit, finalement, l'idée du jeu : ça peut tomber sur n'importe qui. Même sur lui. Il joue toujours les mêmes numéros, la date de naissance de sa mère. Pas compliqué. Les boules dégringolaient dans des tubes – il n'a jamais compris les joueurs assidus, rien ne peut rivaliser en ennui avec le tirage du Loto. Et ses numéros se sont mis à tomber, l'un après l'autre, avec cette précision terrifiante du destin qui vient te chercher, toi, et personne d'autre. Ça l'a réveillé de sa sieste. Sa poitrine s'est rétrécie au fur et à mesure que les coups de cœur s'amplifiaient. Ce n'est pas très agréable, la joie trop forte. Il a dessoûlé d'un coup d'un seul. La Véro était affalée dans son canapé, elle roupillait comme un sac, la bouche ouverte, les commissures des lèvres maculées de taches de vin. Si elle s'était réveillée à ce moment-là, il lui aurait mis la torgnole de sa vie – tout plutôt qu'avouer qu'il avait eu l'impression d'avoir gagné. Parce qu'au début, forcément, n'étant pas habitué à ce que la vie lui serve de bonnes surprises, il a pensé qu'il débloquait, qu'il allait débusquer une anguille sous la roche.

Il avait titubé de tiroir en poche de veste et avait retrouvé le bulletin. Ça relevait du miracle, sachant qu'il l'avait roulé en boule sans y faire vraiment attention. Dix minutes plus tôt, il aurait été incapable d'aller jusqu'aux lavabos sans s'écrouler, et subitement il était agile comme un cabri. Le cerveau en rut, nom de Dieu. Pas capable d'être heureux, sur le coup, trop secoué. Il se raisonnait – vieux sac à merde arrête de te monter

37

le cerveau avec des conneries de gros bourré, tu as mal entendu, demain tu y verras plus clair, tu as peut-être un ou deux numéros gagnants, mais le gros lot, qu'est-ce que tu t'imagines ? T'en auras donc jamais marre d'être un imbécile ? Il n'avait pas dormi de la nuit. Il se couchait, tout habillé, puis se traînait jusqu'au fauteuil, essayait de réveiller la Véro, ouvrait une bière et la vidait devant la fenêtre, puis retournait se mettre au pieu. En vain.

Le lendemain, il était au bistrot dès huit heures. Il avait recopié ses numéros, soigneusement, vérifiant à deux fois qu'il ne se trompait pas, avait retourné le ticket en tous sens, mais il ne voyait rien de suspect. Il s'était assis au comptoir, tout au fond, calé dans la pénombre – de toute façon, à cette heure-ci, il connaissait personne et le couple de Chinois qui avait repris l'affaire après qu'Ahmed, le propriétaire historique, avait clamsé d'un anévrisme, un soir d'été devant sa télé, ne risquait pas de lui faire la conversation : ils l'avaient foutu dehors plusieurs fois, quand il était trop bourré, et ne l'avaient pas à la bonne. Mais c'était son bistrot, et il revenait tous les matins.

Charles avait déplié le journal et vérifié encore une fois. Le matin, à jeun, ça lui paraissait encore plus monstrueux que la veille. Cette rupture brutale dans son rythme lui procurait bien plus d'effarement que de joie. Pour un peu, il aurait été foutu de se plaindre que le sort ne le laissait jamais tranquille. Comme quoi, on se connaît mal : il aurait juré qu'il détestait sa vie et qu'il aurait tout donné pour la changer de bout en bout. Mais maintenant que ça lui tombait dessus, il se cramponnait à ses habitudes comme si on le menaçait de le chasser de chez lui à coups de pied au cul. Deux millions. Qu'est-ce que tu dis de ça, gros tas ? Et, en une nuit, Charles avait perdu son insouciance. Pendant plus de soixante ans, il avait avancé dans cette existence de comas éthyliques en apéros, en hurlant au comptoir à qui voulait l'entendre qu'il n'en avait rien à foutre, de rien, et qu'on ne vienne pas l'emmerder. Terminé, la décontraction.

Pourtant il avait eu déjà plusieurs vies. Il avait vu sa mère gratter le sol avec ses dents pour leur trouver de quoi bouffer, il avait vu son père disparaître, du jour au lendemain, sans jamais chercher à revoir ni sa légitime, ni ses rejetons, il était apprenti quand les grèves de soixante ont éclaté en Belgique, il avait été roi de la pétanque et chauffeur routier, rond-de-cuir et joueur acharné de tarot, colleur d'affiches et cocu, bagarreur et plâtrier. La grande passion de sa vie aura été la bouteille, les bars et les épiceries ouvertes toute la nuit. Il a l'alcool heureux. Jamais la bouteille ne l'a déçu, ni laissé tomber. Il a offert des fleurs à des connes et s'est comporté comme un imbécile avec des petites loutes sympathiques, il a eu des dizaines de maîtresses, toutes plus tarées les unes que les autres. La plus salope était une bourge à particule, sa famille avait encore un château en ruine et elle aimait s'avilir dans les bars. Elle lui avait fait un gosse. Il avait dit je ne veux pas être père, c'étaient les années 80, elle avait répondu je le ferai toute seule, et si ça ne te plaît pas, t'avais qu'à te faire une vasectomie, connard. Elle n'avait pas tort. Il n'avait pas reconnu ce gamin. Il n'avait jamais cherché à le voir. La Véro aussi est tombée enceinte. Mais elle, quand il a dit je ne veux pas être père, elle l'a fait passer. Elle a fait la gueule, elle lui en a voulu, mais elle l'a fait passer. Et toute seule, avec ça, sans lui demander ni de l'accompagner ni un franc pour l'aider. C'est une dure. Elle a réagi en prolotte. Rien ne soude aussi bien que les épreuves, les prolos ont appris à se serrer les coudes. La Véro, c'est du vieux modèle, ça descend de l'institutrice qui épousait le paysan, ça ne trahit pas son homme. Il avait bien vu que ça lui coûtait de ne pas faire de lardon. Et même à lui, quelque part, ça lui faisait quelque chose. Mais il faut être réaliste, deux pochtrons pareils, le pauvre machin aurait eu beau jeu de brailler des nuits entières, il n'aurait réveillé personne. Et avec la gueule qu'ils ont, tous les deux, il aurait ressemblé à quoi, le truc ? Elle l'avait fait passer. Pas comme l'autre conne à particule. Si la bonne fortune de Charles arrivait jusqu'aux oreilles de cette fausse baronne, sûr qu'elle rappliquerait fissa avec son test de paternité. Et les bonhommes n'ont pas droit au chapitre, ils sont pères d'office. Elle réclamerait sa part d'oseille et lui ferait un enfer pour ça. La Véro grimperait aux rideaux en vociférant et elle aurait raison, la vieille.

D'ailleurs, il n'allait pas non plus le dire à la Véro. Pas si vite. Il allait bien réfléchir, avant de l'ouvrir. Il avait remonté la rue des Pyrénées, était entré dans le bureau de poste pour demander un annuaire. Il voulait chercher le numéro de la Française des jeux mais la guichetière, une jeune Noire grasse et sournoise, lui avait ricané au nez. Il n'y avait plus ni téléphone ni annuaire dans les bureaux de poste. Il l'avait prise de haut, « c'est quand même un comble qu'aux PTT on ne puisse pas téléphoner » et elle l'avait rembarré en souriant, « arrêtez, vous êtes trop jeune pour dire encore PTT ! ». Moins gourde qu'elle n'en avait l'air, finalement. Ça l'avait désarmé, il avait soupiré et quitté les lieux sans faire d'esclandre. Il avait rejoint la place Gambetta, mais la brasserie dans laquelle il se souvenait d'une cabine téléphonique, au sous-sol, avait été rénovée. Ils ne peuvent pas s'en empêcher. Les choses fonctionnent bien, tout le monde en est content, elles sont conçues avec bon sens et solidité – et il faut qu'ils démolissent ce qui convenait pour monter à la place des machins auxquels personne ne comprend rien. La dernière lubie, c'est d'ouvrir des bars dans lesquels les pochtrons ne se trouvent pas à l'aise. Ton cœur de cible, tu le fous dehors. Après ils se plaignent tous de fermer. Mais un bar, ça ne tient pas avec trois touristes qui gueuletonnent un croque-monsieur. Il te faut du pilier, pour tenir, du gars prêt à vendre sa maison pour boire. Si tu vends de l'alcool, il te faut une clientèle de passionnés, pas des amateurs de kir à la fraise.

Charles avait donc acheté une carte téléphonique. Merde, si l'affaire s'avérait être une connerie qu'il s'était racontée, s'il n'avait rien gagné, il venait d'engloutir dix euros dans une carte dont il ne se servirait plus jamais. Charles se méfie du téléphone. Il n'entend plus très bien, il ne comprend pas ce qu'on lui raconte. C'est chiant, il répond au pif, en gueulant. Il s'était mis en quête d'une cabine publique dans un endroit tranquille, où personne ne risquait de pousser la porte en le reconnaissant : qu'est-ce que tu fous là mon salaud ? viens, on va s'en jeter un derrière la cravate.

Il ne savait pas comment formuler ce qu'il avait à dire. « J'ai en ma possession le billet gagnant » ou « j'appelle afin d'obtenir quelques renseignements concernant le gros lot »… Comme tous les prolos, s'adresser à l'institution lui était pénible. Il n'avait pas envie que ça s'entende qu'il était un plouc, et il savait que plus il ferait d'effort pour bien parler, et plus ce serait flagrant.

A l'autre bout du fil, la greluche avait l'habitude. Elle l'avait détendu. Il n'était, visiblement, pas le seul péquenaud à joindre la Française des jeux. Voire, pas le pire de tous. Elle avait vite compris où il voulait en venir – un billet gagnant, pour elle ça faisait partie des choses qui arrivaient, veuillez patienter s'il vous plaît, il avait écouté le *Boléro* de Ravel, puis un autre sbire l'avait aimablement écouté débiter son baratin embrouillé, lui avait demandé de répéter les numéros qu'il lisait sur son ticket, et lui avait dit venez tout de suite, nous vérifierons ensemble, et Charles avait paniqué, c'était un réflexe avec l'administration – non, là je ne peux pas j'ai un emploi du temps très chargé, alors l'autre avait dit, patient, lundi, venez lundi, voilà l'adresse, ne vous en faites pas, oui pour l'anonymat ce sera l'anonymat complet non ne vous en faites pas personne n'attend devant notre entrée pour repérer les grands gagnants, non, vous savez beaucoup de gens entrent et sortent de nos locaux, il sera impossible de vous distinguer d'un joueur qui vient faire une réclamation, ou d'un employé – au sein de nos équipes, oui, certaines personnes connaîtront votre identité, mais nous avons des clauses de confidentialité extrêmement strictes, vous pensez bien, vous n'êtes pas le seul dans votre cas, non, même si vous êtes trop vieux pour travailler chez nous personne ne vous photographiera à l'entrée, si je peux me permettre un conseil, évitez de chercher à vous déguiser trop habilement, parfois en voulant bien faire on devient maladroit, évitez les lunettes, les perruques… Décidément, il n'était pas le premier blaireau qui avait touché le gros lot.

Rentré chez lui, il avait regretté d'avoir reculé le rendez-vous au lundi. Il avait peur même d'aller chier, des fois qu'à ce moment-là une fenêtre s'ouvre et fasse tomber un transistor qui aurait ouvert le tiroir et alors il aurait suffi d'un coup de vent et pff : plus de billet. Ah, pour l'humour et la légèreté, on pouvait repasser… Il y allait même doucement, sur la bibine, pour ne pas risquer de faire une connerie. C'est dire s'il était mal en point… Et il n'y avait pas que cette peur du mauvais coup du sort, le truc typique des gens de sa classe sociale, le grain de sable qui s'acharne à te clouer au sol, de la façon la plus incroyable qui soit, le destin qui aurait inventé n'importe quoi pour que les prolos restent dans leur merde… Il y avait, également, une trouille plus lourde. Qu'est-ce qu'il allait en faire, de ce paquet d'oseille ? Bon Dieu de bon Dieu, en trois jours et trois nuits d'insomnie, il avait eu le temps de retourner le problème en tous sens : une maison ? Qu'est-ce qu'il foutrait d'une maison ? Où ça, une maison ? Dans un bled où il ne connaîtrait personne ? Dans le Sud, chez ces connards de fachos ? Avec des bistrots pleins de chasseurs qui ne parleraient que de génocider des ragondins ? Dans le XVIᵉ, où les troquets sont moins accueillants qu'un établissement pénitentiaire ? En Normandie ? Qu'est-ce qu'il irait foutre ailleurs que chez lui, franchement ? Une maison. La belle affaire ! Est-ce qu'il avait envie de s'acheter une maison ? Etre propriétaire le faisait chier. Et l'idée d'aller voir un notaire et tout le fourbi des papiers… Ah non, non. Pas de ça pour ses vieux jours.

Il s'était rendu, comme convenu, à la Française des jeux. On attendait de lui qu'il pense placements, projets, long terme… Tandis qu'il écoutait, stoïque, le laïus délirant du petit employé, il sentait qu'il prenait des mines de Jean Gabin, comme s'il allait déclarer à n'importe quel moment « mon petit bonhomme, tu vas pas me les briser comme ça bien longtemps ». Mais il était resté silencieux, en attendant qu'on l'autorise à se tirer avec son chèque. Il n'avait pas méprisé toute sa vie ceux qui font de l'argent sans travailler pour se mettre, à son âge, à spéculer en Bourse.

De retour dans sa cuisine, il était plus démoralisé qu'autre chose. Alors quoi : qu'est-ce que tu vas faire de ce pognon, papy ? Acheter des costards ? Rien à foutre. Faire des voyages ? Plutôt crever. Il n'aimait ni les valises, ni le soleil, ni la plage, et encore moins être dépaysé. Alors quoi ? Tu parles d'un problème… il allait se payer des petites poulettes. Ça ne le dérangeait pas le moins du monde qu'une jeunette lui lèche le trou du cul uniquement parce qu'elle en voulait à son argent... mais il allait les lever comment, les petites nanas ? Dans les bistrots où il traînait, ça ne grouillait pas de jolies pépettes... Bon Dieu, il n'avait pas encore touché cet argent que déjà une série d'emmerdements se profilait, rendez-vous à la banque, paperasseries, nouveaux amis, hypocrisies et complications de toutes sortes...

Il était resté assis devant son frigo un long moment, hébété. La Véro s'était levée et avait fait un foin de tous les diables, comme quoi il avait oublié de racheter de l'huile d'olive alors que c'était son tour de le faire. Elle s'administre quotidiennement, avant l'apéro de seize heures, une grosse cuillère à soupe d'huile, soi-disant que ça lui tapisse les entrailles et qu'elle tient mieux l'alcool, après. Charles l'avait laissée gueuler, il avait enfilé son manteau, sans lui répondre, en se disant je vais aux putes. Voilà à quoi il allait utiliser son argent. Sauf qu'une fois devant la petite échoppe de massage de la rue de Belleville, celle dont il avait entendu tant de bien au bistrot, il s'était contenté de jeter un regard rapide au hall d'entrée, chaises en plastique et posters de réflexologie aux murs. Et il avait fait demi-tour.

Il avait beaucoup fréquenté les putes, à l'époque où on les trouvait derrière la gare Saint-Lazare. Il lui arrivait de tourner une demi-heure autour d'une fille avant d'oser lui demander combien elle prenait. Il était timide, quand il n'était pas ivre, avec les femmes. N'empêche que, sans se vanter, elles l'avaient à la bonne. Il a connu les grandes dames du trottoir. Celles qu'on n'embobinait pas. Elles n'étaient pas plus jolies que les filles d'aujourd'hui. Mais elles avaient de la repartie, elles te clouaient le bec, t'avais plutôt intérêt à bien te tenir. A la fin, quand il fallait les chercher sur les grands boulevards c'était moins pratique. Il n'avait pas de voiture. Il faisait ça à pied. Elles n'avaient pas de chambre. Il avait laissé tomber au moment où elles étaient passées de l'autre côté du périphérique. Il n'allait quand même pas prendre le RER pour se faire sucer la bite… Quand les Chinoises avaient envahi Belleville, il avait mis le couvert une fois dans une allée, avec une dame en anorak qui était fringante et aimable mais ne parlait pas un mot de français et ça ne l'excitait pas tant que ça, si on ne peut même pas se dire bonjour. Il avait pensé « voilà, même les putes, c'était mieux avant » et il n'avait plus jamais cherché à en savoir plus sur les filles du boulevard de la Villette. Ça ne lui disait rien, et pas plus ce jour-là. Il n'allait pas se forcer, sous prétexte qu'il venait de toucher de l'argent. Il avait payé sa tournée de cognacs au comptoir du Zorba, puis il avait rejoint la Véro, comme tous les jours, au PMU de la rue des Pyrénées. Si on lui avait dit qu'un jour, il décrocherait le gros lot et qu'il se trouverait comme d'habitude à se prendre le bec avec la grosse…

La Véro, c'est de la vieille godasse, il l'enfile et il est bien dedans. Il n'y a pas de hasard, vingt ans d'affilée avec la même greluche, si moche et chiante soit-elle, c'est qu'on lui trouve quelque chose. Il ne lui avait toujours  rien dit. Il avait décidé de garder ça pour lui. Il craignait que la nouvelle de sa bonne fortune se répande comme une traînée de poudre et que des hordes de femelles surgissent de derrière les fourrés, prétendant qu'il était le père de leurs enfants et réclamant des tests ADN pour profiter de son argent.

Petit à petit, il s'était habitué à la situation et avait compris ce qu'il allait faire avec cet argent : rien. Il en était le premier surpris, mais après examen, sa vie lui paraissait la meilleure qu'on puisse mener. Il allait la continuer, en beaucoup mieux. Il se rendait chez le coiffeur plus souvent, c'était sa coquetterie. A lui le beurre de cacahuète, la bière de marque et les rasoirs à cinq lames… Terminé de se courber en deux dans les rayons du Dia pour scruter le prix du camembert : il choisissait ce qui lui plaisait, sans se préoccuper de savoir combien ça coûtait. La Véro se doutait de quelque chose. Elle s'était inventé qu'il lui cachait un héritage – un oncle décédé dont on aurait vendu la maison. Comme s'il faisait partie de ce genre de famille où les oncles sont propriétaires de quoi que ce soit d'autre que de leur propre trou de balle… mais elle voyait bien que dans l'ensemble on becquetait mieux, on buvait plus, elle sentait qu'il se tramait quelque chose d'anormal. Et ça l'intriguait, la vieille vache. Charles se disait de temps à autre qu'il fallait l'épouser – sauf que lui proposer la botte sans éveiller les soupçons n'était pas chose facile : qu'est-ce qui aurait pu justifier qu'il ait envie subitement d'épouser ce gros tas ? Désormais, chaque fois qu'il apprenait qu'Untel était parti sans crier gare, d'un arrêt cardiaque ou renversé par un scooter, il sentait une vieille inquiétude lui pourrir la journée. Merde, la gueule que ferait la pauvre Véro s'il venait à clamser sans s'être assuré qu'elle hérite… Quelle histoire, ce gros lot. C'était beaucoup de prise de tête, quand même.

Son premier vrai plaisir de vieux qui a de l'argent, ça avait été les baskets, chez Go Sport. C'était arrivé comme ça : il avait mal dans ses vieilles chaussures, il s'était dit bon je vais m'en acheter une paire de neuves. Il avait en tête des pompes élégantes, mais il ne voyait pas où aller chercher ça, il s'était donc retrouvé assis chez Go Sport où un jeune homme lui avait proposé divers modèles. Il en avait passé une paire, par pure curiosité. Alors un univers s'était ouvert à lui : enfin, domaine dans lequel le progrès n'était pas un vain mot. Merde, on en était là de la chaussure et lui se coltinait encore ses vieux sabots. Dès lors, il s'était acheté de nouvelles baskets tous les mois. Il avait beau les planquer, la Véro ouvrait l'œil et là encore elle gueulait « je trouve que t'as l'argent mignon, toi – tu débloques mon pauvre vieux ».

Il n'avait jamais placé le flouze. Sa décision avait été vite prise. Ce n'était pas à son âge qu'il allait devenir une crapule. Le petit mec de la Banque postale qui gérait son compte avait cru s'étrangler en découvrant son nouveau solde. Il en était rendu à l'inviter aux matchs de foot les plus prestigieux, mais Charles s'en contrefoutait. Sport de corniauds. Non, il n'avait pas l'intention de discuter de l'avenir de son argent avec qui que ce soit. Ça faisait partie des surprises agréables, qui viennent avec la fortune. Jusqu'à ce qu'on soit dans la situation de dire non, on ne peut pas dire qu'on est incorruptible. Il n'aurait jamais pensé ça de lui-même. Il aurait cru qu'il serait vil, intéressé, qu'il perdrait la tête avec les zéros sur un chèque. Pas du tout. Il s'était rendu compte que ça ne lui coûtait rien de dire non. Non. Ça ne l'intéressait pas d'en gagner plus que ce qu'il pouvait en claquer. Quand même, ça lui plaisait de voir le morveux de la banque jaillir comme un diable de sa boîte dès qu'il venait poster une lettre. Charles l'engueulait avec plaisir – mais comment tu viens me chercher dans la queue, tu es con ou quoi ? Tu veux que tout le quartier me colle au cul pour me demander de l'argent ? Le pauvre gosse ne pouvait que s'excuser en rougissant. Charles était le client le plus important de l'agence, voire de l'arrondissement. Quelle affaire.

Une fin d'après-midi, la Véro venait de voir un film français à la télé, elle s'était coincé un briquet dans le cul et marchait en faisant attention de ne pas le faire tomber, soi-disant pour se muscler les fesses. Charles l'avait regardée se dandiner, goguenard, avant de lui faire remarquer que dans le film, l'actrice avait un tout petit cul, alors qu'elle, avec son derrière qui ne passait pas entre les portes, le miracle aurait été que le briquet tombe.

— Qu'est-ce que tu veux muscler toute cette graisse ? Avant de muscler, faudrait faire fondre.

Elle s'était mise à râler, comme quoi avant de le rencontrer elle était svelte et bien gaulée, une sorte de Mariah Carey de Belleville, et c'est lui qui remplissait le frigo de merdes sucrées et les placards de chips alors voilà qu'elle perdait la ligne. La Véro, depuis vingt ans qu'il la connaissait, avait toujours été charpentée comme une armoire, mais elle était convaincue qu'un jour elle avait été belle. Quand elle coinçait une petite fraîcheur, bien roulée, au comptoir, elle l'assommait d'histoires de quand elle était bien foutue et que tous les mecs bavaient en la voyant arriver. Légendes. Cette meuf avait toujours été moche. Dans son cas, au moins, il n'y avait aucun regret à vieillir.

Mais la Véro était lancée sur son histoire, que c'était sa faute à lui qu'elle n'était pas du tout gainée, et que d'ailleurs elle aurait bien voulu savoir d'où il tirait tout cet argent, subitement, et si c'était pas malheureux de partager la vie d'un homme et qu'il vous fasse des petits dans le dos, qu'il avait dû hériter, d'une belle somme en plus, et qu'il avait honte de l'avouer.

— T'es tellement un gros con, qu'est-ce que tu crois ? Parce qu'un oncle a dû te refiler dix mille euros en clamsant on va tous s'accrocher à toi comme des morbacs ? Pauvre crevard, tu me fais de la peine… Vas-y, crache ta Valda, de combien tu as hérité ?

— Et qu'est-ce que changerait, ma pauvre, si je te disais que j'avais hérité ? Tu saurais quoi en faire, de l'argent ? Tu vas pas aller t'acheter des fringues – t'es bâtie comme un tonneau dans lequel on aurait mis des coups de pied, qu'est-ce que tu voudrais ? Aller chez le coiffeur ? Il ne te reste pas quatre cheveux sur le caillou. Te faire épiler la moustache ? Si ce n'est que ça, bouge pas, je te prête un rasoir. Qu'est-ce que tu crois ? Tu te paierais une liposuccion ? Vas-y, va te faire liposucer, connasse, et laisse-moi boire ma bière en paix !

Il croyait qu'elle allait prendre son air gourmand de vieille rombière pour évoquer une maison à la campagne où elle se la coulerait douce. Comme tous les prolos à qui on a enfoncé dans le crâne que rien ne vaut d'être propriétaire et d'avoir son petit jardin. Quand tu regardes l'état de sa chambre, la Véro, tu ne lui souhaites pas une petite maison… bordel, non. Cette femme est une sauvage.

La Véro avait haussé les épaules, résignée à ce que ses rêves ne servent à rien mais contente de les bichonner, et avait répondu, sans hésiter : « Si j'avais de l'argent, mon coco, moi j'irais voir New York. New York, Los Angeles, le Grand Canyon et Chicago. » Elle disait ça sur un ton qu'il ne lui connaissait pas, un ton sans acrimonie ni ressentiment, un ton de jeune fille en vérité, et il aurait pu se foutre de sa gueule de baisser la garde si facilement mais il s'était laissé faire, il s'était laissé toucher. Elle avait ça en stock, la vieille salope. Elle ne se doutait pas qu'il pouvait lui payer le voyage, c'était sorti comme ça, ni pour faire la maligne ni pour l'entourlouper. Elle avait mis ça de côté, quelque chose qui lui faisait envie, un truc à caresser. Vingt ans qu'il se la cognait de bar en bar à la tenir quand elle trébuchait, à l'écouter vomir chez lui, et jamais elle ne lui avait parlé de ça. Et la voilà qui souriait, de toutes ses dents pourries – elle a encore tous ses chicots mais vu la couleur et l'état, ça aurait été plus hygiénique qu'ils tombent. Il l'avait rabrouée, par habitude. Mais elle l'avait épaté. Trois mois avant ça, la gueule sous le rouleau compresseur, sans que jamais la pression des factures ne fasse relâche, il ne se serait pas payé le luxe de la trouver émouvante, au contraire il l'aurait savatée de raconter tant de conneries. Trois mois en arrière, il n'était même pas curieux de ce qu'elle pensait. C'était donc ça, le secret de l'argent : sentir assez d'espace pour se permettre des mouvements d'âme.

— T'irais nulle part, vieille pute. Parce que t'as pas de passeport et tu serais bien en peine de savoir comment faire pour avoir les billets et une fois là-bas qu'est-ce que tu foutrais, pauvre folle ?

— T'es vraiment qu'un plein de merde. Aller là-bas c'est pas plus compliqué que prendre le métro, sauf que le prix du billet est pas le même. Et si j'en avais besoin, de mon passeport, j'irais le chercher et puis c'est tout. Je suis en règle, moi, monsieur.

— Tu ne bougerais pas ton gros cul d'un iota. Les pochtrons, vous êtes tous les mêmes : que de la gueule.

— Pourquoi je parle avec toi ? T'as jamais voyagé. T'es plouc. T'as toujours été plouc.

— J'aime pas les voyages. Tu ferais quoi là-bas, que tu fais pas ici ?

— Je me promènerais, ducon. J'irais boire un scotch, je prendrais un taxi et j'irais voir le parc, s'il y a des écureuils j'essaierais d'en attraper un, j'écouterais les locaux parler en vo, je prendrais le métro. T'es jamais allé nulle part, tu sais pas comment c'est, l'étranger.

— Tu serais qu'une grosse touriste de merde.

La Véro avait eu une vie avant de devenir pilier de bar à temps complet. Elle avait été prof pendant plus de vingt ans. De littérature. C'est bien la seule tarée de sa connaissance assez bargeot pour se faire virer de l'Education nationale. Quatre mois de vacances par an, vingt heures de cours par semaine, et c'était encore trop lui demander... Charles déteste les voyages. Rien ne l'emmerde autant que faire une valise, à part peut-être devoir se laver les dents loin de chez lui. Il ne l'a emmenée nulle part, la vieille carne. Pas question qu'ils aillent dilapider son fric en voyages débiles.

Un soleil tardif et hargneux a effacé toute trace des averses de la journée. Charles sent la chaleur mordre sa cuisse à travers la toile de son pantalon. Un jardinier du parc, en combinaison kaki, pousse une brouette vide en sifflotant. Un couple passe, l'homme marche en précédant la fille de quelques pas, il balance ses bras avec une fougue militaire. Charles se ravise. Ce n'était pas une bonne idée de laisser filer la petite dame en rouge sans avertir Vernon qu'on le cherche.

— Tu vas me donner le numéro de la dame en rouge. Au cas où...

— Tu sais où est Vernon ?

— Non.

— Bien sûr que si, tu le sais, je te connais... Fais pas le moche, mets-moi dans la confidence... Tu veux draguer la petite tout seul, c'est ça ?

— Regarde-moi bien. A combien t'évalues mes chances de la convaincre de faire un tour dans les buissons avec moi ?

— Tout dépend. Si vraiment elle veut savoir où est le bonhomme, peut-être qu'elle est prête à…

— Voilà. C'est exactement pour ça que je ne vais pas te dire où est Vernon. J'ouvre la dernière bière, tu me donnes le numéro, et on parle d'autre chose.

— Allez, mets-moi dans la confidence. Je l'ai connu en premier, le Vernon.

— Lève-toi. On va faire un tour.

Sur un banc, une fille en robe blanche à volants répète le thème de *Carmen* à l'accordéon. Emilie en la dépassant se demande si les jupons reviennent à la mode. Si elle était moins grosse elle aimerait porter des trucs comme ça, vaporeux et si féminins. Mais même si elle était mince, elle serait trop vieille pour ce look. D'une certaine façon, ça la rassure.

Ce débile de SDF lui a sapé le moral. « Même pas foutue de se faire coller trois lardons. » Logiquement, quand on se met au contact des plus pauvres, on est censé être rassuré sur son sort, pas se sentir encore plus merdique. Mais même auprès des plus précaires, les filles comme elle passent pour des moins-que-rien. Emilie cherche le Rosa Bonheur, sans être convaincue d'avancer dans la bonne direction. Elle n'a jamais eu le sens de l'orientation, et aujourd'hui qu'elle est contrariée, c'est encore pire.

Vernon occupe ses pensées, depuis qu'elle l'a viré de chez elle. En reconstituant son parcours, elle a réalisé qu'elle avait été la première personne vers qui il s'était tourné quand il avait perdu son appartement. Elle a peut-être été inutilement dure.

Le premier soir, pourtant, elle s'était félicitée. En retrouvant sa maison vide, elle était contente d'avoir défendu son territoire. Elle avait enfilé un pantalon American Apparel, troué à l'entrecuisse, et son tee-shirt Hello Kitty noir et rose, qu'elle ne porte que quand elle est seule. Quitter son jean en rentrant est toujours un grand soulagement. Elle les achète trop étroits, tablant sur une perte de poids imminente. Ce qui fait qu'elle passe ses journées à tirer sur son pull pour qu'il cache ses hanches. La graisse sort en bourrelets au niveau de la taille, elle ressemble à un muffin pas frais. Elle avait allumé une bougie Diptyque qui prenait la poussière depuis des mois, pour créer une atmosphère cosy. Qui avait bien pu lui offrir ce truc ? Ça coûte une fortune et il paraît que c'est toxique. Elle avait fait quelques étirements appris au yoga, en écoutant sur YouTube des mantras tibétains. Elle était restée étendue sur le dos, les paumes tournées vers le plafond, à respirer du ventre aux clavicules, détendant la mâchoire et le ventre. Les doubles rideaux gris achetés chez Zara Home la protégeaient de l'extérieur, du froid, des sons, des regards. Puis elle avait mis l'album de reprises de Cat Power, en se répétant qu'elle était contente d'être seule. De pouvoir se détendre, se recentrer. Elle avait réchauffé une pizza Monoprix Gourmet, s'était installée avec un plateau dans son lit et avait regardé sur Internet un documentaire d'Arte sur la poupée Barbie. Si elle n'avait pas été seule, elle n'aurait pu faire aucune de ces petites choses qui lui procuraient tant de plaisir. Après le dîner, elle avait fini la bouteille de blanc en dévorant un paquet de 250 grammes de Maltesers, qu'elle mangeait pourtant un par un, en laissant fondre le chocolat sous le palais avant de croquer le biscuit… Elle s'était couchée tôt, mais n'avait pas trouvé le sommeil.

Elle pensait au froid qu'il faisait dehors et elle avait beau se rouler en boule sous son épaisse couette rose en cherchant la tranquillité – elle se demandait si Vernon avait trouvé un hébergement pour la nuit. Le conte de la petite fille aux allumettes la hantait. Emilie se raisonnait – elle ne devait pas se rendre responsable de la vie d'un homme qui, quand elle l'avait appelé à l'aide, n'avait pas daigné lui répondre. Et qui la ferait chier s'il était chez elle : qu'est-ce qu'ils avaient à se raconter ? Pourquoi se serait-elle imposé ça ? Non, Vernon, tu prends ta merde et tu vas la déposer ailleurs. Elle n'a pas fait son analyse pour reproduire de vieux schémas de culpabilité de classe. Oui, ses parents lui ont acheté un appartement dans Paris et ça a été plus facile pour elle que si elle était née pauvre en plein Brazzaville. Elle ne va pas se punir toute sa vie pour ça, non plus !

Elle se sentait d'autant moins coupable que Vernon avait de la ressource. Il était certainement, alors qu'elle s'en faisait toute seule dans sa chambre, en excellente compagnie, bien nourri et plus dorloté qu'elle. Vernon mentait, Vernon ne faisait pas beaucoup d'effort dans la vie, Vernon ne s'était pas préoccupé d'elle au moment de la mort de Jean-No. Mais Vernon avait aussi été un ami. Elle l'avait vraiment à la bonne, et pendant des années elle était entrée dans sa boutique en hurlant des conneries et se sentait bien avec lui parce qu'il l'accueillait toujours avec égard et affection. Il faisait ça avec tout le monde, il s'arrangeait pour que chacun se sente unique et important. Et ça lui avait plu. Et maintenant ça, entre eux. C'était moche. Elle avait peur de savoir que ce qui la gênait le plus, dans la présence de Vernon chez elle, c'était qu'il soit le témoin de sa vie. Tant que personne n'était là pour voir comment elle vivait, elle pouvait prétendre, sans vraiment mentir, qu'elle menait une existence assez riche. Une existence qui permettait de ne pas se plaindre. C'est ce qui lui fait le plus peur : passer pour une victime. Mais si elle considère son quotidien à travers les yeux d'une tierce personne, ça se complique. Son boulot est pourri. Elle accepte n'importe quels horaires. Parce qu'elle a peur de se faire mal voir. Il verrait l'absence d'amis, et même de relations. Aucune fête, d'aucune sorte. Il verrait ses flirts Internet. Les rendez-vous avec des inconnus rencontrés sur Meetic, pour lesquels elle passe des heures à se préparer s'épiler se maquiller se coiffer s'habiller, avant de ne lire dans les yeux de celui qui la découvre que de la déception. Son âge ne passe plus. Qu'est-ce qu'il verrait d'autre, Vernon ? Sa cuisine, cet endroit qu'elle cajole tant. Un mur de tisanes. Un bar d'huiles bio. Et partout, les objets de la gaieté, toutes ces couleurs acidulées – magnets sur le frigo, salières en forme de Mickey, boîtes en fer aux motifs 50's… une accumulation de signes de détresse : plus elle cherchait à amasser les marqueurs de pimpance, et plus elle soulignait sa détresse profonde. Elle n'a même pas un chat pour lui tenir compagnie. Le soir, elle arrive, elle allume la télé direct. Et elle se sert un verre. Dans cet ordre.

Elle a accroché au-dessus de son bureau une carte du monde, elle met des punaises rouges où elle est allée et des jaunes où elle ira prochainement. Elle voyage tous les ans. Elle économise et se paye un dépaysement. C'est tellement épanouissant. Mais elle n'a pas envie que Vernon voie ça. Si elle y pense d'un point de vue extérieur – elle a peur que tout ce qu'elle considère d'habitude comme des oasis de plaisir et de paix devienne une série d'indicateurs de pathos.

Emilie avait mal dormi, cette nuit-là. Elle s'était relevée pour fumer une clope, puis pour ouvrir une autre bouteille, elle avait regardé la rue vide, à quatre heures du matin. De vieux souvenirs avaient pris forme. Sa mémoire était un compost, tout s'était mélangé là-dedans, en se putréfiant… il fallait se pencher attentivement au-dessus pour déceler la forme qu'avaient eue les choses, avant qu'elles se rejoignent toutes, en un vaste ressentiment. Elle s'était rappelée une des toutes premières fois où elle avait vu Vernon, au magasin. Elle cherchait le premier disque d'Adam and the Ants, il ne l'avait pas, et il avait ajouté, sans sourire, « mais tu vaux mieux que ça » et il avait mis un disque des Cure. Il portait une bague figurant une tête d'Indien coiffé de plumes bleues et rouges, ça aurait dû être ringard mais ça lui allait bien. Avec des mains comme les siennes, il aurait été dommage de ne pas porter de bagues. Elle revoyait ses gestes quand il manipulait les vinyles, l'index sur le petit trou central, le pouce contre la tranche du disque, retournant la galette noire d'un mouvement du poignet pour chercher le morceau qu'il voulait mettre.

Elle se souvenait qu'un matin, il lui avait roulé une pelle inattendue, devant la boulangerie qui ouvrait toute la nuit et où ils achetaient des croissants chauds à cinq heures du matin. Elle l'avait repoussé, flattée mais moins bourrée que lui, disant qu'ils ne pouvaient pas faire ça à Jean-No. Tu parles ! Elle aurait mieux fait de profiter de l'occasion.

Cependant la culpabilité liée à Vernon s'effaçait au fil des jours, d'autant qu'elle jetait parfois un œil sur sa page Facebook et se rassurait de le voir se débrouiller. C'est alors que Sylvie avait fait son entrée dans les commentaires. Des salves d'injures démentes s'abattaient sur le compte de Subutex, accompagnées de photos explicites sur les intentions de la femme délaissée – militaires dégustant la cervelle de l'ennemi à la petite cuillère, à même le crâne, photogrammes de *Cannibal Holocaust* ou de *Saw*, décapitations, exécutions d'une balle, par peloton, par pendaison, par défenestration… Au début, Vernon s'efforçait d'effacer les messages au fur et à mesure, ce qui avait sur Emilie un effet pervers : elle ne décollait plus de la page de toute la journée, car elle n'aurait pas voulu rater un épisode du feuilleton…

Pour autant, elle ne cautionnait pas l'attitude délirante de Sylvie. Toute cette agressivité, exhibée en public alors que ça ne regardait qu'eux, avait quelque chose de grotesque et de pathétique. Il lui avait volé des livres et une montre. Ce n'était pas élégant. Mais il n'y avait pas de quoi faire un tel esclandre. Il l'avait plaquée alors qu'elle ne s'y attendait pas. Emilie avait envie de dire : ça arrive tous les jours. Si, à chaque fois qu'on est déçue par un mec, on doit mettre le feu à son compte Facebook, c'est white riot sur le réseau… Elle désapprouvait ce déploiement d'hostilité, mais quand Sylvie avait envoyé des demandes d'amitié à tous les contacts de Vernon, parce qu'il venait de la bloquer et qu'elle voulait continuer de se donner en spectacle quand même, Emilie avait accepté. Sans hésitation. Exactement de la même façon qu'on lit un article sur les hémorroïdes de Jennifer Lopez : en se disant que c'est vraiment dégueulasse de parler de ça, mais sans envisager de se priver de l'information.

La folie de Sylvie la fascinait. Emilie ne se met jamais en colère. Elle ronge son frein, elle serre les dents, elle se constipe, se fait des trous dans l'estomac. Mais elle n'a jamais perdu le contrôle au point de crier sur quelqu'un. Elle se tient, sans quoi elle aurait l'impression de s'exhiber et elle en mourrait de honte, pense-t-elle. Aussi le délire de Sylvie, qui franchissait toutes les limites qu'Emilie s'imposait, avait-il un caractère quasiment cathartique. La femme blessée se débattait avec une ardeur qui forçait l'admiration. Elle était dans son tort, elle était ridicule, mais elle était encouragée de toute part. Les internautes adorent le pugilat. Il faut dire que ses menaces d'émasculer Vernon à coups de dents dès qu'elle le retrouverait étaient plus divertissantes que des vidéos de bébés chauves-souris. Consciente de sa popularité, elle avait créé le hashtag « oùestpassésubutex ». Les premiers jours, son initiative était un échec. Personne n'avait envie de se lancer dans une chasse à l'homme. Sylvie avait l'air d'être dangereuse. Un imbécile avait quand même retweeté la photo publiée par Lydia Bazooka, montrant Vernon défoncé et souriant devant son ordinateur… Mais le vrai coup d'accélérateur avait été Pamela Kant. Quand elle était entrée, sous son nom d'actrice, dans le fil de la discussion, la traque avait commencé. Les garçons auraient vendu leur mère pour un compliment de la hardeuse. Emilie, comme tant d'autres, restait connectée toute la journée, et quand le groupe s'était déplacé sur WhatsApp, elle avait suivi le mouvement. C'est là qu'elle avait retrouvé Xavier et Patrice, deux vieilles connaissances, et qu'elle avait renoué contact avec eux. Etrangement, plus Vernon était invisible et plus il prenait d'importance dans leurs vies. Une communauté bizarroïde d'ex-clients de Revolver se retrouvait dans les conversations et on se demandait – t'es là toi mais qu'est-ce que tu deviens alors. Pendant ce temps, Pamela Kant, forte de quelques milliers de followers, drainait dans son sillage une véritable milice de désœuvrés, lancée aux trousses de Subutex. On avait fini par le reconnaître, au fond d'une photo illustrant un article sur les bains douches du XIX<sup>e</sup>. Alors un autre internaute s'était manifesté, déclarant l'avoir croisé aux grilles du parc des Buttes-Chaumont.

Emilie suivait tout ça de très près, mais sans oser intervenir, jusqu'au jour où, rentrant chez elle après s'être arrêtée au Dia acheter du papier hygiénique, du lait et des poireaux, elle avait trouvé Pamela Kant plantée devant sa porte. Elle l'avait reconnue, d'Internet. En vrai, elle était bien plus petite qu'elle ne le paraissait sur les photos. Elle s'était déguisée en Américaine qui ne veut pas qu'on la reconnaisse – casquette, jogging et lunettes noires. Elle avait les yeux fixés sur son téléphone et en s'approchant, Emilie avait vu qu'elle jouait à Tetris.

— Vous êtes Emilie ?

— Ça dépend de ce que vous lui voulez.

— Vous savez qui je suis ?

— Pas la moindre idée.

Emilie enrageait de porter un pack de douze rouleaux de PQ et un sac dont dépassaient des poireaux. Au premier coup d'œil elle avait repéré, malgré les fringues de sport, la taille étroite et le ventre de magazine : un corps ultra-plat, augmenté d'une énorme poitrine. On aurait dit une poupée sortie d'une autre usine que la sienne. Il lui est difficile de se réjouir de la chance des autres. Elle aime le concept, mais elle ne l'applique pas. Les jolies filles ne lui inspirent aucun sentiment noble. De sa main libre, elle avait remonté son propre pantalon, et elle avait désiré que la petite meuf en face d'elle disparaisse d'une combustion spontanée.

— Vous avez le temps pour un café ?

— Qui êtes-vous ?

— Je suis une amie de Vernon Subutex.

— Je suis pressée, je ne vais pas pouvoir discuter longtemps.

— Il m'a dit qu'il avait laissé chez vous des affaires, et il m'a demandé de les récupérer.

— Il ne vous a pas donné mon ordinateur ? C'est étrange. Il m'a laissé son sac justement parce qu'il était supposé le reprendre le jour où il me rendrait l'ordinateur que je lui prêtais. Mais ça ne m'étonne pas tant que ça. J'ai entendu dire que c'était son genre, maintenant, emprunter des choses à ses amis sans les rendre... Je devrais m'estimer heureuse qu'il n'ait rien volé chez moi.

C'était un coup bas. Mais Emilie était à ce point vexée qu'il ait le culot de lui envoyer cette connasse, qu'elle était prête à raconter n'importe quoi pour se défouler. Pamela avait insisté, on voyait bien que c'était une fille peu habituée à ce qu'on lui dise non. Belle peau, cheveux brillants, nez fin, teint clair, beau port de tête, merde, plus elle la regardait et plus elle avait envie de la voir se faire écraser par un bus.

Emilie ne comprenait pas – mais elle n'avait pas envie de poser la question et de montrer que ça l'intéressait – qu'est-ce que cette fille pouvait bien faire avec Vernon ? Puis ça s'était éclairé, subitement : les cassettes ! Vernon lui avait dit que c'étaient des rushes d'Alex Bleach, Emilie les avait oubliées, pensant que ça n'avait aucun intérêt. Comme il avait abandonné le sac chez elle sans lui recommander d'en prendre un soin particulier, elle avait imaginé que Vernon avait filmé le chanteur en train de faire une omelette dans sa cuisine... Mais si Pamela voulait récupérer le sac, ça voulait dire que ce n'étaient pas juste les images d'une soirée entre raides... Et si les cassettes avaient de la valeur, elle rejaillissait automatiquement sur Emilie, qui les détenait. La connexion s'était faite, dans son cerveau : c'était ça aussi que cherchait la journaliste à la con, Lydia Bazooka. Emilie n'avait jamais fait le lien entre le sac qui dormait sous son lit et ce que tout le monde cherchait. Elle était au centre de cette affaire, brusquement. Cette perspective l'enchantait. Ce nouveau statut ne l'avait pas incitée à être aimable.

— Vous direz à Vernon que je veux récupérer mon ordinateur.

— Je peux rembourser votre bécane, ça me paraît normal. Vous me dites ce que c'est, comme modèle, et on se met d'accord sur un prix ?

— Il faut que Vernon m'autorise en personne à vous confier ce sac. Je suis furieuse qu'il n'ait pas tenu sa promesse de me rendre mon ordi, mais ce n'est pas le problème, vous me comprenez… Je ne vous connais pas, je ne peux pas vous confier ses affaires sans qu'il me dise lui-même de le faire. Qu'est-ce qui me dit qu'il est d'accord ?

Emilie savait pertinemment que Vernon était introuvable. Elle gagnait du temps. Elle en faisait des tonnes. Les occasions sont rares de sentir qu'on a le dessus dans une conversation avec Pamela Kant. Elle en profitait.

— Vous ne voulez vraiment pas qu'on en parle dans un café ?

Emilie avait remarqué que la jeune actrice cherchait à éviter le regard d'un mec bizarre qui lui tournait autour. Le type avait l'air débile, grosses montures de lunettes et pull bordeaux trop court, quelque chose dans son comportement déconnait et il avait reconnu Pamela Kant, à qui il adressait de petits signes grotesques. Emilie avait souri, et elle espérait que tout était dit dans ce sourire :

— Je n'ai vraiment pas le temps, non.

Le bref éclat de détresse qui avait traversé le regard de Pamela Kant l'avait décontenancée. Pour une fois qu'elle tenait sa revanche, elle avait un goût infect. Elle avait répété « je suis vraiment pressée, désolée », mais en bloquant la porte avec son épaule, elle avait ajouté :

— Dites à Vernon de me passer un coup de fil, ou de m'écrire.

— Il est introuvable.

— Vous m'avez pourtant dit qu'il vous avait demandé de récupérer son sac ?

— C'était avant de disparaître. Xavier – c'est un vieux pote à lui – s'est fait agresser alors qu'il était avec Vernon, on est allés tous ensemble à l'hôpital et c'est là que Vernon a disparu.

— Vous connaissez Xavier ?

— Oui, et Patrice aussi. J'ai vu que vous étiez amis, sur Internet.

Emilie était si surprise de ce qu'elle apprenait qu'elle avait failli proposer à Pamela de monter chez elle le prendre, ce café. Il n'y avait pas plus antinomiques que Patrice et Xavier. Comment avait-elle fait pour les rencontrer ? Mais le plaisir de lui claquer la porte au nez avait été le plus fort, elle avait pris une mine contrite et avait répété :

— Comprenez-moi. Je n'ai rien contre vous. Mais imaginez que Vernon vienne demain me demander où est son sac ? Je lui réponds quoi ? Une fille est arrivée, me l'a demandé, et je lui ai confié tout ce qui te restait ?

— Je comprends.

— Vous savez où il est ?

— La dernière fois qu'on l'a vu, c'était aux Buttes-Chaumont. Je vais faire un tour, déjà – je vais demander à Xavier et Patrice s'ils veulent m'aider…

— Vous voulez que je vous donne un coup de main ?

Le soir même, elle entrait dans la boucle des discussions du groupe sur WhatsApp. Ils s'étaient tous retrouvés, aux alentours du parc des Buttes-Chaumont, deux jours plus tard – Xavier, Patrice, Lydia Bazooka, Pamela Kant et son petit ami pédé, Daniel, qu'Emilie avait d'abord jugé trop maniéré, puis charmant, tant il avait été adorable avec elle. Ils avaient passé la journée à questionner tous les SDF du quartier, et la soirée à parler de leurs rencontres dans une pizzéria basique et le rosé l'avait défoncée, le lendemain, mais elle avait bien aimé les retrouver. Ils étaient sincèrement inquiets, pour Vernon, ça les liait. Pamela se demandait sans doute ce qui se passerait si on le retrouvait mort quelque part – est-ce qu'on la laisserait récupérer ces foutues cassettes ? Elle avait du mal à cacher que ça l'obsédait. Mais elle était, somme toute, plutôt sympathique. Elle rigolait beaucoup trop facilement pour qu'on garde longtemps ses distances.

Le lendemain soir, alors qu'elle remontait chez elle après être passée faire une séance d'UV plus loin dans sa rue, Emilie avait trouvé la porte de son appartement grande ouverte. On avait visité sa maison. Elle s'était d'abord précipitée sur le tiroir dans lequel elle cachait un peu d'argent liquide, puis avait vérifié que sa boîte à bijoux était intacte, et c'est alors seulement qu'elle avait pensé à se mettre à quatre pattes pour regarder sous le lit. Le sac de Vernon avait disparu.

Elle avait paniqué. Elle avait prévenu les autres, en attendant que la police vienne faire le constat d'effraction. Elle était convaincue que c'était cette petite pute de Pamela Kant. Avec ses airs de sainte nitouche délurée, elle aurait décidé de se servir. Les protestations effarées de l'intéressée ne l'avaient guère convaincue. Emilie s'était sentie étrangement mal. Les cambrioleurs n'avaient pas retourné la maison, juste renversé quelques tiroirs et vidé une étagère. Mais restait la sensation désagréable d'exposition, cet endroit qui devait la protéger était ouvert à tous les vents.

Ils étaient convenus de se retrouver au Rosa Bonheur, le lendemain. Et elle en était là, à errer dans les Buttes-Chaumont en cherchant ce bar. Elle avait peur de ce qu'ils la regardent de travers, parce qu'au fond, si elle avait passé les cassettes à Pamela Kant, tout le monde serait quand même plus avancé.

Patrice envoie un message – il est déjà arrivé. Emilie n'a pas la moindre idée d'où elle se situe, dans le parc. Ce qui est sûr, c'est qu'elle ne voit toujours pas le bar.

Elle longe un lac artificiel, au bord duquel s'ébrouent de gros volatiles.

Elle a entendu dire par une copine que Patrice tapait sur sa meuf. Elle ne sait pas si c'est vrai. Il arrive que quand ils se séparent les gens inventent des saloperies. Mais ça ne l'étonnerait pas tant que ça. Ce genre de donneur de leçons, toujours le menton haut, avec son arrogance de mec qui a toujours raison sur tout, brut de décoffrage… elle l'imagine bien envoyer son poing dans la gueule de sa meuf quand elle ne tombe pas d'accord assez vite. Il est trop primaire, à son goût. Les tatouages de marin qui recouvrent ses bras n'arrangent pas son cas. Emilie n'a jamais compris ce que les filles trouvent à ce genre de primate. De quoi ils parlent, les mecs comme ça, au petit déjeuner ? Ils grognent en se tapant sur le torse, accroupis sur l'évier, tandis qu'on égorge un poulet pour qu'ils aient leur quota de sang avant de prendre un café ? Ce n'est pas du tout son genre. Ce qu'Emilie préfère, chez les hommes, c'est leur intelligence. Pouvoir les admirer. Après, à la vérité, si un mec comme Patrice se mettait à la draguer, elle y réfléchirait sans doute à deux fois… ça fait tellement longtemps qu'elle ne s'est pas endormie dans les bras d'un homme. Elle n'est pas désespérée au point de se dire que n'importe qui ferait l'affaire, mais pas loin…

Ni Xavier ni Patrice n'ont bien vieilli. Ils se sont avachis. Les épaules, les fesses, le menton. Ils n'ont pas pris soin de leurs dents. Intellectuellement, ils se sont ralentis. C'est étrange de les voir plaisanter ensemble. Ils étaient incapables de se croiser sans se fritter, quand ils avaient vingt ans. Aujourd'hui, on ne se dit pas qu'ils ont gagné en tolérance, on se dit que leurs convictions n'ont pas bougé d'un iota, elles sont devenues des langues mortes à force d'être radotées sans être renouvelées. Mais ils n'ont plus assez de vigueur pour faire les petits coqs. Avec l'âge, ils commencent à se ressembler, physiquement. C'est l'alcool qui prend le dessus. Les traits se gonflent, l'expression se fige. Ils deviennent cousins de substance. Patrice était bel homme, dans le temps. Il faut faire un effort pour s'en souvenir, quand on le regarde aujourd'hui.

Xavier est plus aigri. C'est paradoxal, car des deux il est celui qui a le mieux réussi. Il a écrit le scénario d'un film qui a marché, il a un bel appartement, ses vêtements sont soignés, sa femme est restée, il vit avec sa fille, il a de quoi se payer des vacances. Mais il est plus frustré. Son humour est le même qu'avant, en moins vif, et avec du désespoir là où auparavant il y avait de la rage. Emilie a lu que les femmes souffraient moins de la prison que les hommes, parce qu'au cours de l'Histoire elles ont été habituées à être enfermées surveillées entravées punies et privées de liberté. Pas qu'elles aient ça dans le sang, mais elles le portent en héritage. La même logique pourrait s'appliquer avec la réussite sociale : les femmes souffrent moins de ne pas avoir réussi. Elles sont déçues, mais elles font avec. Un mec comme Xavier, qui avait tout pour réussir – le bon genre, la bonne race, la bonne nationalité – et que le succès a frôlé au départ, a plus de mal à se résigner. Voilà, j'ai raté ma vie, j'ai pris les mauvaises décisions, je n'ai pas vu la chance quand elle se présentait, c'est trop tard, c'est fait… ces choses qu'Emilie peut supporter de penser, elle voit bien que Xavier en crève. Il pourrit de l'intérieur, d'une rancœur de médiocre. Même son haleine a cette odeur. Il ne digère pas. Il ressasse – les musulmans les francs-maçons les Juifs les féministes les Chinois les Allemands les Portugais les Roms les protestants les fils de les tapettes – il aimerait sans doute que Patrice entre dans une colère noire en écoutant ses vannes mais l'autre bâille en le regardant fixement, se contentant de demander, de temps en temps : « Tu suis toujours ton traitement ? » Pour une raison qui lui échappe, Patrice a décidé de ne pas se clasher avec lui. Il n'est pourtant pas du genre conciliant, à la base.

Emilie a moins d'humour. Les délires de Xavier la dérangent. Ça fait longtemps qu'elle l'a bloqué, sur Facebook. Elle n'est pas allée jusqu'à le supprimer de sa liste d'amis, mais elle masque ses publications. Cependant, elle n'a pas réussi à être aussi froide que son éthique le voudrait, après l'accident, le jour où ils se sont tous rassemblés pour chercher Vernon ; elle peinait à faire le lien entre le connard réac qui lui donne de l'urticaire sur les réseaux sociaux et ce mec qu'elle a si bien connu. Xavier n'a jamais fait dans la dentelle sémantique, elle ne peut pas jouer la vierge outragée ; lui au moins ne les aura pas pris par surprise, contrairement à beaucoup d'autres. Et, d'une certaine façon, voir que Patrice assumait de rigoler de ses conneries plutôt que de s'en formaliser l'avait incitée à se décrisper. Il faut dire que Patrice avait toujours été un genre de commissaire politique, le berger qui adoube ou exclut du troupeau. Au final, ça l'avait arrangée d'être coulante : cette journée avait quelque chose d'agréable, elle n'avait pas le cœur à foutre l'ambiance en l'air.

Passer la soirée entre Xavier, Patrice, Lydia Bazooka, la petite Kant et Daniel, son copain mignon mais pédé, c'était un peu comme coucher avec un mec pas terrible parce que ça fait trop longtemps qu'on n'a pas baisé. On se dit que ça pourrait être mieux, mais on est quand même soulagée. Bien sûr, elle aurait préféré être avec des gens plus intéressants, plus sophistiqués, plus à sa hauteur. Mais elle devait reconnaître que ça lui faisait un bien fou d'être avec des potes qui la connaissent d'avant, ou que Lydia Bazooka soit suspendue à ses lèvres dès qu'elle avait un souvenir de jeunesse à raconter, ou que Patrice la taquine comme s'ils s'étaient quittés la veille et qu'ils reprennent une conversation à peine interrompue. Et quand elle avait trouvé la porte de son appartement ouverte, elle avait apprécié de pouvoir prévenir les autres « putain on est entré chez moi par effraction » et qu'ils la rappellent dans les cinq minutes, pour lui demander ce qui s'était passé et si elle avait besoin de quelque chose. A leur contact, Emilie mesure combien sa vie ne repose que sur ses seules épaules, depuis des années.

Patrice déteste les parcs. Ces pelouses domestiquées pour que des familles pique-niquent pendant que des crétins de jeunes fument des joints le dépriment. Quand il récupère ses fils, deux fois par mois, il les laisse jouer au foot en bas de chez lui, souvent il les emmène à la piscine, malgré le bonnet de bain obligatoire, mais jamais ils ne vont au parc. Quarante gosses déchaînés au mètre carré, et le double de parents à s'exciter autour, il y a toujours un père pour la ramener avec sa grosse derrière pour l'exciter – c'est la bagarre assurée, ce genre d'endroit.

Il n'avait jamais mis les pieds au Rosa Bonheur, avant ces histoires de Vernon Subutex. Ils ont fini là, l'autre soir, après avoir sillonné le XIX$^e$ arrondissement à interroger tous les sans-abri qu'ils croisaient. La bière est chère mais le cadre n'est pas si pourri. Ce qu'il préfère, dans ce bar, c'est la petite serveuse tatouée. Il était heureux, en arrivant, de voir qu'elle travaillait aujourd'hui. Mais il a beau retrousser ses manches pour découvrir ses tatouages, elle ne réagit pas. Il attrape un journal abandonné sur une table voisine. « Le résultat des élections en Italie inquiète les marchés financiers. » Une giclée de colère à l'arrière du cortex, telle une langue de goudron brûlant : Comment osent-ils imprimer ça. On visse dans les cerveaux cette idée de la dette, aucun journaliste ne fait son travail : raconter ce qui se passe vraiment. Marquer la différence entre dette publique et dette privée, raconter l'histoire dans sa complexité – appeler un chat un chat, les riches ont déclaré la guerre au monde. Pas seulement aux pauvres. A la planète. Et avec l'appui complaisant des médias, on prépare l'opinion aux réformes sauvages. Ça le rend fou. Devant les casiers de tri, le matin, les gamins n'ont que le Front national à la bouche. Ça se distille par bribes, « Marine a raison sur l'euro, on s'est bien fait avoir », comme si elle ne faisait pas partie du sérail. Ça ne les choque pas de voir l'élite s'accommoder du Front national avec tant de facilité. « On est chez nous, quand même », qu'ils disent. Chez nous. Au centre de tri où il est en CDD, ils les font commencer à 4 heures 20 le matin, pour ne pas avoir à les traiter au régime de nuit. La fonction publique, « chez nous », en est là. Dans la fonction publique, c'est comme ailleurs : tout pour les cadres. Il a fallu en nommer de plus en plus, les payer de mieux en mieux, accumuler les privilèges, et tout ce qui leur a été octroyé a été volé aux agents d'en bas. Ceux qui font vraiment le travail. Bougres d'imbéciles, comment peuvent-ils ne pas comprendre qu'on les monte les uns contre les autres, quand on les chauffe à blanc pour qu'ils cognent sur leurs voisins de palier ? Les banques vident les caisses de l'Etat sous prétexte qu'elles ont fait des conneries, on collectivise leurs déficits, on privatise leurs bénéfices, et ces connards de citoyens réclament une raclée pour les Roms.

Mélenchon est meilleur que Marine, sur tous les plans. Son seul problème, pour plaire, c'est qu'il n'est pas raciste. Les gars se sont tellement fait nettoyer la tête, depuis dix ans, que le seul truc qui les obsède, c'est pouvoir dégueuler leur haine du bougnoule. On leur a confisqué toute la dignité que des siècles de lutte leur avaient conférée, il n'y a pas un moment dans la journée où ils ne se sentent pas traités comme des poulets qu'on plume, et la seule putain de combine qu'on leur a vendue pour se sentir moins nuls, c'est de brailler qu'ils sont blancs et qu'à ce titre ils devraient avoir le droit de mater du basané. Et de la même façon que les gamins de banlieue crament les voitures en bas de chez eux et n'attaquent jamais le XVI$^e$, le Français précaire tape sur son voisin de transport en commun. Il reste docile même dans ses agacements : à la télé, la veille, on lui a fait savoir qu'il y avait plus dégradé que lui, plus endetté, plus misérable : le Noir qui pue, le musulman qui tue, le Rom qui vole. Tandis que ce qui constituait la véritable culture de ce peuple français, les acquis sociaux, l'Education nationale, les grandes théories politiques, a été démantelé, consciemment – le tour de force de cette dictature du nanti aura été sa manipulation des consciences. L'alliance banques-religions et multinationales a gagné cette bataille. Ils ont obtenu du citoyen sans patrimoine qu'il renonce à tous ses droits, en échange d'avoir accès à la nostalgie de son impérialisme. Là encore, camarade, tu te fais avoir : si tu crois que le trésor des colonies était pour tout le monde, déjà à l'époque on ne t'octroyait que le droit de te sentir blanc, c'est-à-dire un peu mieux traité que ton collègue qui ne l'était pas. Du mineur au mouton qui pousse son caddie, on n'aura pas vécu longtemps sous le règne du citoyen instruit. Il faut dire, les riches étaient à bout de nerfs : ils n'en pouvaient plus d'être obligés d'aller jusqu'en Russie ou en Thaïlande pour chercher à voir de bons pauvres, du qui crève la faim, du qui ne sait pas lire, du qui marche pieds nus, du qui te fait sentir éduqué, privilégié, forcément envié. C'est une torture, pour lui, ce début de siècle, la colère l'étouffe dès qu'il entend parler de ce qui se passe autour de lui.

Il reconnaît Emilie de loin, qui remonte l'allée centrale en regardant autour d'elle. Elle roule les hanches en marchant, elle se dandine. Elle a pris de l'embonpoint, elle avance comme une boule, avec sa tête catastrophée. Elle s'est fait braquer les cassettes de Vernon. Elle se noie dans un verre d'eau, Emilie, elle est capable de leur faire un burn out parce qu'elle a perdu ce sac. Il l'aime bien, au fond, mais ça se voit qu'elle a les œstrogènes en goguette, il a un peu peur qu'elle se mette à pleurer avant de s'asseoir. Elle dit « oh je me suis perdue dans le parc, ça fait vingt minutes que je tourne… » Elle est à bout de souffle. Elle s'évente avec le journal.

Elle était marrante, dans le temps, cette fille, avec ses allures de keupone du Jura – quelque chose de sain et d'un peu brusque. C'était le genre qu'on finissait par embrasser quand on avait trop bu, parce qu'elle ne demandait que ça, qu'elle était attendrissante, qu'on l'avait sous la main et qu'on n'avait pas peur de se prendre un rateau. Il avait passé de bonnes nuits avec elle, étonné qu'elle soit aussi sensuelle et féminine, au pieu. Mais il l'avait toujours évitée pendant quelques jours, ensuite, se sentant couillon de ne pas savoir comment lui dire qu'il n'avait pas l'intention de recommencer. A jeun, il n'avait plus du tout envie d'elle. Elle avait l'élégance de feindre ne pas être blessée, allant jusqu'à prétendre avoir oublié que ça s'était passé. Elle ne faisait pas d'histoire, dans l'ensemble. Elle a beaucoup transpiré, son maquillage est flingué. Une odeur de sueur se mêle à celle de son parfum, trop capiteux pour la saison. Elle est plus fripée que deux jours auparavant. Elle a dû mal dormir, et prendre moins de temps pour se préparer. Elle dit, le menton un peu tendu, en se renversant contre le dossier de sa chaise :

— Non mais j'arrive pas à le croire… Qu'est-ce qui se passe avec ce putain de sac ?

— C'est dommage que tu n'aies jamais écouté ces cassettes, on comprendrait peut-être pourquoi tout le monde s'affole comme ça…

— Enfonce-moi. Vas-y. J'ai besoin de ça, je te jure. J'ai besoin qu'on me fasse me sentir encore plus merdique…

— Tout doux, bijou, t'emporte pas… Ce n'était pas un jugement. Si Vernon avait laissé chez moi trois cassettes d'Alex Bleach, je ne me serais pas précipité pour les regarder non plus…

— Ah, tu vois ? Merci.

Ça l'a surpris de voir Emilie débarquer dans la discussion WhatsApp. Il l'avait perdue de vue, il pensait qu'elle était trop occupée par d'autres choses pour s'intéresser à ce petit groupe de paumés qui cherchait Subutex. Il avait vite compris qu'elle s'en voulait d'avoir laissé tomber Vernon, quand il s'était réfugié chez elle. Elle avait été la première personne vers qui il s'était tourné. Ça avait dû lui faire tout drôle de se faire traiter comme un étranger. Si les souvenirs de Patrice sont bons, ils avaient été très liés, à l'époque. Il s'est aussi vite rendu compte qu'elle avait changé : maintenant, elle se plaignait tout le temps. Elle donnait l'impression de passer son temps à dresser la liste des gens qui n'avaient pas été cool avec elle, tout en ayant le plus grand mal à être généreuse avec qui que ce soit. Elle met Patrice dans une situation ambivalente : il a envie de l'envoyer chier et il se sent coupable pour ça, parce qu'il sait qu'au fond c'est une fille bien, mais qui n'a pas eu de chance. Avec les mecs, notamment. Il se sent concerné – c'est à cause de types comme lui que des meufs qui étaient gentilles à la base se sont transformées en harpies.

Il n'avait pas l'intention de se taper une heure de RER pour chercher Vernon avec Pamela Kant. Il trouvait ça limite psychotique, comme projet. Elle le connaît à peine, qu'est-ce qu'elle lui veut, au mec ? Mais quand Emilie s'était mise dans l'histoire, ça l'avait poussé à dire d'accord, je participe. Ça le touchait qu'elle se fasse autant de souci pour le disquaire et Patrice ne se sentait pas très fier d'avoir laissé Vernon dormir dehors, non plus. Quand Subutex était parti de chez lui, il n'avait pas dit « je ne sais pas où je dors demain ». Il avait préparé son sac, il paraissait décontracté, il avait dit « je ne veux pas m'imposer plus longtemps » et Patrice l'avait laissé partir. Il avait appris bien plus tard que le mec s'était cherché un bout de carton pour dormir dehors. Ça lui avait fait un drôle d'effet, forcément. Vernon aurait pu s'installer deux ou trois semaines de plus sans que ça le dérange. Le mec est clean, taciturne dans la journée, bon cuisinier et bon copain de télé. C'est ça, aussi, qui l'avait motivé à se joindre aux autres hurluberlus pour dénicher Subutex. S'ils avaient mis la main dessus, il lui aurait dit « arrête de faire ta victime » et lui aurait passé un jeu de clefs de son appartement.

Il s'était traîné jusqu'au parc en pestant que ça le soûlait de perdre sa journée à faire des conneries. Paradoxalement, la perspective de voir Pamela Kant adoucissait quelque peu son humeur. Autant son obsession à localiser le vieux disquaire lui paraît obscure, autant la fille lui est devenue sympathique. Ils se parlent beaucoup, sur WhatsApp et Facebook. Elle lui plaît. Pourtant, il déteste le porno. Ça l'avilit. Il n'a pas envie de bander en regardant des femmes se rabaisser au rang de chienne, et pourtant il bande, et ça lui remplit la tête de saletés dont il n'a pas l'usage. On ne lui demande pas son avis : on lui met du porno sous le nez, tout le temps. Ça le dérange. Impossible de charger un jeu ou une série sans que s'affichent les photos de toutes les salopes qui habitent à moins de cent mètres de chez lui et qui veulent de la bite, tout de suite. Et à poil, les voisines, bien sûr, sinon il risquerait de passer à côté du message. Ça lui arrive de jeter un œil, c'est obligé. Ça le dégoûte. Ça l'excite et ça le dégoûte de se sentir excité par ça. Mais à qui les mecs peuvent-ils se plaindre ? Ils sont supposés encaisser tout ce qu'on leur envoie dans la gueule, et se démerder avec ça. Les filles, c'est facile pour elles : dès qu'elles l'ouvrent pour dire qu'elles se sentent salies ou non consentantes, on arrête toutes les rotatives et on les écoute pleurnicher. Lui se sent sali par la pornographie. Il se sent abusé, mais il va s'en plaindre à qui ? Les bonhommes, ils doivent supporter tout ce qu'on leur impose sans jamais la ramener avec leur sensibilité. On part du principe qu'ils sont forcément partants. Personne ne se demande si ça leur plaît de se faire choper par les couilles à tout bout de champ, pas plus qu'on se préoccupe de savoir s'ils ont envie d'être père ou pas, pas plus qu'on se préoccupe de savoir s'ils ont les moyens de payer la pension alimentaire qu'on leur impose… tout est sur le même mode. La masculinité, c'est « bande et raque » sans alternative.

Alors, Pamela Kant, au départ, il était un peu réfractaire. Mais maintenant qu'il la connaît, il ne la voit plus tellement comme une pauvre fille du X. C'est plutôt une pin-up. Elle est plus rigolote qu'autre chose. Elle est excitante, il ne peut pas dire le contraire. Elle n'est pas dans le forcing – pas de décolleté dans le civil, pas de truc trop aguichant. C'est juste qu'il a de la peine de savoir qu'elle a dû faire ça. C'est un boulot de prolotte, fille du X – les mecs deviennent boxeurs et les filles font du porno.

Il s'était retrouvé à arpenter les alentours du parc en s'arrêtant pour demander à chaque SDF s'il connaissait un mec du nom de Vernon Subutex. Il avait discuté avec un jeune hirsute qui portait son sac de couchage sur la tête, comme une tortue ; il avait bu des bières avec un couple de toxicos, des hippies post-Mad Max tellement cradingues qu'on aurait dit des zadistes, ils lui avaient joué des chansons à la guitare, ils ne savaient pas plaquer un accord et ils sentaient mauvais mais ils étaient plutôt marrants ; il avait rencontré un Malien hiératique et méfiant, il avait fallu lui faire toute une danse du ventre pour qu'il accepte de parler et dire que non, il n'avait croisé personne qui ressemble à Subutex ; il avait bu du rouge avec un vieux de la vieille qui racontait qu'il se protégeait du froid en s'enduisant de graisse de phoque mais ça avait l'air d'être des conneries... Finalement, il s'était soûlé au Rosa Bonheur avec les autres, ils se racontaient leur journée avec un certain effarement – il y a tant de façons d'être un SDF, ils n'y avaient jamais autant réfléchi, les uns les autres. A l'heure de la fermeture, Xavier chantait un vieux morceau des Vierges, « Hey les garçons si on allait à la plage ? Quoi ? Plutôt crever » et Emilie jouait de la batterie avec les paumes sur la table, ça faisait plaisir de la voir aussi contente, se souvenant parfaitement des paroles « On n'est pas le genre de mec à traîner sur les plages, quand on veut nous trouver faut chercher dans les caves, on n'est pas des anges on veut s'amuser on n'est pas des anges on aime déconner » et c'était plus gracieux que sordide. C'est ça qui l'avait surpris.

Pour l'heure, Emilie n'a pas le cœur à rigoler. Elle est déconfite, elle ouvre son paquet de cigarettes d'un geste brusque, en porte une du mauvais côté à ses lèvres, allume le filtre, le crame, a un soupir excédé, jette la cigarette et en prend une autre. Patrice ne sait pas trop comment s'y prendre pour la consoler sans qu'elle s'imagine qu'il la drague – la meuf est chaude comme de la braise, il faut la jouer fine pour être gentil sans qu'elle s'imagine des trucs :

— Essaye de relativiser… Ce n'est pas non plus…

— Ils sont entrés chéz moi. Je me sens tellement vulnérable, maintenant…

Quand il pense qu'il a vu cette meuf gober des acides au réveil, alors qu'ils tournaient ensemble en Bretagne, les faisant passer avec son café « parce qu'elle venait de les retrouver au fond de son sac ». Et maintenant, sa coupe de cheveux ressemble à celle de sa mère à lui. Merde, on change, quand même. Il ne sait plus quoi lui dire. Un silence gênant s'installe. Emilie lui fait de la peine. Il est désolé pour elle que les hommes soient à ce point dégoûtés par les femmes de son âge. Patrice voit ça comme ça : la quarantaine, c'est rédhibitoire. Des filles qui lui rappellent sa mère, il ne peut pas penser à les fourrer. De la gentillesse, de la tendresse, pourquoi pas. Mais du désir : c'est impensable. Emilie n'a pas eu d'enfant. C'est ce qui convient aux femmes de son âge. Un gamin d'une dizaine d'années, il n'y a que là qu'elles puisent ce dont elles ont besoin et que les hommes ne pourront plus leur donner. Il est convaincu que c'est bien organisé et que les femmes font des enfants pour ça : elles créent elles-mêmes les derniers êtres humains qui leur tiendront compagnie, sur le tard. Emilie ne méritait pas de passer à côté de la vie, comme ça. Elle écrase sa clope, en sort aussitôt une autre du paquet, prend conscience de son geste, range la cigarette, joue avec le briquet :

— Mais tu as revu Xavier quand, toi ?

— C'est étrange, hein ?

— Oui. Ça fait bizarre de vous voir ensemble. Je n'ai pas osé en parler l'autre jour.

Ils n'ont jamais pu se saquer. Quand il avait appris que Xavier s'était fait taper dessus, il avait trouvé ça plutôt rigolo. Le crétin avait mis du temps à retrouver toute sa tête, après le court coma à l'hôpital. Quand il était revenu à lui, il avait exigé de sortir immédiatement pour « reprendre son tournage ». Il ne voulait pas que la production perde trop d'argent… le pauvre vieux s'imaginait qu'il était réalisateur. Sa femme avait dû lui expliquer, patiemment, qu'il n'était qu'un scénariste de troisième zone, et qu'il pouvait faire sa convalescence tranquille, personne ne l'attendait. Il pouvait se détendre, de ce côté-là.

Toujours été un con, Xavier. Jeune, il avait les dents qui rayaient le plancher mais ce n'est pas parce qu'on descend sur le trottoir vendre son cul qu'on va y faire fortune. Sa seule qualité avait été de comprendre avant les autres qu'il y avait de l'argent à se faire, dans l'underground. Il était prêt à tout, mais pas capable de grand-chose. Ils s'étaient toujours cordialement détestés, mais avec ce respect imbécile des adversaires, nourri par les films de gangsters. Ils avaient regardé les mêmes. On y apprend une espèce de charabia de code d'honneur qui leur tenait lieu de code éthique.

Quand Pamela avait évoqué un coma grave, sur Internet, en discussion privée – elle l'avait contacté peu de temps après que Vernon était parti de chez lui, et ils entretenaient depuis une correspondance assez sympathique –, Patrice s'était surpris à espérer que Xavier se remette. Par inadvertance, ou faiblesse, il avait oublié de le haïr. Puis il s'était laissé embarquer dans cette connerie de discussion WhatsApp, Xavier s'était joint à eux et il n'avait pas eu le courage de l'envoyer chier. Au contraire, il s'était fendu d'un message amical dans les commentaires publics. Une sorte de trêve. Il n'est pas un gars sensible. Et entre la justice et sa mère, il a toujours prétendu choisir la justice. Mais la chute de Vernon avait ébranlé ses convictions. A quoi ça sert d'être un pur, un dur, si tu ne te soucies pas de savoir que ton pote dort dehors? Subutex était peut-être mort. Cette éventualité le fragilisait.

Quand Xavier a débarqué, amaigri et blafard, pour chercher Vernon, il était quand même content de le voir debout, ce con. Il avait souri en reconnaissant Patrice, avec la bonhomie absurde des patients à qui on a administré de grosses doses de drogues légales, et lui avait tendu la main comme s'ils étaient de vieilles connaissances :

— Je sors à peine du coma et c'est ta sale gueule que je vois ?

Son filet de voix était ténu. Emilie, Pamela et la petite Lydia scrutaient une carte du parc, en cherchant à se partager des zones... Patrice avait dit à Xavier :

— Tu ne crois pas qu'il faut être un peu con pour se battre encore, à ton âge ?

— On ne m'a pas laissé le temps de me poser la question en ces termes... Je n'ai même pas eu le temps d'ouvrir la bouche que j'étais déjà K.O.

Ils avaient regardé les pigeons, sans rien trouver à se raconter, un moment, puis Xavier avait déclaré, les yeux mi-clos :

— « Le jour de la révolution, nous ne serons pas du même côté des barricades. » Tu te souviens que tu disais ça, tout le temps ?

— Je n'ai jamais dit une chose pareille.

— Mais si. Quand vous nous tombiez dessus parce qu'on n'avait pas la bonne couleur de bombers... la gauche radicale, vous avez toujours eu la passion de faire la police...

— Excuse-moi, je ne savais pas qu'en critiquant ton drapeau bleu blanc rouge, j'allais blesser ta sensibilité au point que tu t'en souviennes, vingt ans plus tard. De quoi tu te plains, papounet, l'Histoire va dans ton sens, non ?

— « Le jour de la révolution, nous ne serons pas du même côté des barricades. » Tu admettras qu'il fallait être con pour sortir des âneries pareilles...

— Tu vas y passer la journée ? Ne te fatigue pas. C'était pas moi. Tu confonds.

— Bien sûr que tu l'as dit. Fais pas ton renégat.

— T'as pris un gros coup sur la tête, et c'est tout.

— Et moi j'avais envie de te dire : si on est pas du même côté, connard, c'est que tu t'es trompé de révolution.

— Je le savais, que t'étais amoureux de moi... Tu m'as cassé deux dents un jour. On collait des affiches pour le Scalp et t'as volé le balai pour m'en mettre un coup dans la gencive. Tu te souviens, ou pas ? J'ai tout de suite senti qu'il y avait de l'amour entre nous.

C'est vrai qu'il disait ça tout le temps. « Le jour de la révolution. » Ce n'est pas qu'il soit devenu un renégat. C'est que la honte de s'être trompé à ce point lui interdit de bien s'en souvenir. Il a un sentiment de défaite absolue. C'est un mot qui a organisé sa vie, un mot comme un soleil autour duquel il tournait. Et ça ne s'est pas passé. Toutes les conditions étaient réunies, mais c'est autre chose qui est arrivé. Et si quelqu'un la fait, aujourd'hui, ce sera sans lui. Il ne sera pas question de drapeau noir, de barricades, *Das Kapital*, ni Makhno ni Bakounine. Ce sera quelque chose que les gens de son âge ne comprendront plus. Les damnés de la terre ont changé de visage, et du passé dont ils veulent faire table rase, Patrice fait autant partie que les institutions corrompues. Une alliance ne s'est pas faite, qui était essentielle. A présent, tout est en place pour que ceux qui n'ont rien se chargent de vouloir tuer ceux qui ont encore moins, sous les encouragements ravis des élites : allez, idiots de pauvres, entre-tuez-vous. L'économie n'a plus l'usage de toute une partie de la population. Ils ne sont plus des travailleurs pauvres : ils sont des inutiles. Le seul circuit qu'ils alimentent est celui des prisons. Il va bien falloir se débarrasser d'eux et les élites comptent sur le peuple pour faire la sale besogne.

Quand Xavier rejoint leur table, Patrice lui tend la main sans hésiter. Il est même content de le voir, et sourit en l'entendant demander :

— Mais c'est quoi ce manteau, Emilie ? C'est une cape de Wonder Woman ?

— T'y connais rien à la mode, laisse tomber.

— J'y connais rien mais je sais reconnaître un costume de cirque quand j'en vois un.

— Me fais pas chier aujourd'hui. Je suis assez énervée comme ça.

— Pamela n'est pas encore là ?

— Vous verrez qu'elle ne viendra pas.

— Mais si. Elle l'a dit sur son Facebook – je suis encore sous la douche, je vais être en retard.

Emilie leur jette un regard noir :

— Je trouve ça tellement débile de raconter sa life comme elle le fait sur Facebook. Les gens qui font des selfies, on devrait les bannir de nos listes d'amis.

Xavier hoche la tête :

— Elle ne fait pas trop de selfies. Elle a juste tendance à photographier tout ce qu'elle bouffe.

— C'est encore pire.

Emilie tire ses cheveux en arrière. Elle préfère changer de sujet :

— Tu as retrouvé le numéro de téléphone de la détective dont tu m'as parlé ? – elle se tourne vers Patrice – il dit qu'une fille cherchait les cassettes bien avant tout ce bordel et qu'elle est venue le voir…

Xavier hausse les épaules :

— « La Hyène. » Elle était venue me dire que si je retrouvais les enregistrements…

— Mais qu'est-ce qu'il a raconté, ce con, pour que ça intéresse tant de monde ?

Emilie soupire bruyamment :

— Est-ce que tu as son numéro ?

Patrice demande :

— Elle est comment, cette meuf ?

— Bonne. Pas de première fraîcheur. Mais sexe quand même, tu sais, un peu à la Sharon Stone. Mais sans la chirurgie.

— Plutôt comme Françoise Hardy alors.

— Un petit peu… je dirais plus comme Marianne Faithfull, mais qui serait restée très mince.

— Il faut que tu retrouves son numéro de toute urgence alors…

Emilie explose :

— Putain mais on ne vous demande pas si elle est bonne ! Tu ne sais pas où tu as mis son numéro ?

— Si. Mais je trouve débile de l'appeler pour lui dire « j'ai pas les cassettes mais je me demande si vous les cherchez toujours parce que nous on les cherche comme des cons et on cherche aussi Subutex, on est une bande de crétins inutiles… » Elle va me prendre pour quoi ?

La serveuse tatouée débarrasse la table d'à côté. Son regard croise celui de Patrice. Elle ne sourit pas. Il la regarde s'éloigner, attentif. Emilie lui décroche un léger coup de coude :

— Tu te souviens de comment on voyait les quadragénaires amateurs de chair fraîche, à son âge ?

— M'agresse pas, je regardais son tatouage.

— T'es rivé sur son cul comme un vieux dégueulasse en rut.

— Ça se voyait tant que ça ?

Xavier dit :

— Elle connaît Subutex. Elle allait à Revolver quand elle était petite. Elle m'a entendu parler de lui l'autre jour, elle m'a dit que son père l'emmenait au magasin.

— Non ? Tu lui as parlé ? Ça m'énerve que tu lui aies parlé et pas moi.

Emilie se tend légèrement. Elle en a marre qu'ils aient envie de fourrer tout ce qui bouge sauf elle. Encore une fois, Patrice compatit. Mais il éprouve un étrange plaisir à la martyriser. Elle joue avec la fermeture Eclair de son sac à main, en faisant un bruit agaçant avec les boucles. Son portable vibre et glisse doucement sur la table, tout seul, comme un patineur exténué. Elle regarde le numéro en fronçant les sourcils :

— J'ai donné mon numéro à un SDF dans le parc, qui disait qu'il connaissait Vernon mais je pense que c'étaient des conneries… j'espère que ce n'est pas lui.

— Réponds.

— Si c'est lui, je suis sûre qu'il va être lourd.
— T'es célibataire, non ?

Emilie se bouche l'oreille gauche avec le doigt pendant qu'elle écoute, tête penchée en avant, les sourcils froncés comme si on lui parlait dans une langue extrêmement difficile à comprendre. Elle acquiesce, remercie, raccroche et fronce le nez, dubitative :
— C'était le SDF… Il dit que si on les attend ils ramènent Vernon ici.
— Il avait l'air sérieux ?
— Ça vaut le coup d'attendre, en tout cas…
— Surtout qu'on n'allait nulle part.

Des bourrasques de vent s'engouffrent dans le couloir de l'entrée et font trembler la porte dans son cadre. La Hyène a essayé de la bloquer en glissant un carton épais plié en quatre dans le chambranle, mais le boucan persiste, à intervalles réguliers, comme si quelqu'un essayait d'entrer en lançant de violents coups d'épaule.

Assise en tailleur devant la table basse, elle suit la conversation WhatsApp de la bande à Subutex. Ils se retrouvent aux Buttes-Chaumont. Emilie a dû les prévenir qu'on était entré chez elle en son absence pour braquer le sac. La Hyène boit à petites gorgées une infusion de gingembre brûlante, elle a l'impression d'avaler du feu. A la radio, un homme à la voix grave raconte que certains oiseaux contournent les ouragans car ils perçoivent des infrasons les annonçant. Elle tend la main et baisse le son, qui l'empêche de se concentrer.

Retrouver l'entretien d'Alex Bleach a été un jeu d'enfant. Il a suffi d'un peu de patience, et de laisser faire Pamela Kant qui faisait tout un scandale sur Twitter, ameutant la population de ce qu'elle cherchait Vernon Subutex. La Hyène suivait ses affaires d'un œil distrait, trouvant d'abord la coïncidence troublante puis se doutant qu'elles voulaient la même chose… Le jour où la Kant avait posté des photos d'elle, triomphante, entre deux policiers, annonçant sans vergogne « Subutex est dans la place ! Merci à tous ! », la Hyène avait aussitôt passé deux coups de fil à d'anciennes connaissances pour situer le commissariat où elle se trouvait et béni les dieux en la voyant sortir avec Subutex… Elle avait pris leur taxi en filature jusqu'à l'hôpital, et avait commis une erreur : en les laissant à l'entrée, elle avait pensé qu'elle avait le temps de garer son scooter flambant neuf. Il pleuvait des cordes et elle avait perdu cinq minutes pour le mettre à l'abri. A son retour, Subutex avait disparu dans la nuit, sans crier gare. Contrariée, elle n'avait plus lâché Pamela. Pas difficile à suivre, la môme : elle passe son temps le nez collé à l'écran de son téléphone portable. La Hyène n'a pas eu besoin de rester discrète, sa cible fait tout ce qui est en son pouvoir pour ignorer ce qui l'entoure. Elle sait que si elle lève les yeux une minute, elle ouvrira le champ et un lourd viendra lui dire ce qu'il pense de ses jambes, sa carrière ou son épilation du maillot.

Le plus compliqué était encore de planquer en bas de chez elle. Pamela peut rester enfermée trois jours d'affilée. Heureusement que personne ne livre de clopes à domicile, sans quoi elle n'aurait plus aucune raison de sortir. En revanche, on connaît tout de sa journée, heure par heure, en se branchant sur son compte Twitter. Ce qu'elle écoute, ce qu'elle regarde, à quelle heure s'est-elle peint les ongles des pieds, a-t-elle cramé son rôti au four, ce qu'elle pense du programme de santé d'Obama ou son dernier score à Tetris contre un Coréen déchaîné… On commence par se dire non mais t'as quel âge, tu te prends encore pour une ado ? Mais on se fait vite à son cirque. Pamela Kant est attachante, notamment parce qu'elle est difficile à cerner. Comme pas mal de professionnelles du sexe, elle paraît n'avoir aucune sexualité privée – moins branché cul, il faut chercher du côté de l'héliculture. La Hyène s'est tapé une semaine de planque dans l'hôtel en face de chez elle, à scruter ses interventions sur le Net comme si la sécurité du pays en dépendait. Elle n'a pas bien compris à quelle heure la petite dort – elle poste aussi bien de nuit que de jour.

*Al fin la tristeza es la muerte lenta de las simples cosas. Esas cosas simples que quedan doliendo en el corazón.* Elle a machinalement lancé une liste de musique. La voix de Chavela Vargas remplit l'espace et déploie, dans sa gorge, une sensation familière de pesanteur mêlée de grâce. La Hyène a légèrement mal au dos, à force d'être penchée sur la table basse. Il faudrait qu'elle achète une chaise. Mais la chaise appellerait la table, et on se retrouve vite à vivre dans un bordel de meubles encombrants... Elle aime vivre dans des endroits presque vides. Murs blancs, quelques cartons posés au sol, une console pour l'ordinateur et un sofa en cas de migraine. Elle est experte en piles droites – les livres, les journaux qu'elle garde, les boîtes à chaussures dans lesquelles elle archive quelques documents. Un portant auquel sont suspendues ses fringues, à côté du matelas posé à même le sol. Le dépouillement la rassure. Elle peut changer d'adresse en un voyage de camionnette, ça lui a souvent été utile. Elle aime cet appartement. Les endroits sont comme les gens, il y en a avec qui on a davantage d'affinité. Elle s'est plu tout de suite ici, enterrée dans le XV$^e$ arrondissement, dans ce deux pièces au plancher en bois, haut de plafond, aux angles biscornus. Il n'y a pas de rideaux aux fenêtres, mais il y a beaucoup d'angles morts. Ça manque de lumière. C'est pour ça qu'elle l'a eu si facilement. Les gens veulent de la lumière. La Hyène préfère la pénombre. *Que el amor es simple y a las cosas simples las devora el tiempo.*

Ça faisait longtemps que la Hyène n'avait pas fait ça. S'accrocher à la vie de quelqu'un sans son accord et ne plus le lâcher. Les vieux réflexes reviennent vite, en même temps familiers et anachroniques. Et Pamela Kant l'a conduite devant la porte d'Emilie. Elle a suivi leur conversation, postée devant une vitrine d'annonces immobilières, elles ne l'ont pas remarquée, elle en a suffisamment entendu en deux minutes pour pouvoir s'éloigner et les laisser finir en les observant du coin de la rue. Pamela était repartie bredouille. La silhouette s'éloignant, de dos, paraissait accablée et la Hyène s'est sentie bizarrement émue de la voir aussi facilement abattue. La Hyène connaissait Emilie des discussions WhatsApp. Elle les suivait depuis un moment. Xavier, qu'elle avait rencontré au début de l'enquête, lui avait tout bonnement donné son code. Elle ne lui avait rien demandé. Il avait voulu lui montrer le Facebook de Vernon, pour prouver qu'il était de bonne foi quand il disait qu'il ne parvenait plus à le contacter. Il lui avait raconté sa vie, « je me déconnecte après chaque utilisation. On ne sait jamais. Je n'ai rien à cacher, mais on ne sait jamais. Je ne voudrais pas que ma femme tombe sur un message et se méprenne et souffre pour rien. Je me déconnecte. Je n'en peux plus de tous ces codes qu'il faut donner sur Internet – il faut ouvrir un compte par page, c'est usant. Je prends toujours le même : Agnostic Front, un groupe que personne ne connaît, comme ça je suis tranquille. » Elle aussi elle était tranquille – il avait suffi d'accoler « 66 », son année de naissance, au groupe inconnu dont il avait fait mention – et depuis, elle avait eu accès à toutes les discussions. Ne jamais mépriser une information qu'on vous donne, même si sur le moment elle paraît sans importance, toutes les clefs ont leur serrure, il suffit d'attendre.

Emilie est assez détendue, pour une Parisienne. Elle descend faire une course sans verrouiller sa porte. Ça tombait bien, la Hyène n'avait pas envie d'entrer pendant son sommeil, elle sait que les gens n'aiment pas ça et elle n'avait rien, personnellement, contre sa nouvelle cible. Une carte de crédit, un peu de feeling et elle était dans la place. A peine une légère montée d'adrénaline. Le sac de sport qu'avait laissé Vernon était glissé sous le lit. C'est le deuxième endroit où la Hyène a regardé. Elle s'est sentie obligée d'ouvrir deux ou trois tiroirs, avant de partir, par respect pour la victime.

Trouver les enregistrements avait été un jeu d'enfant. C'est ensuite que les ennuis avaient commencé. Elle ne s'est pas précipitée sur son téléphone pour prévenir le patron – ça y est, boss, j'ai tout retrouvé. Elle a eu envie de jeter un œil au truc. Histoire d'évaluer le prix qu'elle pouvait en demander. Elle a un peu galéré pour trouver une caméra qui lise encore les cassettes, mais elle s'est frotté les mains, en regardant l'entretien : exactement ce que Dopalet craignait. Il paierait tout ce qu'on lui demanderait pour pouvoir détruire ces bandes.

Le chanteur défoncé ne racontait pourtant pas grand-chose. Défoncé à la coke-whisky, il déblatérait en se lamentant sur son sort. Il était d'une beauté extraordinaire on aurait pu l'écouter débiter la météo marine en restant suspendu à ses lèvres. Ses yeux étaient hypnotiques. Ça ne tenait pas tant à leur forme en amande, ni aux longs cils ourlés, mais à leur faculté de transmettre. Son regard est magnétique : on s'y connecte sans le décider et il ouvre les vannes de l'émotion. Le grain de sa voix, un chuintement de sable, accentue l'effet d'hypnose. Il ne disait rien de très intéressant, mais elle connaît le producteur : son nom est prononcé, et à partir de là il ne dormira plus tranquille. Il ne supporte pas l'idée d'être inquiété. Il ferait pourtant mieux, s'il entend l'enregistrement, de pousser un soupir de soulagement et laisser pisser. Il lui suffirait de dire, s'il devenait public, « mais regardez l'état dans lequel le pauvre mec s'est mis, quelques semaines avant d'en crever ». Le travail qu'ils avaient fait, ensemble, pour salir Bleach sur Internet, ferait le reste… Mais Dopalet a trop peu d'assise égocentrique pour être un tacticien éclairé. La moindre contrariété le fait gigoter comme un démon qu'on grillerait sur un barbecue. Il paiera la somme exigée pour récupérer l'enregistrement, et avec gratitude, en plus.

Mais elle n'a pas composé son numéro pour le prévenir. Elle n'en est qu'à moitié surprise. C'était un savoir latent – une information qui est là depuis un moment, dont elle n'avait pas encore pris connaissance, mais dont elle pressentait la forme. Une fois mise au jour, ça ne la prend pas au dépourvu. C'est juste que la lumière se braque sur un coin qui était dans l'ombre. C'est là. Elle savait depuis longtemps qu'elle allait bifurquer. Ça a donc ce goût, la croisée des chemins. La situation n'a rien de complexe. L'équation est même simple : combien elle demande ? Et pourtant, elle n'appelle pas. Le crossroad, à la Johnson. Sauf que dans le cas de Robert, on dit qu'il signe un pacte avec le diable. Voilà qui a de l'allure. A-t-on jamais entendu parler de quelqu'un qui fasse un pacte avec un ange ? Jamais. Les anges ne font pas de deal. Le problème de la rédemption, c'est que c'est comme passer du crack à la camomille : on se doute que ça a des vertus, mais sur le coup, c'est surtout vachement moins ludique.

Ça ne devrait pas être compliqué. Elle se le répète comme un mantra. Elle devrait ramener les renseignements à son commanditaire, faire monter les tarifs, et prendre des vacances. C'est la bonne décision, la plus sûre : cynique et lucrative. Et de l'autre côté, cette tentation absurde : prévenir les sept ou huit têtes de nœud que ça intéresse que c'est elle qui a récupéré les enregistrements, et les leur montrer. Autant dire : se créer des ennuis, déstabiliser tout le monde, foutre le bordel dans quelques vies tranquilles, devoir gérer une tonne d'emmerdements, et au final s'attirer des antipathies de toutes parts. On pourrait appeler cette seconde option la solution de gauche. Qu'est-ce qui la fait hésiter ? Elle est sur le terrain pour l'argent, pas pour le beau jeu. On ne fait pas ce genre de travail pour se prélasser dans les états d'âme. Alors, qu'est-ce qui lui prend ?

Elle repense à Aïcha qui faisait ses devoirs, sur la table de la cuisine, quand elles étaient à Barcelone. Cette petite tête butée, étroite jusqu'à la mesquinerie, pas généreuse pour un sou. Le front bombé, le nez un peu luisant en fin d'après-midi, éclairé par son ordinateur, les épaules endolories qu'elle massait sans quitter son travail des yeux. Cette application, cette intensité qu'elle mettait en chaque chose. Ça l'intéresserait, la petite, l'enregistrement. Ça foutrait sa vie en l'air, mais ça l'intéresserait beaucoup.

On a beau affirmer ne croire en rien, merde, on finit toujours par admirer l'impeccabilité de l'agencement du bordel. Comme si un scribe bourré, dans un coin, avait comploté le truc depuis des mois. Parce qu'elle peut le voir comme ça, à présent : la petite est venue la chercher en pensant apprendre des choses sur sa mère. A l'époque, ça n'avait aucun sens. Mais aujourd'hui, tout est différent : la Hyène peut l'appeler et lui dire – j'ai des informations pour toi. Viens chez moi avec les autres, qu'on regarde ça tous ensemble. Juste pour voir ce que ça fait. Par amour de la poésie – du gratuit et du chaos dense.

Qu'est-ce qu'on fait avec la vérité ? Pamela Kant aussi, ça va l'intéresser, cette histoire. Et son copain Daniel, le testostéroné qui passe chez elle toutes ses soirées, lui aussi, ça va l'intéresser. Tout le monde croit vouloir savoir. La vérité est une valeur qui a la cote. Mais qu'est-ce qu'on en fait ? Ça se transforme en quoi ? Le producteur veut l'annuler, la nier, la dissoudre. Voilà, au moins, quelqu'un qui a un projet clair.

La Hyène enrage de ne pas le faire, mais elle ne l'appelle pas pour lui annoncer la bonne nouvelle. Beaucoup de gens disent qu'ils s'assagissent avec l'âge. En vérité ils se tassent, ils ralentissent. Ils perdent de leurs saillances. Ils s'enlisent dans un sable mou et s'enfoncent en toute confiance. C'est ce qu'on appelle mûrir. La Hyène appartient à une certaine catégorie de durs – ceux que la sensiblerie rattrape, sur le tard, comme si l'armure devenait épiderme et qui se retrouvent, stupéfaits d'être mis en connexion directe avec le monde, et guère habitués à souffrir, notamment du doute. Bien des comportements, adoptés à l'adolescence, entrent en déconfiture à l'âge mur, et elle attrape des états d'âme comme d'autres souffrent de rhumatismes. Elle est arrivée au bout de son pacte avec le mal. S'obstiner serait se mentir. Ce n'est pas la grandeur d'âme qui la retient d'appeler le producteur. Ce qui la retient, c'est une intuition opiniâtre. Elle va prévenir tous ceux qui le cherchent qu'elle a l'enregistrement. Et elle va s'assurer que tout le monde en prenne connaissance. Ce n'est pas ses affaires, mais elle va organiser cette petite projection.

Elle n'a rien dit à Anaïs. L'assistante du producteur. Elles ne se parlent pas de l'affaire. Pourtant elles se voient beaucoup. La Hyène a d'abord fait une fixation classique : dans le cadre d'un boulot plutôt chiant, elle s'est concentrée sur le projet d'attraper la petite. Elle s'est vaguement demandé ce qui lui plaisait à ce point, chez elle. Anaïs n'est pas son genre. C'est une fille trop normale, sage et sans aspérité. S'il y a des lesbiennes qui se passionnent pour la conversion, elle aurait plutôt tendance à fuir les hétérotes. Il faut se les fader, la première nuit, « ah mais je ne sais pas du tout comment m'y prendre, j'ai perdu tous mes repères », comme si avec les mecs c'étaient les reines de la galipette, on a envie de leur dire meuf, si tu ne sais pas quoi faire avec moi dans un lit, je doute que tu te débrouilles beaucoup mieux sous prétexte qu'il y a quéquette et roubignoles. C'est quand même pas sorcier, s'amuser dans un lit quand on est deux à avoir envie de le faire. Si c'est pour faire l'étoile de mer, effectivement, c'est plus gênant entre filles. Mais sinon, laisse aller, ça va venir tout seul, tu verras. Les hétérotes sont trop stressées. On dirait qu'elles sont tout le temps en train de passer des examens de bonne conduite.

Mais la petite Anaïs lui plaisait beaucoup et la Hyène avait pensé « hétérosexuelle c'est pas une tare non plus », on s'arrange toujours pour faire coïncider ses convictions avec ses objectifs, et elle lui avait tourné autour, sans laisser aucune place à l'ambiguïté sur ses intentions. Elle se rendait beaucoup au bureau. Dopalet ne lui disait jamais « non je n'ai pas le temps de te voir aujourd'hui », au contraire : la Hyène lui était indispensable, comme un grigri capable de conjurer le destin. L'affaire qu'il lui avait confiée l'angoissait au plus haut point. Elle pouvait demander des audiences à n'importe quelle heure de la journée, elle était reçue. Avec l'accord du producteur, elle se faisait passer auprès de gens qui avaient été proches d'Alex pour une documentaliste, chargée de statuer sur la possibilité de réaliser un biopic. Elle avait rencontré, pour justifier ses allées et venues au bureau, les managers successifs, tous congédiés sur un coup de tête, le chauffeur de bus de la dernière tournée, un roadie historique, une attachée de presse, la personne de confiance, payée pour surveiller la vedette nuit et jour, elle aussi foutue dehors du jour au lendemain, quelques semaines avant la mort de Bleach, une photographe, un graphiste… et plusieurs médecins. Bleach recherchait leur compagnie, et les impressionnait par ses connaissances encyclopédiques sur les organes, le cerveau, les molécules chimiques et les traitements. Il exigeait de son cardiologue qu'il passe prendre le café chez lui toutes les semaines, de son généraliste qu'il l'accompagne en vacances, de son ostéopathe qu'il le suive en tournée… Moins pourvoyeurs d'ordonnances que confidents bénévoles, les médecins commençaient par se sentir flattés, avant de comprendre qu'ils étaient utilisés, convoqués, instrumentalisés dans la démence de la star. Alex se montrait volontiers sous un jour poli, humble et respectueux, les gens qui l'approchaient croyaient l'apprivoiser, tisser avec lui un lien particulier. Ils avaient tous pensé, à un moment donné, qu'avec eux ce serait différent, qu'ils « savaient le prendre ». Tous avaient déchanté. Le chanteur ne cachait pas sa vulnérabilité, il était drôle et séduisant, et terriblement affectueux. Puis il plantait. Au moment où on s'y attendait le moins, qui généralement coïncidait avec le moment où on avait le plus besoin de lui. Les uns et les autres cherchaient la racine de son comportement erratique – le père parti avant sa naissance, la mère froide et distante, fille mère dans un village de rase campagne, avec un gamin noir à scolariser, le beau-père qui avait reconnu le petit bâtard métis sans jamais oublier qu'il n'était pas le père biologique, le succès arrivé trop tôt, une grande passion pour les drogues dures… on pouvait le prendre comme on voulait, on parvenait toujours à la même conclusion : le mec était un sabordeur hors norme. La Hyène racontait tout ça au patron, qui buvait ses mots en ne retenant qu'une chose : Alex ne parlait pas de lui à ses proches. Elle avait envie de lui dire « forcément, monsieur, vous n'intéressez pas grand monde, passées les frontières de vos propres locaux… », mais elle gardait ça pour elle. Elle ne parlait pas non plus de Pamela Kant, de Lydia Bazooka, de Sylvie… La rétention d'informations cruciales est un principe de base des collaborations fructueuses. Et elle ne s'ouvrait pas davantage de sa théorie sur Alex Bleach : les gens qui déconnent sans arrêt, comme lui, le font uniquement pour faire chier. Parce qu'ils peuvent se le permettre et que ça doit être grisant. Foutre en l'air trois enregistrements successifs, et voir le label manager revenir et lui manger dans la main. Parce qu'il n'avait pas le choix. Et Alex Bleach décevait tout le monde – le tourneur le plus influent comme le vieux pote qui inaugurait son bar de quartier et comptait sur lui pour la soirée d'ouverture, la rédac chef de *Vogue* comme la gamine tétraplégique à qui il avait promis une interview pour son webzine militant pour les droits des non-valides. Sa réputation de mec foireux le précédait et aucune affinité ne le détournait de son mode opératoire : séduire, créer l'attente et le lien, disparaître sans l'annoncer. Il disait oui j'y serai, avec ce que la sincérité peut avoir de convaincant. Car sur le moment, à coup sûr, il croyait ce qu'il promettait. Puis il faisait faux bond. Il prétendait ne pas assumer son statut de star, mais il multipliait les caprices et les défections, sachant qu'on serait obligé de lui passer tout… ce qu'il validait, avant tout, c'était la servitude de son prochain. C'était une attitude agressive : tu as trop besoin de moi pour te permettre de me traiter comme je le mérite. Et Bleach, dans ce désordre qu'il chorégraphiait, se distinguait d'autres vedettes de la seringue en ceci qu'il ne ratait pas ses disques, quand il les enregistrait, ni ses concerts, quand il daignait les donner. Il ne réussissait rien, sauf l'essentiel. Alors que tout son entourage le donnait régulièrement pour perdu, Bleach revenait, et c'était toujours pour confirmer sa gloire. Ça faisait des années que ça ne pouvait plus continuer « comme ça » disaient les gens que la Hyène rencontrait. Son entourage proche paraissait davantage surpris du temps qu'il lui avait fallu pour mourir que de l'événement en lui-même… mais ce qui les choquait le plus, tous, c'était son succès. A chaque nouvel album, les professionnels secouaient doctement la tête – cette fois il avait perdu le truc – mais le public répondait « je t'aime » dans un mouvement massif d'approbation. Et sa notoriété ne s'arrêtait pas aux frontières de l'Hexagone. Son charme opérait. Ses mélodies faciles qu'il déconstruisait juste ce qu'il faut pour qu'on n'ait pas l'impression d'écouter de la variété, tout en restant dans le registre de l'entêtant et du facilement séduisant. Il avait une formule qui marchait à coup sûr, et il était un phénomène de scène. Partout où il se produisait, des spectateurs se transformaient en admirateurs dévoués.

Ses ex-petites amies étaient indulgentes. C'était ce genre de garçon que les filles aiment bien – il les faisait rêver. Il ne tenait pas ses promesses, mais les avait, visiblement, rendues plus heureuses qu'elles ne l'avaient jamais été auparavant. Princesses de quelques semaines, elles avaient la reconnaissance du ventre et ne lui en voulaient pas de les avoir brisées. Il les avait toutes plaquées sans qu'elles s'y attendent – après les avoir idolâtrées adorées piédestalisées, il disparaissait du jour au lendemain. Sylvie, la star du Web, était la seule qui paraissait lui en tenir rigueur. Toutes ses autres petites amies parlaient d'Alex Bleach avec l'émotion du regret, comme si elles restaient convaincues que, sans cette mort subite, il serait revenu, un jour ou l'autre, profiter de ce bonheur avec elles. Alex n'avait pas un type de fille – il était magnanime, il les honorait, toutes. De la jeune mannequin de l'Est à la duchesse blasée, il faisait croire à chacune qu'elle était la fille avec qui il se sentait le mieux. Il était doué pour les grandes déclarations. Elles lui étaient davantage reconnaissantes de les avoir fait rêver qu'elles ne lui gardaient rancune de leur avoir menti.

La relation de Bleach avec Subutex était atypique. S'il recontactait volontiers des gens de son passé, c'était toujours pour les décevoir, au dernier moment. Il n'avait jamais laissé tomber Subutex. Il en avait même fait le légataire de ces enregistrements. Or le chanteur devait croire – ou savoir – qu'ils avaient de l'importance.

La Hyène s'arrangeait donc pour aller voir Dopalet à son bureau le plus souvent possible. Elle croisait Anaïs, lui faisait du rentre-dedans, sentait que l'autre s'affolait, et ça la mettait de très bonne humeur. Dans la journée, elle y pensait peu. Ça la rassurait. Ça lui avait même permis de franchir une à une toutes les étapes qui font qu'une histoire de coucherie devient une histoire d'intimité, sans se poser trop de questions. Elle se disait « elle n'occupe pas mes pensées, tout va bien ». Non, forcément, non : Anaïs ne pose aucun problème. On ne pense qu'aux filles qui font chier. Celles avec qui tout va bien, qui sont toujours là où on les cherche, qui mouillent dès qu'on les touche, qui jouissent en tremblant comme une feuille, qui ne demandent pas quand est-ce qu'on se revoit au moment où on met sa veste, ces filles-là occupent rarement les pensées. Elles se contentent de faire du bien, sans bruit. Anaïs est un poids plume dans sa conscience, un plaisir ponctuel et réconfortant. Il y en a des tonnes comme elle. Sauf qu'elle l'attire comme un aimant. Elles s'étaient serrées assez vite. Mais ça n'avait pas calmé le jeu. Au contraire. Anaïs l'attendait le soir quand tout le monde avait quitté le bureau et elle ne gardait sous son perfecto que sa lingerie de pin-up acidulée. Elles aimaient baiser couchées sur le bureau, debout dans le noir du placard à café, sur le fauteuil du producteur, accrochées à la photocopieuse du comptable… Puis la Hyène avait dû planquer en face de chez Pamela, et c'est quand elle avait donné l'adresse de son hôtel à Anaïs qu'elle avait commencé à comprendre – la petite n'occupe pas mes pensées, mais je ne peux pas rester plus de deux jours sans la voir. C'est la métamorphose. Un matin on se lève et on comprend que dans le silence et la discrétion – on est devenu quelqu'un d'autre. Elle considère cet attachement d'un mauvais œil. Mais elle ne parvient pas à se réguler. Elle l'a dans la peau, il faut l'admettre.

Elle se cale entre ses jambes en ciseaux et lui prend les fesses à pleines mains pour l'emboîter le mieux possible, juste après la baise, et elle sent cogner dans tout son ventre, par le bas, des coups réguliers, bien plus fort que le sang dans les artères du cou, la chatte d'Anaïs envoie des roulements qui se diffusent le long de ses cuisses. Elle ne se souvient pas avoir déjà connu une fille qui palpite réellement, comme elle.

La Hyène refuse d'envoyer ou de recevoir des textos d'Anaïs, elle lui interdit d'appeler ou d'envoyer des mails. De l'extérieur, si on ouvre leurs téléphones et ordinateurs, elle exige que rien ne soit explicite. C'est plus prudent. Elles se donnent rendez-vous quand elles se croisent au bureau, en faisant semblant de parler boulot. Ça lui plaît. C'est réciproque. Les autres filles commencent toujours par dire « moi aussi j'aime qu'il y ait de la distance, tu sais l'idéal c'est qu'on se voie quand on le décide, je suis tellement indépendante ». Ensuite, ça prend dans les huit jours, elles veulent savoir, quand est-ce qu'on dîne ensemble, qu'est-ce que tu faisais hier, pourquoi tu ne dormirais pas là. Mais Anaïs est un paysage noir, entièrement brûlé. Elle ne pose pas de question. Elle parle rarement d'elle-même. Elle est à la fois vaillante et fragile et quelque chose dans cette tension la rend bouleversante. Il y a une histoire, derrière ça, qui vient de se terminer, c'est évident quand on va chez elle. Un appartement que quelqu'un a quitté depuis trop peu de temps pour qu'on ait pu recouvrir tous les vides qu'il a laissés derrière lui.

Un jour, Anaïs lui a dit « je ne pensais pas que je ferais un travail comme ça. Je ne pensais pas que je consacrerais mon temps à quelque chose en quoi je ne crois pas. Je croyais que je bosserais dans le social, et que je changerais les choses à mon niveau. Et puis j'ai saisi des opportunités. Et je suis là. Au milieu de gens qui ont le pouvoir de faire des choses géniales et qui ont complètement renoncé. Et je ne sais pas comment sortir de ça ». C'est la première fois qu'elle disait quelque chose sur elle-même et la Hyène a senti que ça basculait quand elle a eu envie de lui dire « n'y va pas demain, où as-tu envie d'aller, viens on part ensemble ». Elle découvrait qu'elle avait envie de ça – partir avec elle. Merde, si elle s'y attendait… Les histoires font toujours ça : elles se nourrissent d'événements qui n'ont l'air de rien et qui sont des écrous qui tournent et ouvrent des niveaux d'entente imprévus.

*Y siento tus cadenas arrastrar en mi noche callada.* Le jeune couple de voisins, qui a fait endurer à l'immeuble trois mois de travaux hyper bruyants dans l'appartement qu'ils venaient d'acheter, a enfin emménagé : ils ont un bébé de quelques mois, il pleure sans discontinuer. Les copropriétaires deviennent fous – dans le quartier on veut la jeunesse mais rien du bruit qui l'accompagne – mais on ne peut pas demander à ce qu'on coupe les cordes vocales d'un enfant sous prétexte qu'il dérange tout le monde. Elle monte le son jusqu'à ce que la voix de Chavela soit plus forte que le bruit qu'ils font.

La Hyène prend son téléphone et lit les messages WhatsApp. Ils sont au parc des Buttes-Chaumont. Lydia Bazooka vient d'arriver, avec Xavier. Ils attendent Pamela Kant et Daniel. Tout le monde sera là. Elle appelle Aïcha. « Salut petite andouille c'est la fille de Satan à l'appareil, comment tu vas ? » Aïcha ne rigole pas souvent. Il faut vraiment la mettre en condition. Elle lui demande si elle est libre, elle dit que c'est important, elle dit rejoins-moi aux Buttes-Chaumont tout de suite, et bloque ta soirée. Puis elle choisit sa veste et son parfum. Elle prend son temps. Elle les préviendra en chemin. Une fois qu'ils sauront qu'elle arrive avec les bandes, ils ne risquent pas de s'éparpiller.

Le ciel est bouché de nuages gris qui font comme un couvercle sur la ville. Vernon observe la fine bande bleue lumineuse qui se détache à l'horizon, aussi régulière que si l'on avait déroulé un rouleau de papier clair juste au-dessus des toits. Un dernier rayon de soleil, entêté, s'est glissé sous la couche sombre pour donner un coup d'éclat au gris des tuiles de Paris.

La meuf est arrivée en fin d'après-midi, elle n'a pas dit son nom. Elle est probablement plus jeune que Vernon, mais elle est très abîmée. Ses cheveux sont courts et mal coupés, elle a un œil qui dit merde à l'autre, c'est difficile de trouver le bon, celui dans lequel on doit regarder quand on lui parle. Elle est propre, elle ne sent pas mauvais, ses vêtements sont décents. Elle s'est précipitée sur lui alors qu'il était peinard sur son banc, savourant une clope que venait de lui laisser Stéphane, le chef de chantier. « Pardon monsieur j'ai le sida c'est terrible j'ai vu l'assistante sociale elle me dit qu'il n'y a pas d'hébergement avant vendredi il faut que je trouve un hôtel aide-moi monsieur s'il te plaît il y a une dame qui voulait me tirer de l'argent au distributeur elle voulait me donner quatre-vingts euros mais elle avait oublié sa carte elle n'a pas pu le faire monsieur c'est terrible c'est pour l'hôtel aidez-moi s'il vous plaît. »

Il avait grimacé un sourire et haussé les épaules, « Vous voyez bien que je n'ai pas de domicile… si on vous donne quatre-vingts euros pour un hôtel, prévenez-moi, j'aimerais bien dormir dans un lit, moi aussi… » Elle l'avait évalué, suspicieuse, pas si dingue qu'on pouvait le croire au premier coup d'œil : « Tu dors dehors, toi ? Tu ressembles pas à un SDF. » Comme si elle le soupçonnait d'usurper l'appellation. Elle s'était assise à côté de lui et avait ôté ses chaussures, qu'elle portait sans chaussettes. « Regarde, c'est terrible. » Si les ongles de ses mains rouges et gonflées par le froid et les médocs étaient impressionnants de crasse, ceux de ses pieds étaient spectaculaires : de longues griffes orange si longues et épaisses qu'elles avaient tourné sur elles-mêmes et s'étaient comme entortillées les unes aux autres. Vernon ne pouvait détacher son regard de ses pieds. Il se demandait, en pensant à son doigt gonflé : combien de temps pour en arriver là ? Combien de temps avant qu'il ne ressemble plus du tout à celui qu'il avait été ? Et autant il ne concevait aucune nostalgie de son identité sociale, dont les contours et les exigences lui paraissaient parfaitement absurdes, à présent, autant il craignait encore l'idée de la détérioration de son corps. Il lui restait donc encore un peu de chemin à faire, avant la résignation.

« Tu vois, il faut que je fasse soigner ça, j'ai trop mal, j'ai les pieds blessés. Mais ça coûte vingt-cinq euros. Je ne les ai pas, moi ! Il faut me soigner… » Vernon s'était dit quatre-vingts euros d'hôtel plus vingt-cinq de pédicure, on pouvait reconnaître à la meuf une certaine ambition. Il avait tenté de la raisonner : « Si vous ne voulez pas dormir dehors ce soir, vous feriez mieux de prendre cette rue, là, qui descend… Retournez vers Belleville, il y a plus de monde pour faire la manche en bas. Ici, vous risquez de ne croiser personne. Et là-bas c'est plein de pauvres, ils donnent plus facilement que les riches qui habitent ici, ils sont plus concernés… » Voilà qu'à son tour il donnait des conseils de survie en milieu urbain, comme s'il y connaissait quelque chose. Tout ce qu'il désirait, c'était qu'elle s'éloigne, parce qu'il voyait bien qu'elle allait lui attirer des problèmes, ici.

« Mais je ne peux pas faire la manche je fais peur aux gens regardez-moi j'ai le sida je leur fais peur. » Vernon avait doctement acquiescé. « Ce n'est peut-être pas la peine de leur en parler tout de suite, vous pouvez dire que vous cherchez un hôtel sans expliquer que vous êtes malade. » C'est vrai que du point de vue de la communication, le sida n'était peut-être pas l'argument à mettre en avant.

Elle était agitée, angoissée et convaincue que Vernon avait de l'argent et qu'en lui cassant bien les couilles, il finirait par le lâcher. Ou l'emmener quelque part où on l'aiderait. Mais il n'avait aucune idée d'endroit où conduire la petite meuf, ne serait-ce que pour s'en débarrasser. Elle s'accrochait à son bras, se taisait deux minutes et reprenait le même topo. Il lui était probablement arrivé quelques trucs moches, l'idée de dormir dehors la faisait paniquer jusqu'aux convulsions, et de toute évidence, ce n'était pas le froid qu'elle craignait le plus. Elle avait cramponné Vernon, sans pitié, et il avait vite abandonné l'idée de lui poser des questions. Son nom, d'où elle venait, si elle zonait dans le coin d'habitude… le petit small talk qu'il avait appris à gérer, en quelques jours, entre SDF, ne fonctionnait pas avec elle. Trop barrée. A chaque fois qu'il essayait de lui demander quelque chose, elle exhibait une plaie atroce. Il ne savait pas comment s'en dépêtrer.

La nuit était tombée et elle était toujours scotchée sur son banc. Vernon savait qu'à deux on ne les laisserait pas traîner là longtemps. Les mêmes qui étaient sympathiques avec lui, les gars du chantier, Jeanine ou les deux jeunes gens qui lui avaient descendu une couverture – dès que ça commencerait à ressembler à un rassemblement de phacochères aphteux, ils perdraient patience et appelleraient la police.

Le Sacré-Cœur resplendissait, au loin, d'un blanc spectral sous la lune encore pleine. Cette nuit-là, il lui avait montré comment enjamber les grilles pour accéder à la cour arrière de la maison, et la meuf s'était accaparée tout un coin, qu'elle avait entrepris de délimiter en ramenant des pierres dans la maison. Elle avait profité de la lueur de la lune pour jeter à l'extérieur tout ce qui traînait au sol des occupants précédents, deux capotes usagées, un briquet rouillé, une barquette plastique vide… Pendant son installation, elle le regardait avec une hostilité méfiante, comme pour dire si tu t'approches je te tue et il s'était demandé si elle commençait par parler de son sida pour ça – décourager les ardeurs des mecs comme lui. Vernon l'observait du coin de l'œil, s'installer son petit endroit pour dormir, elle y mettait un soin dérisoire, elle avait des gestes précis, habiles, qui ne collaient pas avec son désordre mental apparent. Combien de temps pour en arriver là était une question qui le taraudait. C'est peut-être cette nuit-là qu'il avait compris qu'il ne pouvait pas continuer comme il le faisait. Il allait devoir s'arracher à la butte Bergeyre.

Elle n'avait pas trouvé le sommeil, elle parlait dans le noir, elle répondait à un interlocuteur qui la faisait parfois rire mais qui, essentiellement, la terrorisait et qu'elle devait rassurer – non non je t'assure j'irai la voir vendredi matin elle m'a dit que je serai hébergée. Vernon la laissait radoter. En plein milieu de la nuit, elle avait poussé quelques hurlements terrifiants. Aucune chance que les voisins supportent ça bien longtemps.

Le lendemain matin, quand il s'est levé, elle l'a imité et il n'a même pas essayé de parler avec elle, lui dire que si elle restait ils allaient se faire virer alors que jusque-là il s'était bien arrangé le coup, ici… Il sortait toujours de la maison discrètement, par le fond de la cour, vérifiant que personne n'était dans le jardin communautaire au même moment, ni aux balcons, en face. Le plus invisible possible. Mais la meuf s'était installée dans le petit jardin du fond, tout le monde pouvait voir cette clodote délabrée profiter de l'ombre du grand chêne, en parlant toute seule. Et Vernon l'avait laissée là, en se disant – bon, voilà, j'en aurai profité le temps que ça aura duré…

C'est fragile, une euphorie. Un mot de travers et on redescend – il attend un retour à son vieil état, les crampes l'angoisse et tout le bazar. Le grand drame, le bouleversement, la peur, le refus, tout le bordel des émotions fortes. Et puis rien. Il doit partir et il se dit rien ne presse. Il repense à Marcia. Ça lui arrive, par moments. Elle l'accompagne davantage qu'elle ne lui manque. Il n'est plus en lutte. Ça doit être ça, la dépression. Voir les choses de loin, sans songer à intervenir. Personne ne lui avait dit que c'était plutôt agréable. Il pensait que ça venait avec un assombrissement, une crispation, des sensations difficiles. Rien du tout. Il s'intéresse toujours autant aux nuages. Il peut les contempler des heures, il ne sent que le vide à l'intérieur de lui – un calme qui devrait être morbide et qui est aussi blanc que ces putains de nuages.

Pour le rejoindre, dans la journée, la meuf défonce le grillage qu'il a pris tant de soin à enjamber sans l'abîmer, elle le couche et le piétine sans vergogne. On dirait même qu'elle prend un malin plaisir à se vautrer dessus en gueulant. Ce n'est pas ce genre de pauvre qui cherche à se faire discrète. Elle est furieuse de ce qui lui arrive. Elle n'a pas l'intention de se faire oublier. Il la regarde faire, amusé. Désolé pour elle mais quand même épaté du bordel qu'elle met, et qui fait mesurer à quel point il a pris soin de se faire tout petit. Puis elle s'installe à côté de lui, sur le banc, et tout de suite recommence à lui demander de l'argent. Il pense au Petit Poucet. Il pourrait descendre avec elle à pied, la perdre quelque part, et revenir seul.

Quand la silhouette du vieux Charles se profile au bout de la rue, il est content de le voir arriver. Il ne reconnaît pas tout de suite Laurent, qui marche à ses côtés. En le regardant s'approcher, de loin, Vernon jauge qu'il prend sacrément soin de lui, pour un SDF. Le mec se la pète, mais il a de bonnes raisons de le faire. Il faut avoir de la suite dans les idées et une certaine dose d'obstination pour garder un petit look – godasses de chantier en bon état, jean à sa taille, barbe récente… mais c'est surtout la posture qui est admirable – Laurent marche le dos droit, poitrail en avant, menton haut, la précarité ne l'a ni voûté, ni écrasé. A force de se raconter qu'il est un zonard d'exception, qu'il a choisi sa vie et qu'il méprise les classes laborieuses autant que celles qui les exploitent, Laurent a fini par se convaincre : il ne porte aucun des stigmates qui vont avec sa situation. Ils échangent une poignée de main virile et Vernon grimace de douleur, son doigt le lance si fort qu'il a mal jusque dans les reins. Laurent lui décroche un clin d'œil, connaisseur : « Dis-donc mon salaud tu t'es trouvé un joli petit spot, ici… je ne connaissais pas ce quartier… » Charles désigne le paysage d'un geste ample et fier, comme s'il faisait visiter : « Avec vue imprenable sur le Sacré-Cœur, s'il vous plaît… une basilique érigée sur les charniers des communards, c'est comme si elle nous rotait à la gueule tous les jours, cette pute : crevez, salauds de pauvres ! » Mais il n'a pas le temps de faire son petit solo sur le thème, la meuf s'est déjà jetée sur lui comme une affamée qui trouverait un banquet : « Monsieur j'ai le sida c'est terrible ça fait des

115

semaines que je dors dehors il n'y a pas d'hébergement avant vendredi et j'ai besoin d'un hôtel j'ai tellement froid je suis malade. » Le vieux lui tape sur l'épaule, sans dégoût ni mouvement de recul, il fouille sa poche arrière et extirpe un billet de cinq euros et une pièce de deux : « Je n'ai que ça, ma belle, je ne peux rien faire d'autre, mais j'ai de la bière par contre, vous voulez de la bière ? On s'est fait chier à monter un pack de six, on a de quoi partager… » et la meuf tombe à genoux, sans dire merci pour l'argent qu'elle empoche, elle larmoie, « s'il vous plaît je ne peux rien faire avec ça, allez me chercher de l'argent au distributeur ». Vernon écarte les mains en signe d'impuissance : « Elle fait une fixation sur le distributeur. »

Laurent ne la calcule pas, il la laisse pleurer sans la regarder et s'installe direct sur le banc, assis sur le dossier, ses chaussures pleines de boue là où Vernon s'assoit tout le temps. Les mains dans les poches, il regarde en face de lui, « Putain de vue ! Mais t'es vraiment bien, je comprends qu'on ne t'ait pas revu… » Puis il crache sur le côté un glaviot si épais qu'on dirait un blanc d'œuf, Vernon masque un haut-le-cœur et l'écoute commenter. « Sauf que là, avec ta meuf, t'es dans la merde… c'est une plaie, pour nous, les meufs comme ça… c'est encore pire que les sans-papiers, si tu veux mon avis… quand j'ai commencé la rue, tous ces gens étaient pris en charge dans des hôpitaux, c'est là, sa place, pas dehors… T'en verras plein des comme ça. Tu peux rien faire avec. Encore les Tchétchènes, les Maliens, les Cainfris… Tu peux fixer des limites, tu t'arranges avec eux sur des territoires, tu peux leur dire de pas s'approcher, si t'as un couteau et que tu t'en sers bien, il y a de grandes chances pour qu'ils comprennent ta langue… Mais les gens comme elle… Il leur manque une case et chaque mois qu'ils passent dehors ils s'enfoncent un peu plus… c'est la zone, plus personne n'en veut. Et là, ça sert à rien, de parler, y a pas de stratégie possible… Qu'est-ce que tu veux qu'on fasse ? On ne peut pas les brûler, non plus. » Vernon acquiesce, au moins d'accord sur cette dernière affirmation, voire soulagé de savoir que Laurent n'envisage rien d'aussi radical.

Charles discute cinq minutes avec la folle, il essaye de la raisonner – il a toute une liste d'établissements auxquels elle pourrait s'adresser, mais elle ne veut rien entendre, elle veut de l'argent du distributeur pour son hôtel à quatre-vingts euros, et c'est tout. Au final, le vieux perd patience et change de stratégie : « Maintenant, tu fermes ta gueule ou je te fous une rouste, tu m'entends ? » Terrorisée, elle grimpe sur les grillages qu'elle va vraiment finir par défoncer, se blesse les mains en passant trop vite de l'autre côté, Vernon voit le sang maculer ses paumes et elle se cache dans le jardin. Il hésite à la suivre, elle a changé d'attitude dès que le vieux a haussé le ton, elle a eu vraiment peur et s'est esquivée comme un animal. Laurent le retient en claquant la langue contre son palais. « Oublie d'aller la consoler. Ça ne sert à rien. Elle va te reparler de son distributeur. Elle fait exprès. C'est très manipulateur, un dingue. T'as de l'argent pour elle ? Non ? T'as le numéro d'un bon toubib ? Non. Alors laisse-la. T'as rien de ce dont elle a besoin. Laisse-la chercher ailleurs. Elle t'apportera que des emmerdes et toi tu ne lui donneras rien de ce qu'elle veut. C'est perdant-perdant, votre affaire. »

Charles écoute son petit laïus réac sans prendre la peine de répondre, mais à la tête qu'il fait on voit qu'il ne partage pas cette opinion. Il regarde le fond du jardin d'un œil contrarié. Le vieux est sensible. Vernon se souvient de cette silhouette titubante, penchée sur lui en pleine nuit, alors qu'il délirait de fièvre sur son banc et le vieux gueulait : « enfoiré c'est ma place que tu squattes » – puis voyant que Vernon n'était pas en état de répondre, Charles s'était énervé : « Mais t'es brûlant de fièvre, mon con, je ne peux même pas te latter tranquille alors – t'es juste bon à crever. » Il était reparti moitié en braillant, moitié en vacillant, et était revenu des heures plus tard – avec un sac d'oranges qu'il lui avait jetées sur le thorax. « Il faut que tu manges ça et que tu te mettes à l'abri. Tu vas crever là… » Et Charles était encore revenu, quelques jours plus tard. Le souffle court – « Ces escaliers auront ma peau, c'est pas possible. J'aime bien venir là, mais qu'est-ce que c'est haut, nom de Dieu. Je regarde s'il n'y a pas une maison à vendre. Je me verrais bien habiter là. Je ferais chier tout le monde. » Et il avait rigolé en ouvrant sa bouteille de rouge. « T'as l'air d'aller mieux, mon con ? Mais t'es toujours sur mon banc, je te ferais remarquer… D'habitude, dans la journée, je suis à la bière, mais aujourd'hui c'est férié, j'avais envie d'une exception.

118

Alors, t'es pas mort ? C'est grâce à mes oranges, pas vrai ? » Et ils avaient parlé, en descendant la bouteille. Le vieux était tranquille. Depuis, il passe le voir tous les deux jours, il arrive en disant « Je suis venu avec une petite boutanche de rouge. Pour trinquer. » Ce à quoi Vernon répond « il me semblait bien, à la position du soleil, que c'était l'heure de l'apéro » et Charles enchaîne : « Quoi de neuf sur ton perchoir ? », Vernon essaye de répondre par une blague, la légèreté lui paraît être la moindre des politesses « ça m'ennuie, ils n'ont toujours pas mis le chauffage chez moi » ou « on ne m'a toujours pas livré de linge de lit, j'attends… » et ils discutent en picolant. Charles joue les vieux bougons mais il est plus sensible qu'une pâquerette en bourgeon. Il tire de sa poche d'imper un tire-bouchon, coince la bouteille entre ses chevilles et enfonce la tige en vrille dans le liège. Il tend la bouteille pleine à Laurent et demande à Vernon, sur un ton faussement dégagé :

— T'es au courant que t'as une tribu de mabouls, en bas, qui te cherchent ?

— Comment ça ?

— Ils sont plusieurs. Ils viennent tous les jours casser les pieds à tout le monde. Ils demandent après toi.

Vernon blêmit et Laurent lève la main, en signe d'apaisement :

— Ils n'ont pas l'air furax. Plutôt déboussolés, dans l'ensemble… soit ils cachent bien leur jeu, soit ils ne te veulent aucun mal…

— Ce serait plus ambiance ils se font du souci, en fait…

— Non. Je n'étais pas au courant.

— Mais tu vois de qui il s'agit ? Ils ont plein de noms… j'en ai pas retenu un seul.

— Je ne vois pas pourquoi on me chercherait… j'ai bien emprunté une ou deux choses… mais de là à organiser des battues en meute jusqu'aux Buttes-Chaumont, je dirais qu'ils dramatisent un peu…

— Je t'ai dit, collègue : ils n'ont pas l'air de t'en vouloir.

— Tu crois qu'ils me cherchent pour me faire des câlins ?

— Ils ont des gueules de brigade bisounours, ça oui… En tout cas, à ta place, je descendrais tirer ça au clair…

Charles leur fait signe qu'il revient et s'éloigne, le corps un peu plié en deux, penché vers l'avant – le vieux ne semble pas souffrir du dos ou des genoux, mais dès qu'il commence à être bourré ça lui plaît d'adopter des démarches de grabataire. Vernon pense qu'il va pisser mais il enjambe précautionneusement le grillage de la maison, la contourne et file, bouteille au poing, chercher la dingue.

Laurent penche la tête en arrière et rote si fort qu'on dirait qu'il s'est caché une chambre d'écho dans la poitrine. C'est le travail d'une vie, un bruit corporel comme celui-là… Il ajoute, content de son effet :

— Ne serait-ce que par courtoisie, tu devrais descendre les saluer. Je peux me permettre de te poser une question ?

— Pose toujours.

— De quoi t'as peur ? T'as fait des conneries ?

— Tu sais comment ça se passe… des petites choses. Au moment où on les fait, on pense qu'on va rembourser, s'arranger… par exemple j'ai taxé un ordinateur en promettant de le rendre, et finalement j'ai dû l'abandonner derrière moi… je ne tiens pas absolument à ce que sa propriétaire me retrouve… ou une autre fois je me suis permis d'emprunter deux livres et une montre… à la mauvaise personne.

— Il faut toujours bien choisir ses victimes, certaines sont moins arrangeantes que d'autres.

— Tout à fait. La mienne est très vindicative, très.

— C'est son droit, tu me diras.

— C'est son droit le plus strict. Et le mien c'est d'éviter de la recroiser.

— Ils ne vont pas se mettre à huit pour te chercher juste parce que t'as revendu deux livres et une montre… attention, hein, je ne dis pas que c'est bien ce que tu as fait – ce que je dis c'est qu'ils n'ont pas du tout l'air d'un ramassis de tarés capables de faire semblant d'être sympathiques pour te lyncher pour une connerie…

— Qu'est-ce qu'il fout, Charles ? Il est allé parler avec la dingue ? Pour une fois qu'elle est calme…

— T'en fais pas, c'est pas le genre à…

— Je ne pensais pas à ça.

— Si tu traînes avec des clodos, je te conseille d'y penser… sous prétexte d'être bourrés, t'en as qui en profitent pour faire n'importe quoi…

Laurent écarte les bras et bâille, avant d'ajouter :

— Mais Charles, c'est pas le type qui s'en prend à des meufs qui se défendent pas bien, il les préfère revêches. Bon, tu lèves ton cul et on descend ? Fais pas semblant de réfléchir, tu le retrouveras, ton banc. Ils ne vont pas te l'arracher dans la nuit, non plus… Tu sais que tu peux squatter les voies ferrées ? Y a Coco et Pako qui ont laissé leurs duvets et deux places pour dormir… si tu veux changer un peu d'atmosphère…

— Tu dors sur les voies ferrées ?

— Il n'y a plus de train qui passe, depuis longtemps, t'en fais pas pour le bruit… C'est un spot quatre étoiles, le palace du zonard… Calme, bucolique, spacieux… Bon, j'ai pas la vue que t'as ici, mais j'ai des petites fleurs et moins de vis-à-vis…

— Vous êtes nombreux, là-bas ?

— Je te propose un plan en or, tu ne vas pas faire la fine bouche, non plus… On était trois et les deux autres sont partis. Ils en avaient marre d'avoir froid l'été, ils ont décidé de descendre à Toulouse. En bus. Ils ont rassemblé l'argent du billet mais je leur ai dit les gars ça m'étonnerait qu'on vous laisse monter dans un bus… enfin, il faut croire qu'on les a laissés : ils ne sont jamais revenus. Je suis tout seul, en ce moment, comme un roi. Je défends mon territoire. C'est très convoité, les voies, tu sais. On est bien abrité du vent.

Charles les rejoint, il lève et baisse les bras en signe d'impuissance :

— Elle débloque à tout rompre, la greluche… Vernon, je suis au regret de t'annoncer que t'as perdu

122

toute ta solitude : elle se sent très bien, ici. Elle ne compte pas bouger tout de suite.

Laurent se lève, et remonte la fermeture de sa veste :

— On y va ? Tu veux prendre tes affaires, Vernon ?

— Je n'ai rien.

Laurent siffle, admiratif :

— Enculé de mec libre, dis donc… T'as pas un duvet ? Même pas une brosse à dents ?

— Rien.

— Tu dois fouetter du babouin mon salaud… j'espère que c'est pas pour te rouler des pelles qu'ils te cherchent, tes potes, là… En route ?

Ils descendent lentement les marches qui mènent rue Manin. A mi-parcours, Charles doit s'arrêter. Il se tient au mur, essoufflé, il porte une main au cœur, et s'assoit dans les escaliers.

— Bon Dieu c'est tellement haut, j'ai le palpitant qui s'affole. Ça doit faire cet effet-là, Bogota.

Le vieux remonte de fines chaussettes bleu marine, qui ne vont pas avec ses baskets Nike dernier cri. Ce sont des chaussettes de mec qui bosse dans un bureau et Vernon se demande de quelle époque de sa vie elles viennent. Il essaye d'imaginer Charles propre sur lui, avec des cheveux, soucieux d'arriver à l'heure au boulot, l'attaché-case coincé sous le bras mais c'est difficile de penser qu'un jour il a pu être un employé modèle… Le vieux s'éponge le front en faisant « non » de la tête :

— Vous avez de bonnes jambes, continuez sans moi…

Sur le ton du gars qui demande qu'on l'abandonne sur le champ de bataille. Laurent et Vernon disent on va t'attendre on n'est pas pressés et Charles, agacé, les repousse d'un geste de la main comme ceux qu'on fait pour éloigner les chiens :

— Soyez pas crampons… j'ai envie de me reposer tranquille.

Laurent proteste puis se ravise, il attrape Vernon par le coude et l'entraîne dans les escaliers d'une main ferme, en lui glissant peu discrètement à l'oreille « j'ai compris, il veut remonter parler à la petite sans nous avoir sur le dos… il est comme ça, papy, des fois il débloque… pauvre vieux, c'est pas l'héritier L'Oréal, mais il est capable de dilapider ses maigres économies parce que quelqu'un lui fait pitié… » Vernon acquiesce. Il connaît Charles. A l'heure qu'il est il doit être en train d'acheter un filet d'oranges pour la dingue. Pourvu qu'elle ne les lui lance pas dans la tronche.

Ils traversent la rue Manin, passent les grilles du parc, une pluie serrée s'abat sur leurs épaules. Vernon se dit on ne trouvera personne, ces gens vont rentrer chez eux sans nous attendre. Il est plus rassuré que déçu, il n'est pas sûr de l'accueil qu'on lui réserve. Laurent continue d'avancer, Vernon le suit. Ils longent une pelouse en pente, le paysage est tout en dénivelés, un chaos de verts, de feuillages légèrement distincts, on n'entend presque pas la ville, ici. Vernon est surpris par le calme. Une odeur intense de terre mouillée le remplit, des arbres dont il ne connaît pas les noms tendent leurs branches au-dessus d'eux, rassurante haie d'honneur végétale. Ils dépassent une chute d'eau artificielle. Sur un terre-plein, des Chinois répètent une étrange chorégraphie au ralenti, indifférents à la bruine – on dirait qu'ils repoussent d'énormes nuages invisibles. Laurent entre sans hésiter dans un bar, et Vernon lui emboîte le pas, circonspect. Le bruit de l'espace clos le cueille par surprise, et cette chaleur dont il avait tout oublié. Il reconnaît quelques visages à la table, qui se tournent vers eux et paraissent surpris, pas du tout fâchés. C'est alors que ça le reprend. Ça se déclenche. C'est rapide et discret. Une bascule. La comparaison la plus proche de ce qu'il connaissait, avant, ce serait un pétard d'herbe pure à dix heures du matin sur une plage déserte, un jour d'automne, juste après le café – le moment où on veut se relever, les jambes en coton, pris d'un vertige doux. On est bien là. On marche. On a la vue entrecoupée de fondus au noir, la réalité devenue décors est perceptible, mais n'est retenue que par un fil. On est un ballon gonflé à l'hélium. Ça le prend au pire des moments, mais il ne choisit pas. Il a le temps de se dire – voilà pourquoi, si je n'avais été à la fois chassé par la dingue et appelé en bas par ces gens, je ne serais jamais redescendu de la Butte. Là-haut, les épisodes délirants étaient comme de paisibles voyages en deltaplane – ils ne portaient pas à conséquence. Il décrochait, heureux de prendre ce train, en tête à tête avec le Sacré-Cœur. Ici c'est différent, son absence devient inquiétante : ils vont le prendre pour un fou. Mais il ne peut pas les prévenir.

Il sent sur lui leurs regards troublés. Il a sans doute changé, physiquement. Une détérioration dont il n'avait pas encore pris conscience. Il ne se sent capable que de sourire benoîtement en serrant des mains, se laisse prendre dans les bras d'Emilie. Il se souvient très bien de tous ces gens. Mais il est ailleurs. Il voit la scène, il participe, mais il ne parvient pas à l'investir de sa présence réelle. Il espère que ça va passer, il voudrait leur parler et voit qu'ils sont déçus, qu'ils le scrutent et s'imaginent qu'il est maintenant tout le temps comme ça, tout le temps absent. Patrice, chemise rouge à carreaux noirs relevée sur ses avant-bras tatoués, le visage ouvert et franc, sincèrement content de le voir, le prend par l'épaule et l'invite à s'asseoir à côté de lui. Pamela Kant porte un long manteau noir, elle a dû arriver peu avant eux car il est trempé de pluie, ses yeux sont savamment détourés de noir, et Vernon se demande ce qu'elle fait là. Il sait qu'il est étrange qu'elle semble connaître tout le monde, mais il se sent partir en arrière, un looping interne, il voudrait poser des questions, mais la lucidité lui fait défaut. Il est incapable de prononcer le moindre mot. Il se laisse partir. Lydia Bazooka l'observe, du coin de l'œil, elle lève son verre dans sa direction, et dit un peu trop fort « putain Vernon, mais putain ça fait plaisir de te voir !!! » A elle aussi, il voudrait parler, mais il ne sait que sourire, provoquant une certaine gêne autour de la table. Sa bouche est remplie de nuages – il ne peut pas émettre un son. Xavier a ce geste calme : il pose sa main sur celle de Vernon. Il a changé. Il a perdu beaucoup de poids, il paraît accablé par la tristesse. Vernon distingue un voile gris autour de lui – une araignée qui aurait tissé une toile blanche un peu au-dessus de sa peau. Quelque chose circule autour de leur table, ils se regardent, se parlent, se penchent les uns vers les autres et Vernon sait que le léger malaise qu'il imprime en se sentant partir justement à ce moment-là n'est pas très grave – il pèse moins que la joie qu'ils ont d'être ensemble.

Une femme grande, la taille serrée par une ceinture nouée autour d'un imperméable noir, s'avance, mains dans les poches, amusée, elle le dévisage :

— C'est toi Subutex ?

Puis elle lui tend la main :

— Je m'appelle la Hyène. Tu n'as pas l'air au mieux de ta forme ?

Mécaniquement, Vernon lui serre la main et la paume de la femme est chaude et rassurante – il voudrait que cette paume reste contre la sienne encore longtemps et au regard qu'elle lui lance, il a l'illusion qu'elle le comprend et regrette de devoir se tourner vers les autres. Autour de la table, le silence s'est fait lorsqu'elle s'est présentée. Tous les regards sont fixés sur elle.

— C'est bien moi.

Et Patrice en souriant déclare, l'air intéressé :

— Mais vous ne ressemblez pas du tout à Françoise Hardy.

Emilie est fâchée et elle tient à ce que ça se remarque, elle déclare d'une voix haute, sur un ton un peu faux :

— Vous vous êtes introduite chez moi par effraction, je ne vais pas vous dénoncer parce que…

— Je m'excuse. Mais j'étais embauchée pour retrouver l'entretien la première.

— Ce n'est pas le sujet, je tiens à vous dire que…

— Tu tiens, tu tiens, tu tiens… Si je peux me permettre un conseil, tu devrais lâcher justement. Le miracle, ce n'est pas qu'on entre chez toi comme dans un moulin, c'est que je revienne vous proposer de voir les bandes. Alors tu dis merci à maman et tu descends d'un ton, chérie…

Vernon ne comprend rien de ce qui se passe. Une serveuse s'approche et lui touche l'épaule – hey vous vous souvenez de moi ? Il sait qu'il l'a déjà vue. Mais ça ne revient pas. Il lui sourit, comme un idiot. Elle lui fait un clin d'œil. Elle est d'une douceur telle que subitement Vernon a envie d'éclater en sanglots. Elle retourne travailler. Le souvenir surgit, une fulgurance : il gardait la chienne de Xavier et l'avait croisée, dans le parc, elle était la fille d'un client qui venait souvent à Revolver. Aussitôt, sa conscience se déconnecte, à nouveau : les sons et les couleurs qui l'entourent se brouillent en un désordre informe. Là-haut, sur son banc, quand il sentait qu'il décollait, il s'en foutait. Que ça se déroule sur deux minutes ou sur deux heures, ça ne faisait aucune différence… Cette fois, il aimerait mettre la main sur le bouton de contrôle et se concentrer sur la situation, qui n'a pas l'air désagréable. La conversation continue, en brouhahas lointains, les silhouettes se penchent, se lèvent, tirent une chaise, renversent la tête en arrière pour rire, les visages ont un nom, mais ils n'évoquent rien de précis en lui. Une lame d'angoisse le renverse. Ils appartiennent à un monde qu'il a quitté. Il voudrait se lever et marcher dans le parc, seul. Il a peur qu'on lui pose une question, de mal répondre, que ça tourne mal. On s'adresse à lui, il sent qu'un sourire débile crispe ses lèvres, dont il ne peut se départir. Tu es sûr que tu ne veux pas manger quelque chose, c'est incroyable que tu sois là aujourd'hui, et où as-tu dormi tout ce temps, tu sais tu peux rester chez moi, comment tu te sens, on peut dire qu'on t'a cherché partout, c'est fou que tu réapparaisses quand même, c'est un signe non ? Tu es sûr que tu vas bien, tu es pâle, tu reprends une bière ? Il entend, de loin, mais il pense à autre chose, il est incapable de rester concentré. C'est Laurent qui s'approche et le met sur pied quand le groupe décide d'aller quelque part, il se penche vers lui, « essaye de manger en arrivant, t'as trop bu, t'es plus en état de rien. C'est dommage, ils sont sympathiques avec toi tu as de la chance, tu vois. Fais un effort, ils vont croire que tu as complètement perdu la tête. »

Pamela, en chemin, glisse son bras sous celui de Vernon et tente de lui résumer encore une fois l'histoire des entretiens. Ce qu'elle lui raconte est fuyant, relier les informations les unes aux autres demande un effort qu'il est incapable de fournir. La nuit est tombée. Ils forment une étrange procession, leurs ombres se reflètent sur le bitume luisant. Il ne connaît pas la jeune meuf taciturne qui les accompagne et ne s'adresse à personne. Sentant qu'il la regarde elle le prévient rageusement – « je ne sais pas ce que je fais là, je ne connais personne, c'est la Hyène qui m'a appelée. » Vernon ajoute – « moi non plus je ne sais pas ce que je fais là. » Elle n'a pas envie de lui parler. C'est la première phrase qu'il parvient à articuler, mais la très jeune fille voilée n'est pas intéressée. Ils marchent côte à côte en silence. Autour d'eux, des mots, ici et là. Ça continue à défiler de loin, en valse monotone. « Oh putain depuis le temps » « moi ça m'a quand même coûté une serrure votre plaisanterie » « je suis sûr que ça va être chiant » « ouais comme tous les trucs qu'on attend trop longtemps » « j'espère que ça va pas nous déprimer non plus » « je suis trop émue de penser qu'on va revoir Alex » « arrête de me faire la gueule, madame, je vais te la rembourser ta serrure ».

Ils prennent le métro, Vernon est malmené par le vacarme, il a perdu l'habitude des endroits exigus, puis ils remontent la Seine et il est soulagé, quand ils arrivent chez la Hyène, de pouvoir s'écrouler dans un sofa. Il ne s'accoutume pas au bruit. Trop de voix, trop de murs, trop de plafonds, pas assez de fenêtres ouvertes… Patrice lui met, d'autorité, une poignée d'amandes dans la main et attend de le voir les manger pour lui demander : « Tu veux prendre une douche ? Ça te requinquera, t'as pas l'air dans ton assiette. » La Hyène s'approche, elle considère Vernon avec un mélange d'inquiétude et de mécontentement, elle finit par le prendre par le poignet et l'entraîne vers la salle de bains : « Il y a des serviettes propres à gauche en entrant, regarde, tu te sers. » Vernon a un mouvement de recul. Il est abasourdi. Comment est-il possible qu'il ait perdu aussi vite l'habitude des murs et des portes ? Puis il se voit dans le miroir et il demeure stupéfait : qui est cet étranger ? Le plus étonnant, c'est qu'il le trouve beau. Il a perçu son reflet avant de se reconnaître, et il a eu le temps de se dire – ce pauvre mec a un regard sublime. La Hyène pousse la porte du pied. Elle lui parle calmement : « Tu te sens bien ? Tu es plus blanc que l'évier. Tu n'as pas envie de prendre une douche ? Franchement, tu sens le cadavre. Les autres ne vont pas oser te le dire, mais c'est une infection. Ça t'ennuie de te laver ? Tu trouves que je suis trop hygiéniste ? » Vernon sent poindre une certaine panique : non seulement il ne parvient pas à lui répondre, rien ne vient, il l'entend, mais aucun mot ne franchit ses lèvres, il est vide, il est incapable de faire un geste, ne serait-ce que pour la rassurer et qu'elle le laisse un peu tranquille. Cette fois-ci, c'est sans doute définitif : il est devenu complètement fou, comme un zombie qui tiendrait debout et paraîtrait fonctionner, sa parole est coincée, et sa concentration détraquée. Elle ferme la porte à clef. « Ok. Laisse-toi faire. » Elle le déshabille. Ses gestes sont ceux d'une infirmière. « Ça va aller, ne panique pas. Je crois que tu vas revenir à toi. Je n'ai pas un diplôme en dinguerie, mais la tienne paraît passagère. Tu vas prendre une douche. Je vais te prêter un tee-shirt et un treillis. On doit faire à peu près la même taille. T'es pas épais, moi non plus. On va mettre tes affaires dans la machine, on les fera sécher, dès ce soir tu peux repartir avec tes fringues, si tu y tiens. D'accord ? Je dois même avoir des caleçons, quelque part. » C'est le ton doux et monocorde d'une personne responsable, rassurante, qui prendrait tout en main, il se laisse manipuler, soulagé qu'elle fasse comme si la situation n'avait rien de dramatique et de grotesque. Elle défait ses chaussures, déroule ses chaussettes. « Enculé, t'es resté longtemps sans te changer… le pire c'est pas que ça pue, t'as vu l'état de tes pieds ? » Elle rigole en ouvrant les boutons de son jean. « On peut pas dire que j'ai l'habitude de faire ça. C'est pas toi qui vas me le faire regretter. C'est un calvaire, l'état de ton fute. »

Puis voyant qu'il ne bouge toujours pas, elle le prend par les épaules pour le forcer à pivoter et à entrer dans la cabine de douche. Résignée, elle se déshabille à son tour, garde ses sous-vêtements blancs et Vernon pense qu'elle a une tenue d'infirmière. Elle vérifie la température de l'eau contre son poignet, le pommeau de douche, elle parle sans se demander s'il écoute, « je le savais de toute façon que je me foutais dans la merde en appelant tous ces gens au lieu de faire mon boulot, tranquille, mais j'avais pas pensé que ça irait jusque-là, quand même… Ne t'en fais pas, détends-toi… Tu t'es fêlé, ça arrive à plein de gens… Tu vas t'habituer. Je sais que tu m'entends. Tu vas revenir. Pas comme avant, mais tu vas sortir de ta stupeur… Enfin j'espère… » Le contact de l'eau le ramène agréablement vers la cabine de douche, des mains passent du savon dans son dos, sur ses épaules, dénouent les nœuds et Vernon ressent une douleur fulgurante, aussitôt suivie d'un soulagement intense, il se détend. Elle frotte sa tête, le rince longuement. Elle masse ses chevilles, il sent sa fatigue qui le quitte, elle passe l'eau le long de ses pieds comme si elle comprenait ce qu'il ressent – elle le débarrasse. Alors, sans s'y attendre et avant d'en avoir conscience, il bande comme un taureau. Un rush d'énergie. Elle s'en rend compte et ne se démonte pas, elle sourit et s'excuse, « ne le prends pas pour de l'hostilité, ça va te faire du bien » alors d'un geste sec elle change la température de l'eau et un jet glacé le rend comme une claque brutale, tout entier, à la réalité. Il proteste et elle éclate de rire, « tu vois, ça a marché, t'as meilleure mine ». Elle enfile un peignoir et le laisse dans la cabine, elle lui dit « tu prends ton temps, tu te sèches bien, je reviens avec les fringues sèches. Ça va aller ? »

Il est revenu à lui. Il est exténué. Il veut dormir. Il n'a aucune envie de passer à côté et de devoir parler, il comprend à peu près ce qui s'est passé, les bribes d'information qu'il a glanées çà et là pendant qu'il délirait s'associent à présent. Mais il préférerait ne pas se confronter à tout ça. Dans le miroir, son reflet dans la buée le trouble. Il a beaucoup maigri. La barbe lui va bien, elle modifie son aspect. Les joues sont tellement creusées, on dirait qu'il tend ses lèvres en avant.

Quand il ressort de la salle de bains, il réalise qu'on s'en fait pour lui, sans trop savoir comment se comporter à son endroit. On le traite comme un grand malade. On lui apporte du pain et du miel, on lui sourit gentiment, on fait des gestes lents. Il trempe ses lèvres dans un café, il n'en a pas bu depuis si longtemps. Il avait oublié que ça avait un goût dégueulasse. Chacun s'installe, on éteint des lumières, le silence se fait petit à petit, la voix d'Alex remplit le salon. Sur l'écran plat de l'ordinateur, Vernon reconnaît son ancien appartement. Il attend le déferlement d'émotion que cette vision devrait provoquer, à présent que ses pensées ont repris un cours plus linéaire. Mais il ressent à peine une pointe d'amertume. Il a été tellement malheureux, là-bas, sans se l'avouer. Il ne regrette rien. Alors le visage d'Alex cherche le cadre et Vernon se sent soulevé par une main invisible – il se souvient du temps où Alex était encore là, des images vont et viennent de choses qu'ils ont faites, ensemble. À quoi pensait-il, à l'époque, qui l'ait empêché de parler à son dernier pote, quand il était encore possible de le prendre par le bras, le secouer et lui dire profitons-en, gars, profitons-en tant qu'on est tous les deux vivants.

Souviens-toi, Vernon, on entrait dans le rock comme on entre dans une cathédrale, et c'était un vaisseau spatial, cette histoire. Il y avait des saints partout on ne savait plus devant lequel s'agenouiller pour prier. On savait qu'une fois les jacks débranchés, les musiciens étaient des humains comme les autres, qui faisaient caca et se mouchaient quand ils chopaient la crève, mais ça ne changeait rien. On s'en foutait des héros, ce qu'on voulait c'était ce son. Ça nous transperçait, ça nous terrassait, ça nous décollait. Ça existait, ça nous a tous fait cette même chose au départ : merde, ça existe ? C'était trop large pour nos corps. Des jeunesses au galop, on ne savait rien de la chance qu'on avait… Je me souviens du type qui m'a montré sur un manche les trois accords de *Louie Louie* et j'ai réalisé dans la nuit qu'avec ça je pouvais jouer presque tous les classiques. Quand tu avais de la corne au bout des doigts pour la première fois, c'était comme décrocher ton CAP. Le premier morceau que j'ai su jouer entier, c'était *She's Calling You*. Ça m'a pris un été. C'était une guerre qu'on faisait. Contre la tiédeur. On inventait la vie qu'on voulait avoir et aucun rabat-joie n'était là pour nous prévenir qu'à la fin on renoncerait. Quand j'avais seize ans, personne n'aurait pu me faire croire que je n'étais pas exactement où je

135

devais être. Dans un camion G7, assis sur la roue, à grelotter avec six potes sans être sûrs d'avoir mis assez d'essence pour rentrer mais aucun d'entre nous n'était troublé par le doute. C'était « la dernière aventure du monde civilisé ». Le reste, tu te souviens, c'était pas tabou, on n'était pas énervés contre qui que ce soit : le reste, ça n'existait pas. On a vécu nos jeunesses dans des bulles en acier blindé. Il y avait des alchimies d'enthousiasme, des choses dont on ne connaissait encore rien des revers, on se trouvait des surnoms, tout était intéressant, même les trucs les plus cons. « Est-ce qu'on joue, demain ? » c'était la seule question que je me posais. On vivait dans le larsen des micros ouverts, le chuintement du jack qu'on branche, la chaleur des projos, faire la première partie des Thugs et trouver des tickets conso constituait l'essentiel de notre aventure, et ça nous remplissait. Je n'ai aucun souvenir, entre seize et vingt-trois ans, d'avoir regardé une émission à la télé, on n'avait pas le temps, on était dehors ou on écoutait de la musique, je ne me souviens pas être allé voir un film grand public, avoir vu un clip de Madonna ou de Michael Jackson, la culture mainstream ne faisait pas partie de notre champ de vision. On n'en parlait même pas. Je ne savais pas que ça ne durerait pas. On appelait ça le réseau, on était au top du pro quand on avait un répondeur téléphonique, ceux qui avaient un fax étaient des dieux de la communication. Aucun d'entre nous ne rêvait d'aller acheter de la viande ou de se payer des vacances, il n'y avait que les surfeurs qui s'occupaient de trucs de plage, nous on restait en ville, là où il y a des concerts. Ce n'était pas un sacrifice – on se foutait du reste.

« La » scène, c'était tout ce qui comptait. Et on avait raison. La semaine on collait des affiches, le week-end on jouait quelque part, il y avait assez de monde pour qu'on n'ait pas l'impression de répéter, on pressait nos disques, on ne se déclarait nulle part, il n'y avait pas d'intermittence, il n'y avait pas de monde extérieur au nôtre. On avait tous des associations 1901, on en était trésoriers, présidents, et on était tous TUC. On allait en Italie en Allemagne en Suisse en Hongrie en Espagne en Angleterre en Suède, tout ça dans des camions pourris, et on était les rois de ce monde. Plus tard est venu un monsieur rock à la culture, on a commencé à entendre parler subventions, à voir de belles salles s'ouvrir qui ressemblaient à des MJC de luxe, on a vu des mecs se pointer qui savaient monter des dossiers, qui parlaient le langage des institutions, ils étaient plus articulés, ils étaient plus malins. On a commencé à remplir des papiers. Le CD a remplacé le vinyle. Les 45 tours ont disparu. Ça n'avait l'air de rien. On savait, et on ne savait pas. Chaque chose, prise une par une, était anecdotique. On n'a pas vu venir le truc d'ensemble. Et ce rêve qui était sacré a été transformé en usine à pisse. C'est l'histoire de Cendrillon : une pédale Fuzz avait transformé nos citrouilles en carrosse, et là minuit avait sonné. On retrouvait nos haillons. Plus rien ne nous appartenait. Nous devenions tous des clients. Le rock convenait à la langue officielle du capitalisme, celle de la publicité : slogan, plaisir, individualisme, un son qui t'impacte sans ton consentement. Nous n'avions pas compris que les cailloux magiques que nous tenions entre nos mains étaient des diamants purs. Un trésor entre les mains d'une bande d'inadaptés. Aucun d'entre nous n'avait de plan de carrière. On ne pensait pas que c'était possible. C'est ce qui nous sauvait. On a tout perdu. Mais nous ne parlerons jamais à égalité avec ceux qui n'ont jamais fait l'expérience d'une vie en tout point conforme à leurs rêves. Je croise aujourd'hui des gens qui, à vingt ans, apprenaient la compétitivité à l'école ou le marketing en entreprise, et qui veulent me faire croire qu'on a vécu la même jeunesse. Je ne dis rien. Mais oublie, mec, oublie. Mon aristocratie, c'est ma biographie : on m'a dépouillé de tout ce que j'avais, mais j'ai connu un monde qu'on s'était créé sur mesure, dans lequel je ne me levais pas le matin en me disant je vais encore obéir.

Les années 90. Le temps était venu pour tous de chanter les louanges du pragmatisme. Aucune question d'éthique ne devait gêner le profit. C'était dépassé. Celui qui ne hurlait pas avec la meute était un attardé. Tout ce qu'on avait aimé, on l'a saccagé. Ça va vite de détruire, tout le monde peut le faire. Vite, vite, encore une page de pub, une subvention, deux sponsorings et vous me rajouterez un petit partenariat, vous me le mettrez bien aliénant, que je sente la laisse quand je veux courir ? Il était superbe ce nouveau monde, fallait être con pour ne pas y croire. Et les politiques que nous comptions dans nos rangs n'ont pas été plus réactifs. Ils ont continué à décliner de vieilles formules comme si elles sortaient de livres sacrés. Réfléchir en temps réel ne les intéressait pas – plus le temps passait, plus ils chérissaient la Commune. Ce massacre est devenu notre descente de la Croix. On n'ira pas loin avec ça.

Tu dors, Vernon ? Tu ne m'écoutes pas ? Tu dors ? Vas-y, réveille-toi, t'as trois grammes dans le nez, comment tu peux dormir ? Tu resteras toujours une énigme pour moi – tu ne fais jamais exactement ce qu'on attend mais à la fin on se dit heureusement qu'il a fait comme ça. J'ai remarqué ça chez toi – tu as tendance à introduire un léger désordre dans ce qui était prévu. Je sais que tu n'imagines pas ce que ça représentait pour moi, Revolver. Qu'est-ce que j'ai été heureux en arrivant dans ta boutique. Souvent tu mettais quelque chose sur la platine à laquelle je ne me serais jamais spontanément intéressé. Un petit accident. Qui m'emmenait super loin, ensuite. Je n'aurais pas été capable de faire autant de disques différents, si tu ne m'avais pas ouvert les portes. T'as été un passeur, mec. Les gens t'aimaient bien. Tu ne t'en rendais pas compte. Chez toi, c'était toujours plein de monde. Tu as tenu ton truc à bout de bras. Je t'ai toujours respecté pour ça. Quand les gens ont cessé d'acheter des disques, j'ai continué de venir te voir. C'était bizarre de te voir assis tout seul sur ton tabouret. Tu commençais à parler de tes livres de comptes. Tu n'avais jamais fait ça. J'ai compris que tu allais fermer. Ta maison n'intéressait plus personne. Je me souviens des quinze derniers jours, quand tu as liquidé. Ils sont tous revenus, pour les soldes. Tu les as accueillis comme des rois. C'était toi, le roi. Je t'ai bien observé, à l'époque, il n'y avait aucune aigreur dans ta joie de revoir ceux qui t'avaient lâché.

Il y a un trou dans ma poitrine. Je suis dévoré par ce vide. Et je déteste tout le monde. Tu sais Vernon, Jésus ne se met en colère qu'une seule fois dans les testaments. Une seule fois. Quand il chasse les marchands du Temple. Le reste – le reste n'a aucune importance. Je sais, je parle beaucoup de Jésus en ce moment. Pourquoi je le laisserais aux mains des imposteurs ?

Dis-moi, Vernon, la dernière fois que tu as vraiment écouté un nouveau disque et que ça t'a fait ce que fait la musique – c'était quand ? Arrête de ronfler et réponds… Je me fais une ligne à ta santé, mec. Ce n'est pas la musique qui a changé, tu sais. C'est nous. On est verrouillés par la peur.

Tu sais pourquoi je te respecte autant ? Tu connaissais tout. Tu avais ton étagère de vinyles derrière toi, alignés dans leurs sous-pochettes blanches – dans les bacs tu ne mettais que les pochettes vides, dans des chemises en plastique transparent. Et tu avais tous tes disques en tête. On te parlait d'un titre et tu te retournais sans hésiter pour te saisir de la galette à laquelle tu pensais, et tu mettais le morceau direct, tu posais l'aiguille sur un sillon plus épais que les autres, là où ça t'intéressait. Tu connaissais tout, Vernon. T'étais le gardien du temple, et j'étais un gamin. Et jamais de ta vie, jamais, ça ne t'est venu à l'esprit de vouloir me faire écouter du ska du reggae du jazz ou de la funk. La seule fois où tu as fait mention de ma couleur c'était quand la réédition en vinyle blanc de Bad Brains est arrivée chez toi. Tu ne peux pas imaginer, depuis, ce qu'on a pu me parler de John Coltrane et de Bob Marley. Jamais tu n'aurais mis Max Romeo en me prévenant que ça allait me faire quelque chose en raison de ma couleur de peau. T'as toujours été à part. Ça doit être la connerie qui te protège. Pour commencer, tu dors tout le temps. Ça aide à ne pas se faire avoir.

Je n'ai jamais voulu être numéro un. C'est quelque chose qu'on ne peut pas dire. Adapte-toi, connard. La réussite, c'est génial. Si t'en veux pas laisse ta place au lieu de pleuvoir sur notre fête. Je n'ai jamais voulu être numéro un. Il y a l'ivresse des profondeurs – tu sais que tu devrais remonter à la surface, et tu restes subjugué, en bas. J'ai vendu. Putain, qu'est-ce que j'ai vendu... J'ai appris à compter. Quel dieu tu pries avec des chiffres ?

A la fin des années 90, c'était réglé : on avait tout dépassé. Le stade où on se pose des questions à la con. Des questions de principe, des questions d'émotion, des questions d'entraide, des questions de jouer non pas selon ses pulsions les plus basses mais selon l'idée qu'on se fait de ce qui est beau. On avait dépassé le temps des questions. Les utopies nous faisaient rigoler. On était adaptables, mais on n'était pas dupes, on contrôlait le truc. On n'avait plus peur de se salir les mains. On aurait dû. On s'est dit vendre son âme c'est pas grave, on la récupérera, intacte, à la fin du spectacle.

J'ai eu du succès. Et j'ai appris que j'étais noir. Comment veux-tu que j'aie pensé à ça plus tôt, moi. Avec ma mère toute blondinette qui m'a élevé au fond de la Creuse. Bien sûr qu'on m'appelait Blanche-Neige, de temps à autre, pour me faire bouffer de la neige en rigolant du contraste avec ma peau de seul Noir de la classe. Mais j'étais bon au foot. Comme un Noir, mais à l'époque on ne me l'a pas fait remarquer. Dans la cour de l'école je n'ai pas eu souvent de problèmes : ils me voulaient tous dans leur équipe. Je me concentrais sur ce qui allait bien. Qu'est-ce que tu peux faire d'autre quand dans les yeux de ta propre mère tu représentes la faute et la chute ? Je suis devenu un Blanc comme les autres. Aujourd'hui, on m'appelle Bounty partout – même les faces de craie se permettent de m'appeler comme ça. Oui, je suis un Blanc à l'intérieur : qu'est-ce qui aurait pu me faire sentir autrement ? Bounty. Et alors ? J'étais un descendant des Gaulois, et basta. Ils me font rire. « Bounty. » Ils croient quoi, eux ? Que ça va me jaillir du sang, tout seul dans la Creuse, la culture africaine ? J'ai aimé Motörhead et les Stooges. Tout de suite. C'est un cousin – un neveu de mon père adoptif – qui écoutait ça. Il était venu un week-end avec une compilation. Je ne savais pas que ça existait, une musique pareille. Ça a été une révélation. J'ai repensé à Aznavour, à la télé et je me suis dit « mais alors ça ne peut pas porter le même nom. Tous les deux ne peuvent pas être "de la musique" ». Ne me demande pas pourquoi, mais c'est la première chose que je me suis dite. A l'intérieur de moi, on avait lâché les loups. La minute d'avant, c'était le désert, et subitement j'étais une meute de loups sauvages. Ça s'était levé en moi. Et je ne me suis pas dit, à ce moment-là, « je suis un Noir qui écoute de la musique de Blanc ». Mais qu'est-ce que j'ai pu en entendre parler, depuis…

Tu te souviens – *la différence ne se voit que dans les yeux des bâtards*. NTM, la première fois qu'on les a vus à la télé, c'était un truc sur FR3 je crois. On ne connaissait rien au hip hop. Ça nous paraissait normal, cette phrase-là. « La différence ne se voit que dans les yeux des bâtards. » Mais les temps ont changé. On m'a remis à ma place. De toutes parts. Les plus en colère contre moi, c'étaient d'autres Noirs. Je suis un traître. Alex Bounty Bleach. Ça non plus tu peux pas te plaindre – j'avais qu'à être pur. Qu'est-ce que j'en ai à foutre, de la pureté ? J'écoute pas Iggy Pop pour me sentir propre… Les Noirs sont ceux qui me méprisent le plus. Je m'en fous. Les Noirs, je peux les ignorer. Je n'ai pas besoin de travailler avec eux. Les Blancs, c'est impossible de les contourner. Ils sont les journalistes, les producteurs, les directeurs de salle, les tourneurs, les graphistes, les photographes, les responsables de programme radio. On n'ignore pas le patron. On n'ignore jamais le Blanc.

A la fin des années 90, quand c'est venu, j'ai cru qu'en parlant d'autre chose, ça allait leur passer tout seul, les délires sur ma couleur de peau, mais c'est allé en s'empirant. Je me suis adapté. J'ai rencontré Victoire, elle était intense sur les questions postcoloniales, elle était intense sur tout tu me diras. Ça n'a pas duré longtemps entre nous, mais elle m'a fait lire Fanon – elle était catastrophée quand elle a compris que je voyais à peine de qui il s'agissait. Je suis entré dans *Les Damnés de la terre* parce qu'elle ne me laissait pas le choix mais au bout de quelques pages j'ai senti s'ouvrir en moi un véritable abîme. Non seulement j'étais un putain de négro on ne m'avait jamais laissé le choix d'être autre chose. Mais le pire c'est que j'avais prétendu que ce n'était pas grave. Cette violence inadmissible. En plein cœur de moi. J'avais regardé ailleurs.

Le tombeau des Caraïbes, les parcs à Nègres, la qualité de la cargaison, les émeutes d'Haïti matées… j'ai ouvert d'autres livres. Personne n'a oublié, mais c'est du passé, on n'en est plus là. Mais tu fais ton boulot – tu parles à des Blancs dans les bureaux des labels qui travaillent avec des Blancs à la promotion et à la distribution qui sont financés par des Blancs et tu deales avec des tourneurs blancs des managers blancs des photographes blancs des journalistes blancs des producteurs blancs des présentateurs blancs. Tout est blanc, en hauteur. On voudrait savoir ce que ça change pour toi. Et la réponse est pour moi justement pas grand-chose je suis parmi vous je pense à tous ceux qui restent dehors et qui doivent comprendre que c'est leur place. Il n'y a pas que les Noirs que ça concerne. Mais l'essentiel est de cesser de dire : ce qui se passe au centre de moi, ce bombardement quotidien qu'on m'impose, je ne regarderai plus ailleurs. Je n'appellerai pas ça autrement.

Tu sais qu'on m'a souvent proposé de faire du zouk ? Chaque fois que je devais rencontrer un nouveau label manager – qu'est-ce qu'ils ont pu défiler, ceux-là, les pauvres, on avait l'impression qu'il en poussait sur les trottoirs tellement il y en avait un nouveau tous les mois – il fallait que pour mon nouveau disque, il ait une suggestion. Hip hop. Reggae. Jazz. Funk. Jusqu'au zouk. Ils écoutaient mes disques. Ils entendaient du rock. J'en vendais des caisses. Et ils pensaient single ethnique.

Je suis content que tu dormes, connard, sinon je ne pourrais pas me plaindre comme ça. Je crois que je sais ce que tu penses quand je me plains. Tu te dis que tu donnerais cher pour avoir des problèmes comme ça. Parce que t'en chies vraiment. Et moi pas. C'est indécent. Je sais. Tu sais combien elle coûte, ma veste ? Deux loyers de chez toi, mec, deux loyers. Et je ne vais pas te parler de combien j'ai payé mes pompes. Il ne manquerait plus que j'oublie de culpabiliser.

Il y a un monstre en moi qui a grandi en même temps que j'ai pris de l'importance aux yeux des autres. Tu sais, le moment où tu entres sur scène et la salle devient mugissement. Il est atroce ou merveilleux. J'ai senti les deux. Mais quand c'est devenu vraiment gigantesque, le monstre a pris le contrôle et c'est devenu l'enfer. M'avancer sous les projecteurs, c'est entrer à l'intérieur d'un four ardent. Cet instant précis – et les heures qui le précèdent, je me fais l'effet d'un enfant qu'on enfermerait dans un placard sous l'évier après l'avoir roué de coups et d'injures. C'est comme si en moi un œil me surveillait et me voyant dans ce rôle de vedette adulée s'irrite et me plaque dans un coin pour me mettre la trempe de ma vie « petit salopard » me dit la voix « comment oses-tu ? » et je reçois la correction que je mérite. Pour ce plaisir que j'allais prendre. Je ne sais pas

145

d'où ça vient. Je ne me souviens pas qu'on m'ait jamais enfermé sous l'évier. J'ai reçu des trempes. Si je voyais aujourd'hui un enfant se faire corriger comme je l'ai été, je serais salement en colère. Mais ça paraissait normal, à cette époque.

Je me plains beaucoup. Je me plains trop. J'ai beau le savoir, ça ne change rien. Est-ce que je suis content d'avoir cette carte bleue qui fait que les murs crachent de l'argent sans que je me demande jamais combien je retire ? Oh oui. Si ça ne marchait pas aussi bien, l'argent, le problème serait différent. Mais ça marche beaucoup mieux que la drogue. C'est le même principe, mais en plus imparable. En plus on te raconte qu'il n'y a pas d'effets secondaires.

Je peux fermer les volets chez toi ? De toute façon tu dors, ça ne te dérange pas… Je suis un vampire, je te jure. Je ne supporte pas que le jour se lève.

Le premier effet secondaire de l'argent, c'est la peur. La came est tellement pure, ta peur de manquer devient incontrôlable. Si demain tu ne peux plus entrer chez le concessionnaire Benz sur un coup de tête pour t'offrir un petit bijou – tu en crèverais. L'argent te susurre à l'oreille sans moi tu n'es rien et tu en veux encore plus parce que la peur te croque et plus tu en as, plus de distance tu mets entre toi tel que tu es maintenant et toi si tu ne files pas droit : un clochard.

Je me souviens de ma première télé, Canal Plus, c'est le jour où j'ai découvert la solitude. Après le gig en direct, la maison de disques avait préparé une fête – je n'étais plus une gloire locale, j'étais devenu quelqu'un que tout le monde veut approcher – mais dont plus personne n'a rien à foutre. J'étais une porte ouverte – je devais garantir l'accès à tout le monde. Je n'ai pas trouvé ça moelleux. Je n'ai pas été enchanté que n'importe qui vienne me voir pour me dire ce qu'il pensait – de mon dernier morceau de mon passage télé de ma coupe de cheveux du mix de mon disque de la pochette de mes réponses dans une interview des paroles de mes chansons. En attendant le prochain, qui serait plus jeune, plus exotique – j'étais le machin à la mode, le truc en peluche sur lequel on se branle. Ça n'a pas été le moment que j'ai préféré de mon existence. Tous les blaireaux du coin se sentaient légitimes à attendre quelque chose de moi. J'étais quelque part et un tocard me félicitait « oh je ne suis pas déçu, c'est exactement comme ça que je vous imaginais ». Ça, ça voulait dire que je fais beaucoup de fautes de français, le mec trouvait ça exotique. Ou au contraire, avec les lèvres un peu pincées par la déception que suscite le frelaté : « Je m'attendais à ce que vous soyez plus sauvage. »

Vernon, t'en as pas marre de ronfler ? Là, si t'étais un ami, tu serais réveillé et tu me dirais « mais non mec moi j'ai continué de t'aimer comme si rien ne s'était passé ». Parce que toi, t'as pas trop changé. T'es resté dans ta boutique, tu m'as jamais pris de haut pour montrer que tu n'étais pas impressionné.

Puis sont venues les années 2000, les maisons de disques ont rendu leurs contrats aux artistes qui ne faisaient pas assez de profit. Ils étaient convoqués, un par un, dans le bureau d'un gars payé pour dégraisser

tout ça. Les directeurs artistiques chargés du géno-
cide se faisaient lourder dès qu'ils avaient mené leur
mission à bien, plus personne ne voulait croiser le
bourreau dans les couloirs. Les gens savaient, quand
on leur demandait de commencer à préparer les plans
d'épuration, qu'ils seraient les prochains. L'entreprise
est devenue cet espace concentrationnaire. Lois lapi-
daires, décisions changeantes, management d'experts
en limonades, suicides, charrettes, menaces... et la
docilité terrorisée qui va avec. Ça ne nous empêchait
pas de faire du rock, du hip hop, des musiques contes-
tataires. Puisqu'on nous disait qu'il n'y avait pas de
contradiction, seuls les attardés se posaient encore des
questions.

Je n'ai pas été remercié par ma maison de disques.
Au contraire. Les gens comme moi, à cette époque, on a
commencé à remplir des stades. Les vaches sacrées qui
le soir venu rentreraient à la bétaillère, la tête basse, en
honnêtes vaches à lait. Il n'y a pas de stratégie. Personne
ne te propose de drogue pour que tu supportes d'être
dans ton box à te faire traire toute la journée sans pouvoir bouger d'un iota. Mais la drogue est là, elle est
fun, et elle sert à ça. Le soir on te sort de ta case et on
t'exhibe sur scène, on te flatte les flancs : t'en as de la
chance. Et tu te stones parce que s'il te restait une heure
de lucidité dans la journée, ce serait encore trop pour
ne pas comprendre ce que tu deviens.

J'ai trouvé mon rythme – la défonce. Pétard avant
le café, alcool au déjeuner, première ligne en sortant
de table – et le soir, c'était selon, j'avisais. Mais jamais

sobre. Je n'écrivais plus de chanson. Ça n'était pas un problème : les anciennes devenaient des pubs et des sonneries pour portables. On gagne très bien sa vie comme ça.

Les caractères sont comme des pierres au bord de l'eau : il faut du temps pour que les éléments impriment la trace de leur passage. Au début, on est vigilant, on se surveille, on est attentif. Mais sur la longueur, on s'avachit, on se détend. On s'adapte comme on s'écraserait. La faculté d'adaptation n'est pas répréhensible en soi. Tout dépend du système auquel on se conforme, de ce qu'il réclame. Car la docilité devient vite la faculté de regarder ailleurs quand on passe devant les abattoirs... tu as déjà réfléchi à ça, Vernon ? Combien d'unités d'humains pourra-t-on exterminer à la journée, avec tout le progrès qu'on a fait dans les usines à viande ? Et ne me dis pas que le jour où on testera l'équarrissage humain high-tech sur les sans-papiers et les sans-domicile, on arrêtera tout pour dire : non c'est insupportable. Nous sommes des victimes de violences gouvernementales depuis des années. Nous nous comportons comme les femmes battues qu'on voit dans les documentaires : sous l'emprise de la terreur, nous avons oublié les règles élémentaires de survie. Et quand l'équarrissage humain high-tech sera performant, nous verrons nos proches partir à l'abattoir et nous ne serons capables que d'une convulsion solitaire devant l'inacceptable. Nos voisins mettront leurs casques, leurs lunettes noires, ils prendront une pastille et ils iront faire les magasins. Les pastilles seront nos meilleurs amis. Rares sont ceux qui ont envie d'être en état de penser à ce qu'ils ont fait dans la journée, quand la nuit tombe.

Tu dors toujours ? J'ai besoin de parler et toi tu pionces. J'aime bien ça, chez toi – t'es jamais sur le temps, ni franchement décalé. T'es syncopé, comme type. Je m'en fous, je te parle quand même : tu dors mais t'es là. Tu m'écouteras, un jour. Tu es celui à qui je dois laisser tout ça.

Il n'y a pas eu de tournant. Il n'y a pas eu d'événement à marquer d'une pierre blanche. Il y a eu exposition prolongée à un milieu extrêmement restreint : les cercles de pouvoir. J'ai été un emmerdeur de première catégorie. C'est la seule résistance que j'ai été capable d'opposer. J'ai avalé toutes les couleuvres, sans faillir. J'ai poussé des cris ulcérés mais j'ai encaissé. J'ai avalé tout ce qu'on m'enfonçait dans la gorge. J'ai eu l'impression que c'était pire parce qu'on me mettait en vitrine, tout le monde voyait ce que j'acceptais. Mais au finish, j'ai subi le traitement réglementaire : dans un système totalitaire, consentir à l'humiliation est un marqueur de bonne conduite.

J'avais perdu toute spontanéité. Je ne pouvais pas me laver le gland sans me demander si Alex Bleach aurait fait ça comme ça et qu'en diraient les haters sur le Net. Je ne pouvais plus faire un geste tranquille. C'est pour ça aussi qu'on se met le compte – ne plus être capable de se surveiller. Les voix des autres s'éteignent, si on y met le degré d'alcool voulu. A partir de là – comment j'aurais réalisé ce qui m'arrivait ? Je m'étais perdu de vue – dans une mer démontée j'essayais juste de ne pas sombrer.

Satana est morte. C'est là que j'ai réalisé. Tu te souviens de Satana ? Je suis surpris que son nom ne te réveille pas. J'ai eu beaucoup de fiancées, Vernon, mais aucune n'a autant éveillé l'intérêt de mes potes que Vodka Satana. Quand elle est morte, je n'ai rien dit. C'est là que j'ai su. Ce que c'est. Vivre et faire tout comme les vivants. Mais ne plus être là. Ce n'est pas que je n'aie rien dit qui me choque le plus. C'est que pendant plusieurs mois, j'aie trouvé ça assez normal. Triste et injuste. Mais logique, quoi.

Et un matin de février, au bord de la plage à Marseille, lendemain de concert, j'étais tout seul et je regardais des roller skateurs en espérant qu'il y en ait un qui tombe, dans les enceintes du bar ils ont joué les *Cyclades électroniques* de Burgalat. Un instant, j'ai été assis à côté de Satana, en Grèce, où on était partis ensemble. J'avais ce morceau sur mon iPad, on écoutait la musique chacun avec son casque, branchés sur le même jack. Elle est entrée en transe – c'est devenu son morceau doudou, mais cette première fois, elle a noué ses doigts aux miens et c'était un moment d'une intensité particulière, il y en a des comme ça, c'est comme s'ils avaient plus de profondeur – quand on nage sous l'eau et qu'un gouffre s'ouvre sous nos ventres. J'ai retrouvé Satana en écoutant les *Cyclades* et j'ai réalisé. J'étais convaincu qu'elle avait été assassinée et je trouvais ça triste mais normal. J'avais disparu, Vernon. Corps et âme engloutis.

Je l'avais rencontrée devant l'Olympia. Avec un pote, Gabriel, on allait voir Bowie en concert. Elle avait sa place mais il fallait attendre des plombes pour rentrer et Gabriel, qui la connaissait, lui a dit de nous suivre, il est passé devant tout le monde. Parce qu'un mec comme moi ne peut pas attendre au milieu des autres. Tout le monde veut sa photo avec le VIP. Qu'il écoute ton morceau, te donne le numéro d'un autre chanteur, vienne jouer dans ton bar, écoute ce que tu penses de la production de son album, te prenne comme guitariste sur sa prochaine tournée. Satana portait un kilt court et un tee-shirt des Ramones découpé aux ciseaux pour lui faire un beau décolleté. Ses seins ne cherchaient pas à paraître naturels. Je ne savais pas qui elle était. Mais quand on est entrés dans la salle, j'ai remarqué qu'on la regardait beaucoup. J'ai demandé si elle était présentatrice télé, Gabriel a éclaté de rire et Satana m'a dit « je suis une star du X ». J'ai été choqué qu'elle le dise sur un ton orgueilleux. Elle était aussi connue que Zidane, à l'époque. Je l'avais certainement vue dans un film, j'en regardais dans chaque hôtel où je m'arrêtais. Mais je ne cherchais pas à en savoir plus sur les filles qui jouaient là-dedans.

Toutes les actrices porno ne se ressemblent pas, en fréquentant Satana j'en ai croisé quelques-unes, il y a de tous les profils là-dedans, autant de romantiques neuneues que de salopes vénales, tout le monde est représenté… ainsi que les azimutées, comme elle. Je l'ai voulue à sa façon de s'asseoir à côté de moi pour le concert. Ça se voyait que je l'intéressais, mais elle était assez maligne pour savoir qu'elle ne devait pas le montrer. Je me souviens d'elle, ce soir-là – elle était comme un petit enfant qui porterait un sabre de gladiateur. Elle partait au combat déséquilibrée par sa propre artillerie, mais elle montait au front avec un aplomb qui m'avait touché. J'avais l'habitude que les filles veuillent coucher avec moi. Là-dessus, non, je n'ai pas à me plaindre du préjugé racial. S'il joue, c'est toujours en faveur de ma libido. Mais Satana avait une façon de me vouloir qui m'a plu. J'aime bien les filles qui brillent. Et elle, j'avais rarement vu quelqu'un qui m'éclipsait autant.

Satana, dès le lendemain, m'envoyait un texto via Gabriel, sous un prétexte à la con. On s'est retrouvés tout de suite et on s'est attrapés. Elle avait ce petit corps marrant que j'ai adoré tout de suite. C'était une Betty Boop. Elle aimait faire le clown. Elle courait dans la maison, les fesses à l'air, en criant des conneries, sa présence était un peu comme celle d'un oiseau. Son odeur était incroyable, j'étais heureux avec cette fille. J'ai mis du temps avant de m'afficher avec elle, à l'extérieur. Elle voyait bien que je ne l'invitais jamais avec moi pour des événements publics. Je pensais à ma mère. Déjà qu'elle était gênée quand je venais au village la voir, que tout le monde me reconnaisse – elle n'avait pas envie d'être la mère d'un chanteur de rock, elle trouvait ça embarrassant. Et tout l'argent que je gagnais, elle voyait ça d'un sale œil. Alors je l'imaginais, ouvrant *Voici* chez la coiffeuse et me voyant au bras d'une hardeuse... Mais j'ai fini par préférer faire plaisir à Satana qu'à ma famille. Je l'aimais bien, cette fille.

Nous deux, en couple, ça n'a pas marché longtemps. Je suis trop sollicité, Vernon. C'est pas plus compliqué que ça. Ce n'est pas que je croise une meuf pas mal et le soir en rentrant chez moi je passe à autre chose. C'est que des meufs à couper le souffle veulent à tout prix me mettre dans leur lit. Tu déclines une fois, deux fois et la troisième tu te réveilles – il faudrait être con pour résister à ce genre de tentation. J'adorais Satana. Ça m'aurait plu d'être celui qui lui fait du bien, qui la gâte, qui la fait rigoler. Mais j'ai été celui qui la faisait souffrir en découchant sans raison. Et celui chez qui il y avait de la cocaïne planquée dans le frigo, en permanence. Elle est tombée dedans. Je l'ai vue. Quatre nuits d'affilée sans dormir, à tenir des propos incohérents. Je l'ai vue partir. Alors je me disais merde je ne peux pas la mettre dehors maintenant qu'elle est si mal, il faut d'abord l'aider à décrocher. Mais je ne pouvais pas non plus imaginer me priver des autres filles. Donc elle restait à la maison, et moi je ne rentrais pas, et elle se défonçait de plus en plus et j'attendais que vienne le moment de l'aider à décrocher. Il aurait fallu que je dise – Ok bébé j'annule tout, on monte dans un avion et on détoxe ensemble, ensuite on verra ce qu'on décide et j'ai dit « il faut gérer, bébé. Freine, un peu… » En préparant mes valises pour partir avec une autre. Elle faisait des crises de jalousie andalouses, et je ne pensais qu'à filer au plus vite. Mais je revenais. Et elle était là. Et j'étais content de la retrouver, encore. Alors ça continuait. Je ne suis jamais parti sans m'assurer que les stocks de coke et de Stilnox lui permettent de tenir jusqu'à mon retour. Je lui mettais la paille dans le nez dès qu'elle sortait de la douche et je lui répétais « faut gérer bébé ». J'aimais la drogue plus que j'aimais ma copine. Et c'est comme ça que j'ai pris soin d'elle. « Faut gérer bébé. » Satana dansait bien. Elle avait le corps connecté – même dans les pires états. A sa façon de bouger tu savais ce que valait un morceau. Si elle restait assise, c'est qu'il était bon à jeter. C'est elle qui m'a refait composer. Je me sentais bien avec elle. Elle m'a sécurisé. Et à un moment où plus personne ne s'attendait à ce que je sois capable de le faire, j'ai sorti un disque. *Loin du cœur* a été un carton magistral, tu te souviens ? Personne ne s'attendait à un succès pareil.

Pendant ce temps, elle s'enfonçait. Elle ne tournait plus. Je voulais l'aider mais si tout le monde veut rencontrer la fille du X, personne n'a rien d'autre à lui proposer que « tu ne veux pas jouer avec ton corps devant moi ? » Elle disait : « Est-ce que je regrette d'avoir fait du X ? Tous les jours. Ils te mettent à l'index. On t'a fait entrer dans le hall en te faisant une fête pas croyable mais une fois à l'intérieur, on ne trouve pas ton nom dans la liste des invités et tu regardes les gens poser leurs manteaux pour aller manger leur part de gâteau et toi t'es bloquée au vestiaire. Forever. Je regrette. Pourquoi je n'ai pas fait escort ? C'est moins d'emmerdements. Je voulais qu'on me regarde. Je ne serais pas avec toi si je n'avais pas fait du X. Je ne t'aurais jamais approché. C'est compliqué. Tout ce que j'ai eu de bien dans ma vie, je le dois au X. Mais la tonne de merde qui va avec, je m'en serais bien passée. Je ne peux même pas voir ma gamine. Comment veux-tu que j'aille la chercher à la sortie de la maternelle ? Autant laisser son père s'en occuper. Il est bien, lui. On ne peut pas tout rater, non plus. Je leur envoie de l'argent tous les mois. Ça me suffit, de toute façon. Je ne suis pas douée pour la maternité. Je ne sais pas trop quoi faire d'elle quand je l'ai. Mais, quand même… »

Elle saignait du nez dans la maison, elle en mettait partout avant de s'en rendre compte et se promener avec un Kleenex plaqué contre les narines, la tête en arrière. On s'engueulait beaucoup. On faisait des trêves, ça valait le coup. Elle s'abîmait. Sa mâchoire faisait des allers et retours incontrôlés, elle s'arrachait des sourcils, en parlant. Elle voulait casser la gueule à la gardienne de l'immeuble, faire des procès à des gens avec qui elle avait bossé une fois. La tournée de *Loin du cœur* a commencé et je n'étais plus jamais là. Je n'insistais pas pour rentrer le plus souvent possible. Ses changements d'humeur étaient devenus ingérables. Elle est tombée amoureuse d'un flic. Je te jure. Elle a fait ses valises pour un flic. J'étais outré. Etre infidèle n'a jamais empê-ché d'être jaloux mais qu'elle parte pour un petit flic, j'ai mis des mois avant de lui pardonner.

On était plus détendus en tant qu'ex que quand on était en couple. Satana est une des rares filles avec qui je sois sorti et qui est restée une amie. J'aimais bien la voir. Je l'appelais souvent et je répondais à ses messages. Elle a commencé à raconter qu'on la surveillait. Je ne l'ai pas crue. Elle racontait cette histoire, « le mec m'a demandé si je voulais faire du cinéma j'ai dit oui pourquoi pas. Au dernier moment, l'assistant m'a appelée pour me dire que le rendez-vous avec le producteur serait plutôt en début de soirée, si ça ne me dérangeait pas. Et parce que je suis une conne, j'ai répondu que j'étais libre. J'ai rappelé le mec qui m'avait donné le plan et il m'a prise de haut – c'est pas n'importe qui tu sais c'est un grand producteur. Le mec m'a défoncée sur le canapé de son bureau je te jure que j'ai pas eu l'occasion de dire oui ou merde. Il m'a posé deux questions et il m'a enculée, il a été tellement direct et brute, quand j'ai pensé à lui taper dessus, il avait déjà terminé son affaire et je me sentais tellement conne, j'ai pratiquement rien dit en fait. » Et moi j'ai relativisé – le mec avait sûrement cru qu'elle était partante, « tu sais les mecs, on est cons, on voit une fille qui fait du X et on croit qu'elle fait sa vaisselle en lingerie et talons ». Puis j'ai compris qu'elle avait revu le type, et qu'elle n'avait pas envie d'en reparler. Sa consommation de drogue a augmenté. Elle racontait des trucs glauques, de temps en temps : « On est passés du truc libertin partouzard à ça. Le mec, ce qui l'excite, c'est me foutre en l'air. Ça ne s'arrête jamais. Je me fais prendre par des vieux, je me fais pisser dessus, je me fais attacher dans une cave. Il n'en a jamais assez. Il me paye en coke. A midi je me dis : plus jamais je ne verrai ce porc et le soir, je suis chez lui. Si je me débats, ils me tiennent. Si je pleure, ils continuent. C'est son kif. Et j'y retourne. Il a la came, il a la thune. Je suis une merde. »

Et j'ai dit quelle horreur mon bébé détends-toi. Je suis là. Tu peux rester chez moi il y a tout ce qu'il te faut et on va te trouver une bonne clinique si tu veux. Et elle m'a regardé avec dégoût « je suis mieux dans cette merde infâme que chez toi. Chez toi, j'ai plus souffert que jamais dans ma vie. » Je l'ai mal pris. Je ne l'ai pas rappelée pendant un moment.

Elle est revenue dans un sale état. Elle donnait beaucoup de noms. De gens connus. On ne savait pas ce qui était délirant et ce qui était vrai. Elle avait perdu beaucoup de lucidité. Son corps était maculé de bleus. Satana disait qu'elle avait couché avec beaucoup de politiques et qu'elle gardait leurs noms sur sa liste et qu'elle allait parler. Elle délirait. Elle ne voulait pas que je l'aide, elle éclatait de rire « c'est beaucoup trop dangereux tu ne veux pas savoir mais ça va trop loin, je vais tout déballer. Je lui ai dit maintenant c'est ya basta si tu veux mon silence, tu vas le payer, et cher. Il a dit qu'il allait me tuer. Il a dit qu'il allait me tuer et il va le faire. »

Ne t'en fais pas bébé, il ne t'arrivera rien. Si tu veux je peux te payer un voyage de quinze jours à Los Angeles ? T'as toujours adoré Los Angeles… Non, je ne peux pas t'accompagner ; je suis trop pris.

Satana est restée planquée chez moi quatre jours. Je l'ai dorlotée. Je me suis donné bonne conscience en m'occupant bien d'elle. Il faut quand même dire que j'avais un certain mérite : elle parlait sans arrêt, passait du coq à l'âne, on ne comprenait rien à ce qu'elle racontait. Elle avait peur de mourir. Ça, au moins, c'était clair.

Et un soir elle a dit j'ai trop besoin de sortir et je savais que ça voulait dire : comme je la rationnais trop,

158

côté drogues, elle allait se dégoter un gramme quelque part et se faire plaisir. Elle n'était pas en état de se débrouiller seule. Elle allait faire des conneries. Mais je ne supportais plus sa présence. Trop de douleur. Je me suis dit – putain qu'est-ce que j'ai été cool avec elle, comme on se met une petite médaille sur le torse. Quel bon mec.

Elle est morte quelques jours plus tard. Mélange calmants cocaïne alcool et le cœur n'a pas tenu. On a évoqué le suicide tout de suite, parce qu'elle avait fait du X et qu'on pense que « ces filles-là » doivent – ou devraient – avoir tout le temps envie de mourir.

Elle m'avait répété cent fois : « Il a dit qu'il allait me tuer et je ne sais pas où aller me cacher il a dit qu'il allait me tuer. »

Et tu sais ce que j'ai fait, Vernon ? Tu crois que j'ai appelé un seul journaliste de ma connaissance pour dire : peut-être que ça vaut le coup d'y regarder de plus près… Non, Vernon, non. Je n'ai parlé à personne. J'ai mis mon plus beau costume pour aller à son enterrement, et j'ai chialé derrière mes Ray-Ban. Et au fond, j'ai trouvé ça normal. Dégueulasse et triste. Mais cette meuf était perdue, non ? C'était atroce, parce que je l'adorais. Et je l'avais aidée jusqu'au bout, non ? A la crémation, je pouvais serrer des mains en prenant l'air effondré. J'avais été un bon ami.

Le pire, c'est que si ça avait été un smicard qui lui avait fait vivre cet enfer, peut-être que je me serais plus démené. Mais Dopalet, c'est de la grosse huile, dans un coin de ma tête je n'oubliais pas que ce n'est pas le genre de mec que tu veux te mettre à dos. Trop puissant. Way out of my league...

Juste, parfois, quand j'étais trop défoncé je l'appelais. Voilà mon grand courage. Je l'appelle et je lui dis que je sais tout et qu'il est un enculé. Il n'aime pas ça. Il répond que je devrais faire attention à moi. Bien attention à moi.

Enculé, Vernon, tu dors bien. Je n'ai jamais raconté cette histoire à personne. J'ai peur. J'ai honte. Et je suis lucide : personne n'en aurait rien à foutre. Tu connais cette citation que se racontent les Juifs : « Ils ne nous pardonneront jamais le mal qu'ils nous ont fait » ? Les Juifs sont des putains d'optimistes. Ils ne peuvent pas s'empêcher de faire confiance à leur prochain. La vérité, c'est qu'ils ne nous pardonneront jamais d'être encore en vie. Ils ne dormiront pas tranquilles tant qu'ils sauront que nous en tirons même quelque plaisir.

Depuis qu'elle est devenue pieuse, Aïcha déclare à tout-va que c'est son rôle de s'occuper des tâches ménagères et que cette répartition des tâches entre hommes et femmes lui convient parfaitement. Mais ça reste purement théorique. Elle étend les lessives, débarrasse et vide le lave-vaisselle. Pour le reste, Sélim peut lui demander de l'aide sur le ton qu'il veut – elle a toujours un devoir en retard à terminer de toute urgence. Penché sur la corbeille, il trie les vêtements sales, pour faire une lessive de noir. Il a l'habitude de s'occuper de tout. Il tire une certaine fierté de l'habileté avec laquelle il manœuvre le vaisseau domestique. Aïcha a grandi dans une maison toujours tirée à quatre épingles. Comme lui, avant elle. La maman de Sélim était une ménagère exceptionnelle. Il aimait, petit garçon, être sûr en entrant chez lui que chaque chose serait à sa place, que les robinets étincelleraient quand il se laverait les mains, qu'à l'heure du dîner la nappe serait immaculée et tomberait droite aux coins. Aïcha lui ressemble. Méticuleuse, le désordre l'angoisse. Il s'est toujours arrangé pour trouver le temps de tenir la maison. Tout comme il s'est toujours arrangé pour être là à l'heure des devoirs et ne manquer aucune réunion de parents d'élèves. Pendant les années de primaire et de collège, personne ne lui avait jamais fait de réflexion sur ses origines. Mais la France avait pris ce virage – la deuxième année de lycée on s'était félicité devant lui de ce qu'un père musulman se préoccupe de l'éducation de sa fille. Une autre fois, un père lui avait demandé, sur le ton de la confiance réciproque, pourquoi il n'avait pas choisi un prénom français pour sa fille. « C'est dommage. Sans cela, on pourrait penser que vous êtes d'origine espagnole. » Il avait été pris de court. C'est avec quelques heures de retard que la colère s'emparait de lui. Quelle réponse opposer à la crise de folie convulsive qui secouait un pays ?

Il reste fier d'avoir fait de son mieux pour être un bon père. Il s'enorgueillit de bien des choses qu'on méprise. Il serait bien en peine, parmi ses amis ou collègues, d'en désigner un qui valoriserait, chez un homme, la volonté d'être un bon parent. Tout le monde se fout de l'essentiel. On a d'autres échelles de valeurs. On juge qu'il aurait mieux fait d'épouser une jeunesse du bled, pour la laisser s'occuper de la maison et se consacrer, lui, à ses œuvres académiques. Quand il avait compris que la mère de sa fille était devenue Vodka Satana, professionnelle du vice et lumpenprolétaire du spectacle, il avait dû faire sur lui-même un effort extraordinaire pour ne pas devenir fou, d'une part, mais aussi pour ne pas lui arracher les yeux en la traitant de tous les noms. Il avait puisé dans des forces profondes pour accepter la situation et se comporter comme un homme : assumer ses responsabilités et s'occuper de sa fille. Autour de lui, on l'avait trouvé mollasson et peu viril. S'il était allé chercher sa femme pour la traîner au sol et la défigurer à coups de genou, s'il lui avait arraché le cœur avec ses mains, s'il avait hurlé « je voudrais que cette pute revienne pour pouvoir la tuer encore » quand les keufs l'avaient emmené, à l'heure qu'il est on ferait des tee-shirts à son effigie en réclamant son amnistie. Aujourd'hui, c'est ça le mantra national : gloire au plus dément, honneur au plus brutal. Et les femmes sont les premières d'accord avec ça. Elles n'aiment pas les hommes sensibles. Elles veulent de la torgnole, de la poigne, du mec en marcel qui leur demande ce qu'on mange ce soir en rotant devant la télé. Jusque sa propre fille. Il lui aura donné sa vie. Il n'est pas sûr qu'elle l'aime encore. Ce qu'il représente la dégoûte, sinon elle n'aurait pas fait ça. C'est contre lui, la prière, le voile et les sourates brandies à tout bout de champ.

Il s'est efforcé d'être le père qu'il aurait voulu avoir. Le sien est mort, il était si jeune – c'était déjà la nuit, sa mère a hurlé, le téléphone avait sonné mais de ça il n'a gardé aucune trace dans sa mémoire, il se souvient du hurlement, de sa grande sœur, Louisa, qui n'arrivait pas à la taille de sa mère, qu'elle enlaçait en sanglotant. Une chute, dans la journée, d'un toit. On avait attendu la nuit pour prévenir sa famille. Peut-être que si on les avait appelés plus tôt ils auraient pu lui dire adieu. Il n'a jamais su exactement. Il paraîtrait que le contremaître avait mis trop de temps à fournir son identité. Combien d'Algériens venus travailler en France sont morts sur les chantiers d'une France qui tenait à son standing et devait évoluer à moindre coût ?

Quand son père est mort, il était si petit qu'il ne savait pas encore lacer ses chaussures. Le jour de l'enterrement, il se souvient de sa sœur penchée sur lui qui l'aide en tirant la langue, pour bien faire. Jusqu'alors, leur mère n'avait jamais pris un bus toute seule. Sa cuisine, le supermarché d'en bas, un peu de ménage la rue d'en face. Elle n'avait pas besoin d'aller plus loin. Elle parlait un français sommaire. Assez pour comprendre de quoi les enfants parlaient entre eux ou ce que voulait le facteur quand il sonnait à la porte. Mais elle ne discutait qu'avec les autres Oranaises du quartier. Sûrement avait-elle peur de ne pas être capable d'apprendre une nouvelle langue. La mort du père avait tout changé. Elle avait appris à écrire, d'abord leurs noms et adresses, puis progressivement à demander à ce qu'on lui indique une direction, dire l'heure, elle avait appris le nom de ce qu'elle achetait. Elle s'était émancipée, à sa façon. Sa mère était très drôle. Elle n'avait pas son pareil pour repérer le défaut de quelqu'un et le tourner en ridicule. On riait beaucoup, à la maison. Elle pouvait entrer dans une colère noire et en sortir en une fraction de seconde, parce que quelque chose avait détourné son attention et l'avait amusée. Elle était capable d'éclater de rire le chausson à la main, alors qu'elle allait mettre une trempe à l'un ou l'autre des enfants – elle ne pouvait pas garder son sérieux. Veuve, elle n'était plus jamais retournée au pays. Elle ne s'en était jamais expliquée – elle n'était pas du genre à donner des conférences de presse sur ses états d'âme. Les événements des années 90, ou peut-être des motifs privés… elle ne retournait pas à Oran, mais elle avait été déçue que Sélim refuse de faire son service militaire, là-bas. Il avait mis en avant ses études, l'importance pour lui de ne pas perdre deux ans. Il n'avait pas osé dire qu'il se foutait du service militaire, que ce soit dans un pays ou l'autre, mais qu'il voyait encore moins pourquoi il irait le faire au bled... son frère Abdel était revenu à moitié fou de ses deux ans – si les Français ne les voyaient pas comme des citoyens lambda, les gars du bled ne les aimaient pas beaucoup non plus. Les garçons qui faisaient leurs deux ans en Algérie revenaient rarement le sourire aux lèvres. Ils en avaient bavé, ils avaient honte d'en parler, et ils se sentaient encore plus déstabilisés, au retour : citoyens de nulle part, méprisés des deux côtés de la frontière. Mais sa mère préférait que ses fils ne fassent pas d'histoire. C'était difficile à assumer, auprès de ses amies du quartier aussi bien qu'avec la famille restée au bled, un fils comme Sélim – les femmes hochaient la tête d'un air ennuyé quand elle leur racontait qu'il voulait enseigner en France, elles disaient l'essentiel c'est qu'il se tienne loin de la prison mais elles sous-entendaient : ma pauvre ton fils n'a aucun respect pour sa famille, c'est un moins-que-rien, tu es bien à plaindre, heureusement que tu as les deux autres. Louisa et Abdel étaient moins difficiles à gérer. Lui, sa mère lui disait toujours d'arrêter de se raconter des histoires : « Tu crois qu'ils t'attendent, ici ? Tu crois qu'on est là pour rigoler ou quoi ? » Elle n'a jamais été fière de lui. Elle avait été soulagée quand il lui a présenté Satana. Pas une Française. Pas une fille comme lui, non plus. Une petite jolie et pas compliquée. Ce qu'elle était devenue, par la suite – personne à sa connaissance n'en avait informé sa mère. Elle l'avait maudite d'avoir abandonné fille et mari, et c'était tout.

Aïcha n'a pas eu de maman. Il a fallu qu'elle se contente de ce bonhomme, protecteur et organisé. Avec qui on rigole rarement. Il n'a pas hérité du bon caractère de sa mère. Plus Aïcha grandissait, et plus Sélim oubliait de rire avec elle. Il s'est passé beaucoup de choses qu'il n'a comprises que trop tard.

La machine à laver réglée sur trente degrés, Sélim s'assoit à son bureau. Il est désemparé, il a tant de travail en retard. Une grande partie de son temps est occupée à faire des plannings, il essaye d'être métho-dique et de classer ses activités par ordre d'urgence. Les mails sont devenus un véritable problème pour lui. Que faisait-on de tout ce temps, dans les années 90, qu'on ne passait pas à répondre aux courriels ? Baptiste ne peut pas assurer le séminaire aux dates prévues, il doit descendre voir sa fille à Avignon pour son anniver-saire. Il avait oublié que ça tombait ce mois-là, quand il a accepté les dates qu'on lui proposait. Il fait chier, avec ses enfants. Il en a deux de mères différentes, sa nouvelle copine n'a pas trente ans, il est parti pour un troisième, c'est sûr. Baptiste donne l'impression d'être le seul adulte de toute l'université à devoir s'arranger avec ses engagements de parent. Jamais une femme ne se permettrait ce qu'il s'autorise. Maurice a annulé sa semaine de cours, il a d'énormes problèmes en tant que directeur du programme de formation permanente à l'équipement, ils ont découvert des malversations et sa signature a été falsifiée. Il risque la mise en examen, il a d'autres chats à fouetter. Laurence s'est mis tout le groupe à dos, les étudiants se plaignent de son autoritarisme. Elle prétend que c'est du sexisme. C'est une enseignante exceptionnelle, mais ça ne va pas fort, en ce moment. Elle plante tous les rendez-vous qu'on lui donne et ne répond à aucun mail, sauf ce matin, elle s'est fendue d'un message particulièrement long et injurieux contre une élève qui se plaignait du manque de suivi des TD. Si ça continue comme ça, le programme va exploser. François, le responsable du séminaire d'étude sur les techniques du corps politique, est en dépression nerveuse. Chaque fois qu'on lui demande quelque chose il hausse les épaules en marmonnant « quoi que je propose, on se fout de moi ». On ne sait plus quoi faire, avec lui. Il n'a pas eu la promotion qu'il escomptait, ça lui a foutu le moral en l'air. Et maintenant, Sélim se fade la préparation d'une réunion protocolaire, comme les universités en raffolent. Et par-dessus le marché, il faut qu'il affronte son assistante, Mireille. Un dragon. Sa méthode est efficace : elle hurle dès qu'on lui demande quelque chose. Autant dire qu'on y réfléchit à deux fois avant de la déranger.

Quand on a chargé Sélim de la direction du programme de formation continue, il a acheté une caisse de champagne et organisé une fête chez lui. C'était il y a deux ans, il s'était senti récompensé, enfin reconnu. Il a imaginé qu'il allait pouvoir mettre en pratique quelques idées qui lui tenaient à cœur, transmettre davantage.

On l'avait prévenu qu'il y aurait beaucoup de tâches administratives. On ne lui avait pas dit qu'il allait se transformer en moniteur dépassé pour quinquagénaires délirants.

Il y a deux ans, Aïcha venait d'entrer en terminale. Elle était sa fierté. Pour Sélim, qui l'avait élevée seul, sa réussite était un couronnement. Ils s'étaient faufilés entre les gouttes du malheur, il avait été un bon capitaine pour sa petite princesse. Ils venaient de passer ensemble un été en Bretagne. Il l'ignorait encore, mais c'était leur dernière année de complicité. Il espère que ça reviendra. Car l'automne n'avait pas ressemblé à ce à quoi il s'attendait. Son service était le premier affecté par les coupes budgétaires – qu'est-ce qu'on peut détruire sans que ça se voie ? La recherche et la formation. Il avait compris, d'autre part, pourquoi personne ne tenait à son poste plus de deux ans : la somme de travail était démente. Peu importe le nombre d'heures qu'on y consacrait – on était toujours en échec. Il avait été moins présent, moins attentif. Sa fille ne posait pas de problème. Il n'avait pas été suffisamment vigilant.

Elle avait découvert la foi. Il l'avait vécu comme une condamnation de tout ce qu'il était. Ça voulait dire : ton amour du cinéma français : de la merde. Boire du vin avec tes amis : de la merde. Ton abonnement à l'opéra : de la merde. Lire Guyotat et Deleuze : de la merde. Tes discours sur Godard ou Pasolini : de la merde. Tout ce que tu représentes, tout ce que tu aimes, tout ce que tu es : à la poubelle. Tes efforts tes engagements tes plaisirs tes amis : à la poubelle.

L'islam ne lui paraissait pas une religion plus conne qu'une autre. Mais pour la connaître mieux qu'une autre, Sélim savait à quel point elle réclamait le renoncement à tout sens critique. Que sa fille embrasse n'importe quelle religion l'aurait mis hors de lui. On ne restreint pas une intelligence comme la sienne. Cette mémoire, cette faculté de recouper, cette curiosité, que sa petite fille soumette sa pensée à n'importe quel système théologique le révulsait. On ne prive pas un esprit comme le sien de lecture, on ne peut vouloir l'empêcher d'embrasser la complexité au motif qu'il faut suivre des élucubrations obscurantistes… mais ça lui avait, tout de même, particulièrement déchiré le cœur de la voir se tourner vers une religion qu'il connaissait, et dont il avait passé une vie à s'affranchir. Il la voyait prendre conseil auprès d'ignares. Il l'entendait parler des scientifiques de l'islam, des demeurés capables de répéter que la Terre est plate. L'imbécile au coin de la rue devenait l'idole de sa fille, pourvu qu'il refuse de lui serrer la main et porte la barbe assez longue.

Il n'arrivait pas à prendre du recul, comme le lui conseillaient des amis. Ils déballaient des arguments imbéciles. De l'importance de l'identité postcoloniale – sa fille à la mosquée, il veut bien qu'on lui explique en quoi elle est en train de s'émanciper du colon, au point où il en est, il est prêt à tout entendre. D'autres au contraire en profitent pour monter des chevaux pour le moins fougueux – insinuant sans trop d'ambages que la gauche a eu tort de ne pas se préoccuper du problème de l'immigration plus radicalement. Il n'a pas la moindre idée de ce qu'ils veulent dire, au final – plus de prisons, plus de contrôles, plus d'exécutions peut-être ? Ces solutions qui ne sont que de nouveaux problèmes, plus graves encore que ceux qu'elles prétendaient résoudre.

Il s'en fout, lui, de l'immigration, il leur parle d'une gamine qu'il a élevée ici. Sa fille ne devrait plus se soucier de savoir d'où sont venus ses grands-parents. Si elle s'était passionnée pour la langue, la littérature, l'histoire de son pays ou la musique des Gnaoui, il aurait vu ça d'un œil différent. Mais il lui est pénible d'entendre certains collègues pérorer sur le droit des filles à porter le voile ou à renouer avec leurs racines. Ce sont les mêmes qui pleurent quand ils apprennent la mort de Chávez. Si demain, le président de la France leur parlait de Jésus pour guérir son cancer, ils feraient une jaunisse, mais quand ça se passe chez les petites gens, un taré mégalomane est un leader charismatique. Ça suffira pour les bougnoules, un Chávez, de la même façon qu'un Poutine a ses qualités, pour les Russes. Le jour où ces gens verront leur fille épouser un royaliste, ils se mettront au lit quinze jours, mais quand la sienne prend le voile, on lui rappelle qu'il relève du folklore et on vient lui parler couscous et guerre d'Algérie. C'est devenu ça, cette gauche qui l'a enthousiasmé, plus jeune. D'une part, ceux qui ont gardé une condescendance justifiée par l'exotisme : qu'on laisse les basanés s'épanouir entre le tapis de prière et trois sourates, ça suffira à leur intellect. Et, en face, ceux qui s'approprient la laïcité pour sommer les fils d'immigrés d'être les plus zélés des renégats, toujours prêts à se désolidariser de leurs semblables afin de gagner la médaille de l'intégré exemplaire. La docilité, de part et d'autre, c'est ce qu'on attend de l'Arabe – qu'il se soumette à la barbarie des siens ou à la violence de l'Etat français, peu importe, pourvu qu'il renonce à sa dignité pleine. Et derrière l'Arabe, c'est le précaire qu'on vise : ce que ses collègues de gauche réclament, au fond, c'est que le plus démuni apprenne à souffrir en silence. A travers sa fille, Sélim récupère son statut d'enfant d'immigré : il est placé devant une double injonction irréalisable. Il est écartelé. Il refuse d'accepter le choix d'Aïcha autant qu'il refuse de le condamner avec ceux qui n'ont pas subi ce qu'elle subit.

Il a aimé ce pays, à la folie. Son école, ses rues propres, son réseau ferroviaire, son orthographe impossible, ses vignobles, ses philosophes, sa littérature et ses institutions. Mais autour de lui, les Français n'habitent plus la France qui l'a enchanté. Ils souffrent. On ne saurait dire ce qui tourmente à ce point les enfants chéris de l'Europe. Ici, se dit-il, peut-être lui manque-t-il effectivement une part de la mémoire collective : de la double humiliation de la Seconde Guerre mondiale, qui au fond a fait de la France un pays deux fois vaincu, occupé puis libéré de force, il ne partage rien.

Quand ça a commencé, quand il a entendu les Français s'en prendre aux immigrés au son d'un tonitruant « pinard et saucisson », il a fait comme tant d'autres : il a préféré feindre ne pas comprendre. Tout était dit, pourtant : voilà l'idée qu'ils se faisaient du pays des droits de l'homme. Du vin et de la cochonnaille. Tel est leur grand programme culturel. Même de la droite, on attendait autre chose.

Une gamine comme Aïcha aurait pu devenir scientifique – elle avait cette chance incroyable d'être douée pour les maths, à l'époque du lycée les meilleures filières lui étaient ouvertes. Mais sa rencontre avec le Coran lui interdit d'étudier la science. Elle évite également la littérature, qui l'exposerait à trop d'ordures morales, le cinéma, bien sûr, puisque là-dedans ça fornique à tout-va. Il lui reste l'étude des langues – la grammaire ne lui pose aucun problème éthique –, le commerce et le droit. Plus pragmatique qu'elle ne veut l'admettre, elle a choisi le droit fiscal, consciente de ce que, au grand dam de son pays natal, les capitaux viennent aujourd'hui de gouvernements qui ne s'offusqueront pas de son voile. Au contraire.

La connivence qu'il a connue avec Aïcha lui manque. C'était facile, entre eux. Ils partageaient la vie avec légèreté, l'un ne pesait pas sur l'autre. Il ne se posait pas de questions. Quand le moment des vacances arrivait, ils étaient heureux de partir ensemble. Il n'y avait pas de gêne. Ils n'étaient pas fusionnels, Sélim n'a jamais eu l'impression d'étouffer ou d'être étouffé. Ils n'ont jamais vécu repliés sur eux-mêmes, comme certaines cellules monoparentales autour de lui. Aïcha a toujours eu des amies, des activités, et Sélim avait une vie sociale remplie, qui l'épanouissait. Il évitait de ramener ses petites amies à la maison, mais jamais il ne se sentait fliqué par sa propre fille. Il y avait cette entente, entre eux – les

soirées à regarder un film, le grand ménage du printemps, la piscine du dimanche, la semaine des crêpes
à la Chandeleur, une série de rituels qui évoluaient au
fur et à mesure qu'elle grandissait, sans disparaître.
Il savait qu'il en était heureux, mais il ignorait que ça
n'aurait qu'un temps. Sa fille lui faisait confiance, elle
lui demandait son avis sur les choses qui lui paraissaient
compliquées, il aimait réfléchir à ses réponses. Il aimait
être son papa. Elle avait été, et resterait sans aucun
doute, la femme qui lui avait donné le plus de joies.
Ça s'était délité. Il attendait l'adolescence, les pétards
en cachette et les petits amis trop entreprenants. Ça
ne s'était pas passé comme ça. Il avait été incapable de
prendre du recul, ce qui arrivait le touchait de trop près,
le remettait directement en question. Il n'avait pas su
garder son calme. On évoque l'adolescence comme un
temps de folie hormonale et identitaire dans laquelle se
dépêtreraient des enfants qui deviennent adultes. Mais
il s'agit, Sélim le comprend sans que ça lui soit d'aucune
utilité, d'un dialogue inconscient : Aïcha vient lui dire,
avec les moyens du bord : voilà toute la merde que tu
m'as léguée, papa, en prétendant que tu dominais la
situation, voilà toute ta merde et voilà mon mépris.
L'adolescence se joue entre les deux parties : les parents
se débattent pour ne pas entendre ce que l'alien cherche
à leur dire. Il ne connaît rien de plus douloureux que
devoir renoncer au statut de papa adoré.

En l'espace de quelques mois, un fossé les avait séparés. A présent il craignait l'heure du dîner, ce malaise
prolongé qui s'invite à leur table. Ils allumaient la télé,

pour ne pas avoir à se regarder. Dès qu'elle ouvrait la bouche, il avait envie de hurler. Toutes ces imbécillités, si obscures et familières. Pas elle. Son trésor. Il avait éprouvé de la tendresse pour les croyances de sa mère et de ses tantes, comme on chérit avec passion quelque chose qui doit disparaître, dont elles ne pouvaient être tenues pour responsables. Jamais il n'aurait imaginé que ça revienne par sa fille.

Le pire, c'est cette sensation d'être jugé. Jamais Aïcha ne lui dira : j'exècre tout ce que tu es. Mais ses choix parlent d'eux-mêmes. Cette ferveur atroce, sa piété, lui signifie chaque jour : je te trouve pathétique. Sélim pense souvent à Satana. Elle non plus n'avait guère été sensible à ce qu'il considérait comme ses qualités intellectuelles. Elle lui préférait n'importe quel imbécile, pourvu qu'on voie bien ses abdos. Sa fille recommence la même chose, sauf qu'elle a sacrifié les abdos pour la barbichette. L'histoire trébuche.

Sélim prépare les fraises pour le dessert. Quand Aïcha rentre, il sent son ventre qui se serre un peu. C'est donc devenu ça, leurs rapports : ils se tendent quand ils sont forcés de se voir. Il est tard. Elle est ponctuelle, d'habitude. Elle paraît soucieuse. Il ne lui demande pas, spontanément « D'où viens-tu ? Quelque chose ne va pas ? » Il cherche des mots qui ne seraient pas intrusifs. Il a peur d'être maladroit, ils s'engueulent pendant des heures, pour un rien. Il aimerait pouvoir lui dire, en toute simplicité – ce n'est pas facile pour moi au travail en ce moment tu sais – il aimerait pouvoir se plaindre à elle et qu'elle l'aide à y voir plus clair. Elle lui répondrait « papa j'ai des problèmes à la fac » et il passerait son bras autour de ses épaules, qu'est-ce qui se passe mon bébé, tu es préoccupée ? Il ne la touche plus. Il ne l'embrasse plus. Il sent que ça la met mal à l'aise.

Quand ils sont dans la rue il a remarqué qu'elle baissait les yeux devant les hommes. Ce n'est pas un signe de soumission. Elle évite leur regard pour montrer qu'elle est pure. Il en pleurerait.

D'habitude, en rentrant, elle se précipite dans sa chambre. Pour l'éviter, elle se plonge dans son travail. Mais ce soir, elle s'adosse au plan de travail, les bras croisés, une expression butée sur le visage. Elle fixe le sol, mâchoires crispées, sans se décider à parler. Il saupoudre les fraises de sucre avant de les mettre au frigidaire. Il n'ajoutera la crème qu'au moment de servir. Il essaye de paraître détendu, il sait qu'il sonne faux :

— Quelque chose ne va pas ?

— Je sais, pour maman.

Il est préparé à avoir cette conversation avec elle depuis qu'elle est une minuscule créature. Mais comme tous les événements qu'on a soigneusement répétés, sans jamais trouver l'opportunité de les provoquer, il est désarçonné par les circonstances. Il a imaginé maintes fois cette scène, mais ça ne se passait jamais « comme ça ». Il voudrait pouvoir faire un signe « pause » et mettre en place de meilleures conditions. Il reste interdit, un court instant, Aïcha le rassure :

— Ne t'en fais pas. Je le sais depuis longtemps. J'en ai parlé avec mon tuteur, il m'aide beaucoup. Je ne suis pas responsable des actes de ma mère. Pas plus que toi. Je ne voulais pas te mettre mal à l'aise avec ça. Mais il y a quelques jours, j'ai appris d'autres choses à propos desquelles j'ai besoin de connaître ton opinion.

— D'autres choses ? Quoi encore ? Qui ?

— Chez la Hyène. Elle m'a invitée à venir au dernier moment. Elle m'a dit que c'était important. Tu sais, ce chanteur, Alex Bleach…

— Evidemment que je sais.

— Il dit qu'elle ne s'est pas suicidée. Il dit qu'elle a été tuée.

— Elle a fait une overdose, ma chérie, je suis désolé de ne pas avoir trouvé le courage d'en parler plus tôt avec toi… Elle a fait une overdose, mais on pense que c'est un suicide. Je sais que c'est terrible pour toi d'apprendre ça. Il faut que nous ayons une discussion. Ne te laisse pas entraîner par les élucubrations malsaines qu'on peut…

— Je ne crois pas que le mec divague. Disons que je ne suis pas sûre. Et j'ai pensé que je ne devais pas garder ça pour moi. Que tu devais savoir, toi aussi. Ta copine, la Hyène, a encore les enregistrements mais je ne crois pas qu'elle les garde longtemps, si tu veux…

— Mais de quoi se mêle-t-elle, cette imbécile ? Qu'est-ce qu'elle t'a mis dans le crâne ?

— Ecoute, papa, c'est toi qui es allé la chercher, non ? Tu te plains quand j'écoute l'imam, tu te plains quand j'écoute tes copines… Si tu veux que je ne parle avec personne il faut m'enfermer dans ma chambre…

Dépitée, elle tourne les talons et quitte la cuisine. Sélim pense qu'il a mal réagi. Il n'a pas posé les bonnes questions. Elle l'a pris au dépourvu. Il s'était promis de lui en parler quand elle serait assez grande pour comprendre. Mais il n'y a pas d'âge pour se colleter avec une réalité aussi difficile. Et il faut dire qu'il ne s'est jamais, lui-même, réconcilié avec la reconversion professionnelle de Satana. Le fait même qu'elle ait changé de prénom lui avait posé des problèmes. Elle avait tué, de son vivant, la femme qu'il avait tant aimée.

Peu de temps auparavant elle avait quitté le domicile conjugal. Son « j'ai besoin de vivre, je suis trop jeune pour être enfermée, merde » lui avait paru un peu court. Elle se sentait trop à l'étroit avec un bébé dont elle s'occupait sans gaieté. « Pour être épanouie dans cette vie-là il faudrait être pauvre d'esprit, tu ne crois pas ? » Soit. Sélim était convaincu que la maternité convenait à toutes les femmes. Mais la sienne faisait exception. On ne peut pas forcer quelqu'un à rester. Ça lui avait déchiré le cœur, mais ni lui ni sa fille n'intéressaient assez la jeune mère pour la retenir à la maison. Elle s'étiolait d'ennui, elle avait d'autres rêves. C'était difficile à encaisser. Quand elle était tombée enceinte, accidentellement, au début de leur histoire, elle avait été enthousiaste, elle disait qu'elle était comblée et qu'elle rêvait d'une vie de famille. Il était, alors, le plus heureux des hommes. La première année, elle aussi paraissait heureuse. Puis elle avait commencé à se plaindre de ce qu'elle était souvent seule. Une dépression légère. Elle voulait trouver du travail. Elle était tout le temps fourrée chez les voisines, à prendre le café. Quand Aïcha avait commencé à marcher, sa mère n'avait pas envie de passer son temps à la surveiller. Ça n'allait plus. Sélim ne savait pas quoi faire. Puis il y avait eu le beau gosse du huitième. C'est avec lui que les vrais ennuis avaient commencé. Il était techniquement débile, mais bâti comme un dieu grec. Elle était partie.

Resté seul avec la petite, il ne s'était pas laissé abattre. Au fond, le coup que lui avait porté Satana en les abandonnant était si violent qu'il n'avait, d'abord, pas senti la profondeur de son impact. Comme le rescapé d'un accident qui ne comprend qu'il a le crâne ouvert que quand le sang l'aveugle, il s'était, tout d'abord, plongé dans le quotidien avec acharnement.

A l'époque, il fumait la pipe. Un jour qu'il entrait au bureau de tabac pour acheter son paquet de Drum, il avait regardé les journaux en attendant son tour. Il ne l'avait pas reconnue tout de suite. Le maquillage la transformait. Mais en y regardant à deux fois, le doute n'était pas possible. La mère de sa fille, exhibée en couverture de ce torchon pornographique, le fixait avec un sourire aguicheur. Il était entré dans le vidéoclub le plus proche. Elle figurait sur un nombre étonnant de jaquettes. La pornographie se produisait à la vitesse de la lumière. En quelques mois, elle avait tourné dans une dizaine de films. Il avait traversé Paris, halluciné. En route pour le fait divers, tant pis pour le bonheur et tout ce qu'il avait de cher en ce bas monde, tant pis pour la petite tant pis pour le travail tant pis pour les amis. Il allait étrangler cette pute. Il allait acheter un baril d'essence, la brûler vive puis l'étrangler, ou peut-être pas dans cet ordre mais il allait la tuer plusieurs fois, ça c'était sûr. La rancœur qu'il avait étouffée depuis son départ jaillissait en gerbes folles, lui déréglait le sang et le défigurait : il allait la retrouver et elle allait payer. Mais il ne savait même pas où elle vivait.

Elle avait réapparu, quelque temps plus tard, sans avoir jamais cherché à répondre aux messages effondrés ou menaçants qu'il laissait sur son répondeur, elle l'avait désarçonné. « Je suis tellement contente que tu saches ! » Elle disait qu'elle avait beaucoup souffert de devoir lui cacher sa « nouvelle vie ». Si tu savais comme je suis heureuse ! Qu'est-ce qu'il pouvait répondre à ça ? Elle délirait complètement. Elle aimait ses nouveaux amis, les voyages aux Etats-Unis en première classe, l'argent facile, les cérémonies des Hots d'or à Cannes. Elle avait l'impression de vivre, enfin, une vie qui lui fasse tourner la tête. Treize ans après sa mort, il lui en voulait encore.

Il s'était promis d'en parler à Aïcha. Mais rien ne pressait. Merde, à la fin… Une fois la mère morte, on avait le droit d'oublier ce qui s'était passé. C'était déjà assez difficile comme ça, sur le coup, sans qu'on y revienne sans arrêt, sans encore pourrir la vie de la gamine avec cette mémoire qui ne se case nulle part. Quand Internet avait débarqué, avec son flot de productions pornographiques venues du monde entier, il avait été soulagé. Les magasins de location vidéo avaient fermé. Les jaquettes infamantes avaient disparu, et leurs contenus ignobles aussi. Personne ne se souciait d'archiver cette production atroce. Peut-être qu'Aïcha ne saurait jamais. Il voulait lui en parler, mais, vraiment, rien ne pressait.

Quand elle s'était tournée vers l'islam, ça lui était revenu, il avait pensé que c'était karmique. Que sans le savoir, elle compensait. Une folie contre une autre folie. Il fallait qu'il provoque cette discussion. Mais le temps, trouver le temps. Pas un de ces dimanches où ils se disputaient. Le bon moment n'était pas arrivé.

Ce soir, le plus difficile n'est pas qu'elle ait appris. C'est qu'elle soit d'abord allée en parler à un autre que lui. Son tuteur. Ce demeuré inculte qui porte des Nike sous la djellaba. Elle n'est pas rentrée pleurer dans les bras de son père. Elle est allée en voir un autre. Est-ce que ce type t'a appris à nager est-ce qu'il a parcouru tous les magasins de la ville pour trouver le jouet que tu voulais est-ce qu'il a sacrifié ses soirées pour être sûr que tu connaissais ta récitation est-ce qu'il t'a appris à faire un exposé est-ce qu'il s'est cassé la tête le soir dans sa chambre pour rattraper son retard en mathématiques et pouvoir t'expliquer l'exercice le lendemain est-ce qu'il t'a regardée tourner dix fois de suite dans le froid sur le manège avec le petit éléphant qui te plaisait tellement est-ce qu'il t'a portée sur ses épaules pour que tu ne rates rien de la parade des princesses alors qu'il avait déjà mal au dos est-ce qu'il s'est relevé la nuit pour te donner de l'eau quand tu faisais des cauchemars est-ce qu'il t'a emmenée voir les dauphins sept fois de suite parce que tu les adorais est-ce qu'il a plié tes vêtements après les avoir repassés jusqu'à l'année dernière est-ce qu'il s'est demandé comment payer tes frais d'inscription quand ils ont augmenté est-ce qu'il a fait la queue deux heures pour être sûr que tu verrais Lorie ? Est-ce qu'il s'arracherait un rein avec les dents si tu en avais besoin ? Est-ce que si on le casse en deux si on lui broie les os avec une pierre tout ce qu'on trouvera dans sa moelle c'est l'amour de toi, le désir que tu sois heureuse, que tu ne te trompes pas trop ? Alors pourquoi mes mots n'ont plus aucune importance pourquoi mes conseils ne regardent que moi pourquoi mes bras ne peuvent plus te protéger ? A quel moment ai-je démérité ? Pourquoi la vie nous a fait ça ? Pourquoi ce pays est devenu fou ?

Il est déjà allé voir à quoi il ressemblait, ce tuteur. Il espérait tomber sur un fanatique, un manipulateur dangereux. Il aurait aimé démasquer un pédophile multirécidiviste – qu'on n'aille pas lui expliquer que les catholiques ont le monopole des pervers hypocrites, rien n'est aussi universel que le vice qui se donne les allures de la vertu. Mais il ne s'agit que d'un petit bonhomme bedonnant, sans charisme, tranquillement médiocre, bêtement dépassé. Comme un brave curé de campagne en pleine Inquisition : incapable de saisir les enjeux historiques du contexte, voulant bien faire, surpris de l'importance dont il est investi. Qu'est-ce que sa fille peut bien lui trouver ? Qu'une jeune femme libre de ses mouvements décide de s'en remettre au jugement du mec le plus limité du quartier, comment le comprendre ? Dans cette famille, il faut croire qu'elles ont ça dans le sang. Satana l'avait bien quitté pour un culturiste…

Qu'est-ce qu'a appris Aïcha, au juste ? Comme si ça ne suffisait pas, les conneries de l'imam du bout de la rue, il faut que la Hyène s'y mette. Les révélations du grand chanteur… il ne manquait plus que ça. Ajoutons à la liste de la misère ambiante les délires du toxicomane mégalo… Sélim tourne en rond dans sa cuisine, tout en battant les œufs avec fureur. Il épluche la salade avec rage, la rince et la fait tourner dans l'essoreuse avec une véhémence absurde. Sa fille vient lui cracher ces conneries à la figure puis s'enferme dans sa chambre, qu'est-ce qu'il a fait pour mériter ça ? Pour qui le prend-on, à la fin ? La bonne poire, l'imbécile qui se dépense sans compter pour que tout le monde y trouve son compte sauf lui, celui qui encaisse les humeurs des unes et des autres. Et qu'est-ce qu'elle avait besoin, la Hyène, d'aller mettre des idées comme ça dans la tête de la petite, sans le prévenir ? Trahi de toutes parts. Le con de l'histoire. Toujours. Le mec sympa. Les femmes détestent ça.

Alex Bleach. Parfait, c'est vraiment parfait. Il ne lui sera rien épargné. L'été de son premier tube, Sélim travaillait dans un centre commercial. Il vendait des montres. Ce morceau passait, à la radio, en rotation. Il s'était acheté le 33 tours. Il le connaissait par cœur. Il ne souhaite pas ça à son pire ennemi. Quand la femme que tu aimes sort avec le chanteur que tu écoutes depuis des années… On ne parlait plus du culturiste du coin, qu'il pouvait mépriser tout son soûl. Il ne pouvait que comprendre qu'elle tombe amoureuse. Sélim s'était senti entièrement annulé.

Il appelle sa fille à table. Il va lui parler. Dignement. Mais ils dînent encore une fois dans le silence. Lui, l'estomac noué par la colère, elle, le regard rivé sur son assiette. Son omelette pas trop cuite, comme elle l'aime, sa salade pas trop vinaigrée, comme elle l'aime, sans ail, qu'elle ne digère pas. Ce soir, il n'allume pas la télé. Puis il n'y tient plus : « Tu sais où je peux la trouver, la Hyène ? » et Aïcha le regarde pour la première fois de la soirée. « Pourquoi ? Tu veux t'en prendre à elle ? » Il n'a jamais frappé sa fille. Il ne commencera pas aujourd'hui. « Je veux savoir ce qu'elle t'a mis dans la tête avant d'en parler avec toi. » La petite réfléchit, puis hausse les épaules :

— Il est un peu tard mais ils sont peut-être encore au parc des Buttes-Chaumont.

— Qui ça « ils » ?

— Ils sont une sorte de bande. Des vieux de ton âge. Ils ont un pote, Vernon, qui s'est installé là-bas. Ils viennent le voir tous les jours.

— Comment tu sais ça ?

— Je suis allée les voir.

Il traverse le parc des Buttes-Chaumont à grandes enjambées, jetant autour de lui des regards fulminants. Il dévisage les passants, roule des yeux déments. Il sait qu'il fait tout ce cinéma pour éviter de parler avec sa fille. Aïcha, quelques pas derrière lui, le suit en silence. Sélim a la mauvaise impression qu'elle n'est pas terrorisée à l'idée de ce qu'il fasse scandale, mais plutôt accablée de ce qu'il se donne en spectacle. Il lève les bras en l'air, comme un dingue. « Tu me fais chier, tu comprends ? Tu me fais chier ! Tu ne pouvais pas me parler dès que tu as su ? Depuis Barcelone, tu te rends compte ? Depuis Barcelone tu me mènes en bateau ! Je suis quoi, moi ? Je suis l'ennemi, moi, peut-être ? Tu ne crois pas que tu aurais dû parler avec ton père ? » Et Aïcha ne lui fait même pas l'aumône de l'insolence, qui lui permettrait de s'énerver encore plus, elle est douce et désolée, « c'était tellement difficile de te parler de ça, papa ». Elle prononce les « a » de papa presque comme des « o », en ouvrant à peine les lèvres. Ça le fauche. Sa toute petite fille. Ce qui lui tombe dessus. Et lui, comme un crétin, qui la force à le suivre au parc pour passer un savon aux imbéciles qui lui ont fait écouter les élucubrations de l'ancien amant de sa mère. Sa pauvre petite, toute seule avec ces pensées-là. Et lui qui n'a rien vu de ce qui la rongeait. Tout ce gâchis. Tant d'amour inutile, qui ne trouve pas son destinataire, qui ne sait plus se formuler.

Il s'arrête, au milieu d'une allée du parc. Il se sent vaincu. Il n'a pas fait son boulot d'adulte. Il ne l'a pas aidée à comprendre ce qu'elle venait d'apprendre, pour la bonne et simple raison qu'il n'a jamais su quoi faire, lui-même, de cette tourmente qu'avait été Satana. Alors il se met en colère, pour se défendre, comme n'importe quel con. Il s'effondre sur un banc. Aïcha attend, debout, les mains enfoncées dans ses poches.

Sélim ne supporte pas les regards qu'on jette sur elle. Certains passants tournent la tête, pour l'observer. Il a envie de les chasser – c'est un voile, merde, vous allez finir par vous en remettre, vous faites chier, tous, vous faites chier. Autant il est légitime pour son père de se demander ce qu'elle fout avec ça sur la tête, autant ces inconnus devraient comprendre que ça ne les regarde pas. Il s'agit de ses cheveux, après tout, elle en fait ce qu'elle veut. Il dit :

— Aïcha, je ne sais pas exactement qui on cherche, mais ils ne sont pas là. Pardonne-moi. Je ne m'attendais pas à ce que tu me parles de ça. J'ai très mal réagi. Rentrons. Je vais t'expliquer…

— Non, papa. Je voudrais que tu écoutes ce que dit le chanteur. J'ai besoin de savoir ce que tu en penses.

Et elle attend qu'il se lève et la suive. Il voudrait savoir dire « ma chérie je n'ai pas la force de rencontrer des gens qui vont me parler de ta maman. Mon cœur s'est brisé avec elle. Je suis incapable de repenser à tout ça. Tu es ce que j'ai de plus précieux au monde, je voudrais tant pouvoir te faire le cadeau d'une autre maman. Son histoire est la plus triste qu'on puisse imaginer. Je ne voulais pas que tu saches tout ça, parce que je voudrais que tout ça ne soit jamais arrivé. » Mais il marche sans rien dire. La colère l'a quitté. Il demande, d'une voix faible :

— Qu'est-ce qu'il dit, Alex Bleach, qui te travaille comme ça ?

— Tu vas voir. Tu vas peut-être me dire que tu n'y crois pas.

— Pourquoi elle t'a invitée à regarder ça et pas moi ?

— Ça aurait été trop gênant qu'on voie ça ensemble.

Celui qu'Aïcha appelle Vernon tourne la tête vers Sélim en les entendant arriver. Il porte des bottes trop grandes pour ses longues jambes maigres. Sa peau est grise, son regard est fiévreux. Il a une façon particulière de fixer son interlocuteur, avec un calme désarmant. Il s'approche de Sélim, sans un mot. Il sent le tabac froid, la terre mouillée, et quelque chose de doux et de sucré, indéfinissable. Agréable. Il prend le père dans ses bras et le serre contre lui. Sélim est surpris mais toute appréhension ou hostilité ont disparu. Il était venu l'insulter et il l'a déjà oublié. L'étreinte de Vernon l'enveloppe et il devient rempart, bouclier, pansement. Sélim se laisse aller, conscient du ridicule de la situation, mais incapable de se soustraire à cette accolade rassurante.

— C'est du shit ou c'est de l'herbe ?

Vernon pose la question pour la forme, quand Lydia lui tend le joint, parce qu'en fait il fume les deux avec un enthousiasme égal. Il s'éloigne ensuite de quelques pas du groupe, et se cale à sa place favorite, dans le creux que forment les racines du plus vieux marronnier du parc. Haut comme une maison de quatre étages, l'arbre a poussé penché, ses branches énormes sont parallèles au sol. Les feuilles jaunies par une maladie se déploient en mur orangé, qui tranche sur le vert du parc en été.

Vernon tire de longues lattes sur le pétard, il retient la fumée dans ses poumons et regarde les autres, de loin. Il apprécie d'être raide, ça lui permet d'éprouver les sensations les plus invraisemblables sans se poser trop de questions. Comme, par exemple, quand il met sa main à plat contre le bois de l'arbre, sentir la douce pulsation de la sève qui le régénère, basses fréquences électromagnétiques, être conscient du tempo du végétal. Il préfère penser que c'est parce qu'il a fumé, mais en vérité, il n'est jamais tout à fait redescendu, depuis son trip avant le visionnage des cassettes d'Alex Bleach.

Au cours de cette étrange soirée, Emilie, Lydia et Patrice lui ont proposé tour à tour de l'héberger. Ils étaient probablement inquiets à l'idée qu'il accepte, en raison de son état bizarre, mais davantage travaillés par un remords sincère – ils ne voulaient pas rentrer chez eux en sachant qu'il dormirait dehors. A sa propre surprise et, sans la moindre hésitation, Vernon a décliné toutes les invitations. C'était difficile à justifier. Il a dit ne vous en faites pas, je n'ai pas envie de m'incruster, je vous assure, ça ne me fait pas peur de continuer à être dehors. On l'a regardé comme un dément. Normal. Il aurait fait pareil, à leur place. La vérité était qu'il ne supportait plus, physiquement, ni les murs ni le plafond, il respirait mal, les objets l'agressaient, une vibration nocive le harcelait. Le pire, c'était encore la présence des gens autour de lui. Il sentait leur misère, leurs douleurs, leur peur panique de ne pas être à la hauteur, d'être démasqué, puni, de manquer; il avait l'impression que c'était comme un pollen : ça s'infiltrait en lui et le gênait pour respirer. Ce qui fait que non, vraiment, sans façon, il n'avait aucune envie de s'installer chez l'un ou chez l'autre. Désormais, il avait besoin d'espace. Et de solitude.

Il s'était endormi, cette nuit-là, parmi les mots des autres, il percevait dans son sommeil les réflexions qu'ils se faisaient. Les déclarations d'Alex avaient fait l'effet d'un projecteur subitement braqué sur un coin d'ombre. Certains y avaient cru sans hésiter. Daniel y voyait la preuve de ce que les femmes qui se coltinent la sexualité des hommes sont des citoyennes de seconde zone qu'on peut tuer en jouissant d'une impunité totale. Pamela avait commencé par être plus réservée, selon elle Alex était encore fou de Satana et il était rongé par la culpabilité de ne pas l'avoir sauvée, il avait inventé cette histoire pour ne pas devenir dingue mais elle ne réussissait pas à croire que c'était vrai. Patrice n'était pas étonné, c'était un nouvel exemple de ce que les riches font comme ils veulent et que le droit de donner la mort aux plus pauvres fait partie de leur arsenal. Pour la Hyène, tout cela prouvait qu'il se passait quelque chose dans ce groupe qu'elle était incapable de définir, mais qui relevait du presque tangible quand on passait du temps avec eux : un plaisir à être ensemble, qui relevait du mystère. Ils ne s'admiraient pas, ils ne se ressemblaient pas, ils n'avaient pas d'intérêt à se côtoyer, mais une fois rassemblés ils s'agençaient – elle l'expliquait à Lydia, qui avait du mal à comprendre de quoi elle parlait. Pour cette dernière, la démonstration coulait de source : Alex aussi avait été tué. Il devait être vengé. Xavier affirmait que tout ça, c'étaient des conneries. « Alex est mort parce qu'il aimait la came, Satana est morte parce qu'elle aimait la came, les tox crèvent comme des chiens parce qu'ils ont abandonné l'idée de prendre soin de quoi que ce soit d'autre que de leur foutue substance. Quand ils ne se cherchent pas des excuses, ils cherchent des responsables. Alex était un tox. Il dénonçait avec véhémence ceux qui l'avaient trahi, ou abandonné. Mais le premier à se trahir, se maltraiter, s'abandonner, c'était lui. » Patrice tétait sa canette de bière en rigolant. « On est tous des tox, alors. Parce que c'est pas les tox que tu décris, là, c'est le genre humain. » Emilie était flottante. Elle se moquait de savoir si on avait aidé Vodka Satana à prendre la

189

mauvaise dose, elle était troublée par le début de l'enregistrement. Elle revenait sur sa jeunesse en se demandant si elle avait été aussi magique que ce que Bleach décrivait. Aïcha n'était pas restée avec eux. Ce qu'elle avait entendu l'avait bouleversée. Elle avait dit « c'est trop le vacarme, dans ma tête, là » en prenant congé précipitamment. Pamela et Daniel avaient échangé un long regard silencieux, puis ils s'étaient donné la main et leurs doigts étaient restés noués. Ils essayaient d'imaginer ce que ce serait, pour la fille de Satana, de se réveiller le lendemain en devant porter le poids de cette histoire. C'était à devenir fou. Quant à Vernon, il avait besoin d'être seul.

Le jour s'était levé et il s'était redressé, avait bu quelques gorgées de bière avant d'annoncer qu'il y allait. Laurent, qui avait profité des conversations sans fermer l'œil de la nuit, s'était aussitôt mis en marche, « on part ensemble, mon frère ». Il y avait eu une rafale de protestations « vous n'allez pas partir comme ça, mais vous allez où, vous allez faire quoi » et c'est Laurent qui les avait fait taire, « on n'est pas contre emmener quelques bières pour la route, il en reste un peu dans le frigo… Pour le reste, vous êtes gentils, mais ça fait belle lurette que je me débrouille comme un grand… Je m'en occupe, moi, de votre copain, ne vous en faites pas. » Il avait tenu parole : depuis il s'était toujours occupé de Vernon. En claquant la porte, il avait annoncé à la cantonade « on sera aux Buttes-Chaumont, si quelqu'un veut nous voir ! » comme on donnerait l'adresse de son bar de quartier. Mais ni lui ni Vernon ne s'attendait à ce que, dès le lendemain, tant de gens présents à cette soirée passent au parc pour prendre de leurs nouvelles.

Sur le chemin du retour, dans le métro, Laurent n'a fait aucun commentaire. Il avait la jubilation discrète, mais perceptible : finalement, Subutex était l'un des leurs, un mec libre. Laurent était contrarié de devoir attendre que la nuit tombe pour lui montrer son nouveau territoire : la fameuse ligne de la Petite Ceinture. « A l'origine, elle servait à transporter du plâtre. » Laurent est intarissable sur les Buttes-Chaumont, à se demander pourquoi il n'est pas devenu guide des lieux. « Sur la Butte, on tuait les chevaux et on pendait les truands. Il y avait les carrières, là où tu es, et une décharge publique, à ciel ouvert. Il y avait aussi le gibet de Montfaucon. Sous tes pieds sont entassés les cadavres des fédérés de 1871. Parfaitement… Quand ils ont construit le parc, le quartier était tellement pourri que tous les bourgeois ont fui, c'était le parc des mal famés. On dit qu'ils pillaient tout – je l'ai lu sur Internet. Les pauvres, on est comme ça – on détruit ce qu'on peut, faut dire. »

Les voies ferrées sont à une vingtaine de mètres en dessous du niveau du parc, ils y accèdent par une pente abrupte. Le soir, quand ils reviennent bourrés, c'est une belle occasion de se casser la gueule. Vernon s'est posé un peu à l'écart de Laurent, dans un recoin entre deux tas de gravats. Les murs sont graffités, pour trouver sa planque, il faut chercher la pieuvre mauve peinte sur un pilier, il est à l'abri, invisible du pont qui surplombe leurs quartiers.

Laurent a toujours sur lui un couteau – hors de question que « n'importe qui » s'incruste. Personne ne peut dévaler les pentes qui mènent aux voies sans devoir lui passer sur le corps. Ça marche : il y a dans le parc assez de place pour que tout le monde se trouve une planque.

Dès le deuxième jour, Laurent l'a entraîné à l'aventure, d'autorité, « t'as de la chance, je viens de repérer un matelas en zonant vers la cantine des Pyrénées mais je n'avais pas envie de demander à cet enfoiré de Samir de m'aider, j'aime pas ce type, je n'ai pas envie qu'il s'incruste avec nous. On va aller te le chercher tous les deux. » Ils avaient longé les voies jusqu'à ce que de hautes grilles les forcent à remonter dans la ville, puis avaient poursuivi, dépassant Ménilmontant. Laurent avait planqué le précieux matelas derrière un panneau d'affichage, et Vernon n'avait pas eu le courage de s'opposer à lui, même s'il ne se sentait pas la force de traîner le truc jusqu'au parc. Ça leur avait occupé la journée. Ils tiraient le machin, le poussaient, le soulevaient, tombaient dessus pour s'allonger deux minutes et rigolaient comme des gamins exténués. Quand ils l'avaient laissé glisser pour revenir sur les voies de la Petite Ceinture, le matelas était plus défoncé que s'ils l'avaient récupéré dans la décharge la plus proche. Il faisait nuit. Ils avaient continué leur périple et Vernon s'était écroulé entre deux piliers.

C'est encore Laurent qui l'a aidé à monter une tente qu'on ne voit pas du parc, à base de toile cirée tenue par de vieilles plaques rouillées, volées sur un chantier et abandonnées là. On trouve de tout, autour des voies.

Vernon s'est dégoté une caisse pour faire table de chevet, un tabouret et un Homer Simpson en peluche, pour la déco. Laurent lui a filé un duvet et ce soir-là, Vernon n'avait pas été surpris de se sentir aussi bien dans son nouvel abri. C'est devenu son cocon, un assemblage abracadabrant qui le protège mieux qu'une maison.

Puis Olga est revenue, les traits reposés, propres, elle avait bien meilleure allure que la dernière fois qu'il l'avait croisée, le jour de l'agression de Xavier. « Ils m'ont gardée quinze jours à l'hostau, j'ai fait un décollement de la plèvre, j'étais traitée comme une reine, les gars. » Laurent lui avait interdit de reprendre sa place, quelques alcôves plus loin, « t'as fait assez de problèmes à tout le monde comme ça », mais Vernon s'était interposé. « Vas-y, laisse-la ». Elle s'était liée d'amitié avec un petit mec d'une cinquantaine d'années, débrouillard et drôle, tête de clown futé. Jackie. Il sortait d'un squat dans un parking condamné que des crackheads avaient failli faire cracher, et les lieux avaient été murés, avec tout ce qu'il possédait à l'intérieur. Mais Jackie était moins facile à gérer une fois bourré que dans la journée – le bonhomme avait l'alcool aussi mauvais que bruyant. Ça n'avait pas eu le temps de taper sur les nerfs de Laurent : un soir, il n'était pas revenu. Olga était chamboulée, mais Laurent restait impassible. « C'est comme ça, la vie dehors. Les gens sont là, tu traînes avec, et un jour ils ne sont plus là. Ils ne se souviennent pas toujours de toi quand tu les recroises trois mois plus tard. On voit du monde, tu sais. C'est les deux à la fois : il ne se passe jamais rien et il se passe toujours quelque

chose. C'est un autre rythme, il faut t'habituer… »
Olga pleurait dans son coin. « Merde, on n'est pas des
humains si on ne se préoccupe pas de ce qui nous arrive
les uns les autres. » Puis elle était passée à autre chose,
elle aussi. Elle n'avait guère le choix.

Quelques jours plus tard, elle traînait Vernon au
Secours populaire de Télégraphe, en disant « j'ai mes
connexions, là-bas ». Elle était remplie de gratitude
depuis qu'il avait insisté pour que Laurent la laisse
reprendre sa place. Ce qu'il fallait monter pour arriver
là-haut, c'était à en perdre un poumon… Puis, dans
le chaos brutal d'une foule improbable cherchant à
obtenir vestes, chaussettes ou serviettes éponge, une
bénévole d'une soixantaine d'années, cheveux courts
et blancs, maquillée, grosses boucles d'oreilles rouges,
parfumée et agréable, belles dents blanches et grand
sourire, avait reconnu Olga et leur avait fait signe de
l'attendre. Elle était revenue en brandissant une paire de
bottes rouges, avec un aigle noir sur le côté. « Je vous les
ai gardées » et Vernon avait réalisé qu'Olga avait insisté
pour qu'on les lui mette de côté. Elle jubilait de lui faire
un tel cadeau. Il n'avait pas eu le cœur de lui dire « mais
c'est les chaussures de Dick Rivers, ça, je les porterai
jamais ». Il les avait soupesées, perplexe – c'était une
belle paire de bottes mexicaines, rouges, usées juste ce
qu'il faut. Impossible d'imaginer comment elles étaient
arrivées là – peut-être le propriétaire était-il mort. Ou
bien sa copine avait menacé de le quitter s'il gardait
ces chaussures. Elles étaient à présent entre les mains
de Vernon. Et deux femmes se réjouissaient à l'idée de

le voir les enfiler. Il avait obtempéré, poliment. Mais il était quand même dubitatif : ce n'était pas du tout son genre, elles étaient bien voyantes. La dame pimpante aux belles dents blanches avait pourtant affirmé « elles vous attendaient, trop », puis elle s'était éloignée pour s'occuper d'une autre dame, de son âge, corpulente elle aussi, une Africaine détendue et familière des lieux. Vernon avait chaussé les bottes. Elles lui allaient parfaitement, il était comme dans des chaussons. Il avait mal aux pieds depuis des semaines, le soulagement avait été immédiat. Elles avaient modifié sa démarche. Elles exigeaient un certain sens du lancer de jambe. En les portant, il sentait ses cuisses s'allonger, ses hanches basculaient vers l'avant, il faisait de plus grands pas. Il était perché. Une fois dans la rue, et quoique craignant un peu de se casser la gueule dans la côte sur des talons de santiag, il avait remercié Olga : oui, ses nouvelles bottes lui plaisaient beaucoup. Il était surpris de l'effet qu'elles lui faisaient. Il se sentait comme un géant.

Il se lève tôt. La journée commence avec les oiseaux qui se mettent en route, et se termine sur le même air. A la longue, il reconnaît leurs chants. Il y a le premier, qui roucoule un peu, puis déboulent les piafs plus petits, leur son ne correspond pas à leur corpulence, ensuite ça se complique, ça plaque des accords dans tous les sens et il n'a même plus besoin de regarder le réveil vert fluo qu'il s'est dégoté pour savoir que c'est l'heure de se lever et de remonter à la surface : le parc a ouvert ses grilles. Il peut sortir de son trou. Le matin, il croise des vieux qui promènent leur chien. Des agents parfois leur mettent des amendes, au prétexte qu'il est interdit de lâcher les animaux sans laisse. Puis arrivent les Chinois, qui se déploient par groupes et font des gestes dans le vide, synchrones et généralement gracieux. De loin, Vernon imite quelques-uns de leurs mouvements, en essayant de ne pas se faire voir. Un jeune garçon vient tous les jours chanter devant le grand marronnier. Il écarte les bras, ferme les yeux, sa voix basse fait vibrer de longues notes. C'est assez agréable. Pendant ce temps, les corbeaux déchiquettent le fond des sacs-poubelle et se partagent les victuailles qui dégringolent au sol.

Les jardiniers et les gardiens savent que Vernon dort là. Ils ne lui adressent pas la parole. Le deal, c'est de rester discret. Les trois des voies ne sont pas les seuls à se cacher, à l'heure de la fermeture. Des ombres traînent, qui se faufilent dans les fourrés, escaladent des grillages ou disparaissent sous les branches des plus grands arbres. Il s'agit, ensuite, de ne pas faire de grabuge jusqu'au lendemain matin.

Xavier et Emilie ont été les premiers à venir le rechercher. Ils n'ont pas traîné : le lendemain de la soirée chez la Hyène, ils erraient dans les allées en scrutant les corps sur les pelouses. C'était un des rares jours de soleil, le parc était rempli de familles, lascars, amoureux, étudiants et sportifs. Vernon était surpris de voir débarquer ses deux anciens amis. Le temps dehors passe d'une façon étrange : exagérément étiré, et en même temps très court. Il les avait, en fait, presque oubliés. Ils ont commencé par être lourds : « Mais qu'est-ce que tu vas faire ? » sur un ton concerné. Ça lui donnait envie de répondre : « Et toi ? Ta misère ? Tu la gères comment ? » Ils voulaient absolument le convaincre de s'installer chez eux. La situation, inversée, ne manquait pas de piment.

Vernon n'a pas la moindre idée de ce qu'il compte faire, à présent. Il profite du redoux. Tout ce qu'il sait, c'est qu'il n'a plus envie de retourner chez les autres. Ses projets d'avenir s'arrêtent là. Ce qui est neuf, c'est que, sincèrement, il s'en tape complètement. A chaque jour suffit sa peine. Xavier et Emilie ont dû passer une agréable journée, dans l'herbe, à ne pas savoir quoi se dire, car ils sont revenus dès le lendemain, puis Lydia s'est jointe à eux, suivie de Patrice, Pamela… La fille de Vodka Satana est arrivée, une fin d'après-midi, elle voulait qu'on lui parle de sa mère mais se braquait dès qu'on le faisait, ça ne l'a pas empêchée de ramener son père, peu de temps après. Sélim a déboulé, furieux, il exigeait qu'on lui explique pourquoi on avait « fait ça » à sa fille, mais il avait été comme une grenade qu'on dégoupille : venu pour en découdre, il avait regardé l'enregistrement, dans son coin, sur le portable d'Emilie, qui l'avait fait numériser et le refilait à tous ceux qui voulaient le revoir, dans le groupe. Sélim était resté à l'écart, longtemps après avoir terminé d'écouter Alex Bleach. Sa fille avait fini par le rejoindre et elle avait passé son bras autour de son épaule. Ils étaient immobiles, de dos Vernon n'aurait su dire s'ils étaient silencieux. Emilie était allée reprendre son portable, elle partait. Le père et sa fille en avaient profité pour les saluer, de loin, et s'éloigner. Sélim était revenu deux jours après. Il avait dit en arrivant « Mais vous êtes là tous les jours ? » surpris et bizarrement ému. Il s'était assis, parmi eux, et il avait parlé pendant des heures. Il racontait sa vie. Comment, depuis que Faïza avait changé son nom pour Satana, il n'avait plus jamais été capable de retenir les noms propres. Comment sa fille lui était plus chère que la prunelle de ses yeux et qu'il ne supportait plus de ne pas savoir protéger les femmes qu'il aimait d'elles-mêmes. Pamela lui avait dit : elle a de la chance d'avoir un père comme toi, je ne vois pas comment tu la protégerais mieux. Et il avait fini en larmes dans ses bras. Il était reparti vidé, mais content. Et depuis, il vient tous les jours.

C'était devenu un peu ça, le parc, dans la journée : un mélange de groupe de discussion, coffee shop à ciel ouvert, débit de bière et lieu de débats. La pelouse était son salon, Vernon y recevait avec l'affabilité de l'hôte disponible et touché de tant d'attentions. Sa vie était agréable : il y avait des petits gâteaux, du rosé, des gens aimables, toutes les filles aux petits soins pour lui, on écoutait de la bonne musique sur des enceintes en forme de tube à connexion bluetooth, il y avait des habitués et des qui passaient pour un jour. Une vie sociale à domicile, pas compliquée, et jamais aucun papier administratif pour lui pourrir sa matinée.

Ça lui rappelait les bars de province, on ne savait jamais qui viendrait, qui se mêlerait de parler à qui, de quoi on rigolerait, s'il y aurait de belles engueulades ou d'inattendues collisions libidinales. A l'heure de la fermeture des grilles, les gardiens passaient en sifflant et les derniers résidents se dispersaient, et Vernon aimait aussi ce moment de solitude, l'heure de se glisser en contrebas et de rester seul sous sa tente. Il aurait pu sortir du parc, passer la soirée dehors et revenir en enjambant les grilles, comme d'autres – mais ça ne lui disait pas de s'aventurer hors de son territoire. Il est devenu casanier.

Les rassemblements ne dérangent personne : ils ne font rien qui soit de nature à les faire remarquer. Laurent et Olga profitent de la situation, le soir venu, ils débriefent, plus ou moins pessimistes : « Ça leur passera, Vernon, profite bien… Même s'ils n'ont pas l'air d'avoir grand-chose à foutre de leurs vies, tes potes, ils finiront par comprendre qu'ils ont mieux à faire que regarder les arbres pousser… mais t'as de la chance, Vernon, normalement la dèche éloigne les inclus, ils pensent que c'est contagieux. » Impossible de dire s'ils sont admiratifs de sa décision de rester avec eux, ou s'ils le prennent pour un taré patenté, qu'on protégerait en considérant qu'il a son intérêt pratique.

Plus l'été avançait, aussi pluvieux soit-il, plus le rassemblement grandissait. Quand il pleuvait, ils se rabattaient sous la grotte artificielle, près du lac, et parlaient plus doucement, à cause de l'écho.

Calé dans son arbre Vernon squatte le joint. Lydia Bazooka est occupée à regarder une interview de Lydia Lunch sur son téléphone, Patrice, qui a son jour de congé, parle à un inconnu du premier LP de Camera Silens. Assis en cercle sur un paréo orangé comme on en voit à la plage, Pamela explique à Olga et Laurent qu'en Hollande les gens s'inscrivent sur une file d'attente pour acheter un appartement à un tarif privilégié, et qu'ainsi ils sont presque tous propriétaires à trente ans. Patrice leur apporte du café et Vernon les écoute, de loin. Il pense à Alex Bleach, à l'entretien, et à cette formule du vieux Hank, « Forgive me, you have my soul and I have your money ». Qu'est-ce que vendent les idoles, au juste, pour qu'on les dédommage si généreusement ?

Un ballon crevé roule sur la pelouse, suivi d'un vieux caniche qui le rattrape, ventre à terre, et le secoue dans tous les sens, puis déboule Xavier, mains dans les poches, l'air content. Il a adopté ce chien à la SPA. Il s'appelle Joyeux. Un caniche géant gris. Le maître assume. Il l'a vu en photo, sur Internet, plus ou moins par hasard. Le maître était mort dans un accident de voiture. Le clébard était au fond de sa cage, et c'est son regard, dit Xavier, qui l'a bouleversé. Il a d'abord pensé non, ça ne va pas être possible, déjà je ne veux pas reprendre un chien aussi vite et puis un truc comme ça, je n'oserais jamais sortir avec. Mais le regard l'a poursuivi toute la journée, et sans prévenir personne, Xavier a loué une voiture et il est allé chercher le chien. Sa femme a fait une gueule pas possible, en rentrant. Il faut la comprendre : un vieux caniche géant, ça ne colle pas trop avec leur déco intérieure. Mais Joyeux l'a séduite, paraît-il, en une seule soirée. Il faut dire qu'il a un beau regard. Le chien est obsédé par son ballon. Son maître passe des après-midi entiers à le lui lancer et s'éblouir de le voir batifoler dans l'herbe.

200

Il a déjà pris plusieurs amendes, avec le sourire. Mais même les keufs les plus teigneux ont du mal à garder leur sérieux quand ils voient ce molosse au crâne rasé, heureux propriétaire d'un caniche de un mètre de haut, frisé et qu'on appelle « Joyeux ». Olga est la seule qui n'ait jamais fait de commentaire sur le choix de la race du chien. Elle s'est contentée de déclarer « putain mais quelle beauté » et de lui lancer la balle.

Xavier allait pourtant rudement mal, après son accident. Il était sorti de l'hôpital en miettes. Ses fondations avaient glissé. Il avait peur dans la rue. Vu le gabarit et la psychologie du type, la crainte ne faisait pas partie de son répertoire. Pour la première fois de sa vie, il surveillait ses arrières, il dévisageait les gens, il avait le cœur qui grimpait au rideau s'il entendait des pas derrière lui. Il ne voyait pas bien quoi faire de cette vulnérabilité neuve. Il n'allait pas se mettre à la poésie, à son âge… Le pire c'était la honte. S'être réveillé en plein délire, convaincu d'être un réalisateur angoissé de ne pouvoir finir son film, l'avait déstabilisé. D'autant qu'il lui avait fallu deux jours pour tout à fait sortir de ses hallucinations. Le médecin à qui il avait demandé si ses connexions neuronales avaient été touchées par le choc avait haussé les épaules : « Tous les examens sont bons. Vous n'avez rien. » Mais alors, les deux jours de délire intense étaient dus à quoi ? Le mec en blouse blanche avait paru embarrassé : « Ça arrive, vous savez, et c'est souvent une surprise pour le patient… Depuis combien de temps n'aviez-vous pas passé vingt-quatre heures sans boire d'alcool ? »

Le concept semblait tellement flou que Xavier n'avait d'abord pas compris où il voulait en venir. Il avait fallu que le médecin explique : « Je crois, en tout cas il me paraît possible, que vous soyez passé par un delirium tremens, dû au sevrage d'alcool… le choc n'a en rien endommagé… » et Xavier avait failli l'empaler sur la tige qui soutenait les perfusions. Alcoolique, lui ? Quelle connerie. Plus tard, en privé, il s'était rendu compte que sa première demande, avant une cigarette ou de savoir où était Vernon, avait été qu'on aille lui chercher des bières. Et les choses étaient rentrées dans l'ordre le jour où Marie-Ange s'était exécutée, et lui avait ramené quelques canettes à planquer dans sa table de nuit. Alcoolique, lui. Il avait toujours tenu pour acquis qu'il était un bon père. Ça au moins, personne ne pouvait le lui retirer. Mais un bon père peut-il être un alcoolique ? Il ne s'était jamais posé la question. Il en avait parlé avec sa mère, elle avait tenté de le rassurer : « Tu n'es jamais soûl. Où est le problème ? Tu es un père extraordinaire. Ta fille passe avant tout. Il te faut une petite bière avant le déjeuner, et puis… ça roule… on a tous des béquilles, tu sais ? » Mais ça ne collait pas. Cette découverte, qui finalement n'avait rien de bien extraordinaire, l'avait cloué au sol. Il faisait le malin avec sa fille parce qu'elle n'était pas en âge de le juger. Il se racontait des histoires avec sa femme, qu'il ne rendait plus heureuse depuis longtemps. Et il était seul. Profondément seul. Pas comme un grand loup solitaire. Mais bien comme un imbécile qui ne sait pas où il en est. Pour la première fois de sa vie, peut-être, il n'avait plus l'énergie de se raconter des salades : à part endommager son foie, il n'était pas bon à grand-chose.

Il est un pilier du groupe des Buttes-Chaumont. Lors de la première soirée, celle de l'interview d'Alex, Xavier n'avait pourtant saisi que l'aspect pathétique de la réunion. Il aimait le raconter, au parc, au milieu de ses nouveaux collègues : Vernon en look total lose, crasseux, son regard d'idiot enchanté, incapable de décrocher trois mots. Il avait fallu le pousser sous la douche tellement il puait et là encore il avait fallu qu'une pauvre lesbienne acariâtre se dévoue pour le savonner. Les filles le cajolaient comme si elles ne se rendaient pas compte de l'évidence : le mec avait pété un câble et c'est tout. Xavier s'était senti insulté par cette effervescence idiote, ces soi-disant vieux potes qui avaient tous laissé tomber Vernon et qui s'affairaient autour de lui, alors qu'il était trop tard. Il n'avait pas passé une bonne soirée. Il buvait des bières, dans son coin, en renâclant intérieurement. Quand Alex avait pris la parole, il avait eu envie de gerber. Il dévisageait dans la pénombre la petite Lydia Bazooka, elle devait mouiller sa culotte, ce gros tas d'Emilie, au bord des larmes, ce gros frimeur de Patrice, faussement ému. Rien, dans les déclarations d'Alex, ne le touchait. Bouffon. Le rock. Tu parles d'une aventure. « Je croyais à un mode de vie ce n'était qu'une vie à la mode. » Ça avait toujours été une clownerie, cette affaire. Ensuite, il y avait eu l'histoire de la pute tarée qui se faisait tourner dans des bureaux de producteurs et qui venait se plaindre, après ça – Xavier se demandait : « On doit pleurer quand, là ? »

La soirée l'avait débecté. Mais il n'était pas parti. Il les avait observés, écouter au casque des morceaux planants que ce pauvre Bleach avait mis au point en imaginant qu'il cherchait un son capable de guérir. Il avait pris le casque, quand on le lui avait tendu, il n'avait pas été surpris : c'était la musique la plus chiante du monde. A se demander quelle drogue il allait falloir inventer pour être en mesure de la supporter. Sinon, Pamela Kant était quand même bonnasse, mais ça gênait Xavier de voir cette pute s'ingénier à faire semblant d'être une meuf qui va bien. T'es un trou, meuf, t'auras beau faire, tu n'effaceras jamais cette certitude dans la tête des mecs qui te parlent. Heureusement, cette nuit-là, il n'avait pas compris qui était Daniel. Il pensait avoir affaire à un petit pédé coké, un mec qui ne faisait pas peur à Pamela – ça ne l'étonnait pas tant que ça que ce genre de fille craigne les vrais mecs. Il avait passé la nuit à regarder tout ce monde s'agiter, il était rempli d'aigreur et d'hostilité. La meuf chez qui ils étaient, la Hyène, paraissait s'ennuyer autant que lui, mais sans que ça la gêne. Elle fumait des clopes, dans son coin, et semblait surveiller Vernon, qui ronflait comme un bienheureux, calé entre deux coussins.

Xavier s'était rapproché d'elle pour lui demander « Pourquoi t'as fait ça ? Pourquoi tu n'as pas rendu les cassettes au producteur ? » Elle avait remis en place une mèche derrière son oreille, et son geste était séduisant : « La plupart du temps, on ne se comprend qu'après

coup. » Il n'avait pas insisté. Ça se voyait qu'elle le prenait pour un con. Puis Vernon était reparti et ça avait
achevé Xavier. Le mec était tellement détruit psycholo-
giquement qu'il refusait de dormir dans un lit. Quelle
tristesse. Et le concert de louanges à son sujet, après
son départ, et la poésie et la liberté – comme si tous ces
imbéciles ne voyaient pas ce que c'était : un pauvre mec
qui a perdu la boule, et c'est tout. Ils voulaient en faire
un Rimbaud alors que c'était juste un vieux cas social.

Xavier avait dormi quelques heures et en se levant,
il avait préparé une Thermos de café et il était allé
chercher Vernon dans le parc des Buttes-Chaumont.
Il ne supportait pas l'idée de le laisser crever dehors,
convaincu que tous les hypocrites qui feignaient de s'en
soucier, la veille, allaient l'oublier dans la journée. Il
avait traîné longtemps avant de le trouver, le cul dans
l'herbe, reposant sur les coudes, l'air dégagé du mec qui
profite d'un moment de soleil.

C'est là que ça s'était passé, raconte Xavier à qui
veut l'entendre. Ils avaient parlé de petites choses.
Puis Laurent était venu chercher Vernon parce qu'il
allait rue du Soleil manger aux Restaurants du cœur, et
Subutex avait eu ce geste étrange. Il l'avait serré contre
lui avant de partir. Il aurait été incapable de dire combien de temps ils étaient restés comme ça, l'un contre
l'autre à ne rien se dire. Mais il jurait qu'il était reparti
chez lui et qu'il se sentait différent. Il était soulagé d'un
poids.

Le lendemain, il voyait Joyeux sur Internet, et d'une
certaine façon la vie avait repris. Pour commencer

Marie-Ange, qui avait gueulé sa race en trouvant le clébard dans la maison, s'était entichée de l'animal en moins d'une heure – et pour la première fois depuis des mois, il avait fait rire sa femme, pas à ses dépens, pas jaune, mais d'un joli rire, tendre et plein d'estime. « Sans toi ils l'auraient piqué tu sais ? » et elle caressait l'animal derrière les oreilles, « Quelle horreur… Une merveille pareille ». Et il s'était souvenu qu'il aimait Marie-Ange comme on ne s'attend pas à aimer, dans une vie – c'était plus qu'une passion ou un engagement, c'était tout, de lui, qui épousait cette femme – et combien lui avait manqué la complicité avec elle.

Depuis, il dit volontiers à Vernon, en désignant les gens autour de lui, « t'es comme un radiateur, tu sais ? C'est pour ça qu'on est tous là. » Il s'engueule à peu près avec tout le monde, dans le groupe – quel que soit le sujet il réussit à dire quelque chose qui soulève des indignations, et d'une certaine façon c'est devenu sa fonction : il anime. C'est encore avec Olga qu'il s'entend le mieux, et pas seulement à cause du chien. Mais le plus surprenant reste l'amitié qui lie Olga et Sylvie. A ce stade, on pourrait presque parler d'amour. Elles sont toutes les deux à l'écart, assises sur un banc, elles papotent. Elles font ça tout le temps.

Sylvie a fait flipper tout le monde quand elle s'est pointée, au bout de quelques jours. Ils ont tous cru que c'était fini, la belle entente, qu'elle allait brûler tous les arbres en hurlant et remuer la terre jusqu'à redonner au parc son allure de carrière à plâtre. Surtout Vernon, en fait – il est sorti de sa léthargie dès qu'il l'a reconnue.

Mais après l'avoir menacé publiquement des pires sévices, elle s'est contentée de lui faire un petit baiser, détendue et affable, comme si rien de désagréable ne s'était passé. Il s'était avéré qu'elle avait habilement cuisiné Emilie pour savoir ce qu'ils fabriquaient – et s'était invitée au parc. Elle avait pris avec beaucoup d'humour son exclusion du groupe, avait considéré qu'ils ne pouvaient être que contents de la voir – puisqu'elle avait changé d'avis : finalement ce n'était pas si grave, ce que Vernon avait fait. La vie s'était en quelque sorte chargée de lui présenter la facture en le mettant dans la rue. Elle avait bien envisagé, dans un premier temps, de le ramener chez elle pour le remettre sur pied, mais confrontée à son refus, elle avait changé de stratégie : elle préférait semer une légère tension dans le groupe, de par sa seule présence. Il n'y a que le vieux Charles, qui les rejoint tous les soirs à la même heure, qui s'épanouit à son contact. Sylvie s'est entichée de la bande, à sa façon, et elle vient tout le temps avec des gâteaux faits maison. Autant elle peut être casse-couilles, autant ça ne l'empêche pas d'être une putain de bonne pâtissière. Ce qui fait qu'ils sont toujours assez heureux de la voir arriver, en même temps qu'un peu inquiets : elle aime bien engueuler son prochain, tout en lui proposant des douceurs.

Lydia, Patrice et Daniel se demandent si Daniel Craig a révolutionné James Bond. Charles arrive à leur hauteur, son sac plastique blanc rempli de bières à la main, il les salue mais ne s'attarde pas – il a un sourire amusé en voyant que ses deux filles préférées sont là : Olga et

Sylvie, allongées dans l'herbe. Vernon ne s'habitue pas à ce qu'elles s'entendent aussi bien, ça lui paraît presque dangereux. Olga se laisse diriger assez docilement pour ne pas énerver sa copine, tout en lui opposant ce qu'il faut de résistance et de brutalité pour que ça reste tendu comme Sylvie aime. Il l'entend dire, de loin, « je crois aux intestins, moi, un jour tu verras on comprendra que la psychologie, on s'en fout, c'est les intestins qui font tout » et Olga lui répond « tu crois plus aux intestins qu'au destin, alors ? » et ça les fait ricaner.

Au bord du ruisseau en contrebas sont assises une dizaine de filles. Vernon reconnaît la jeune Aïcha qui discute avec l'une d'elles, pour une fois elle n'a pas cet air buté et méfiant que les gens du groupe lui inspirent. Pamela les rejoint, elles paraissent faire des conciliabules. Puis il reconnaît la silhouette longiligne de la Hyène, elle a quelque chose de hiératique, d'irréel. Depuis qu'elle l'a déshabillé et douché, il éprouve pour elle une gratitude particulière. Elle lui adresse un clin d'œil, de loin, de connivence à propos d'un sujet qui lui échappe. C'est sa façon, virile, de lui signifier qu'elle l'a à la bonne. Ça ne va pas beaucoup plus loin, entre eux – ils se parlent rarement. Comme si trop d'intimité les dissuadait de chercher à bavarder. Elle n'a pas encore remis les bandes au producteur, elle le fait lanterner. Sa décision est aussi indéchiffrable que celle de Vernon de rester vivre dans le parc – et il la soupçonne de ne pas bien savoir, non plus, ce qui guide ses actions en ce moment. Les filles au bord du ruisseau ont des looks qu'on pourrait qualifier d'altermondialistes, mais en plus punks. Daniel s'entretient avec elles, puis rejoint Vernon. Il s'assoit sur une autre racine du marronnier et arrache des petits brins d'herbe. Vernon commente :

— Elles ont une allure étonnante, tes copines. On dirait qu'elles ont écouté Manu Chao et Pantera, en cherchant le point d'équilibre.

— Elles sont boliviennes. Keupon, indigène, shaman et lesbiennes féministes.

— Putain, fait bon être jeune… Et vous parlez de quoi ?

Daniel a un sourire en coin.

— La vie, la mort, la folie. Elles sont super cool.

Il est, comme Pamela, plus affecté que les autres par les déclarations d'Alex. Ils disent souvent – « on peut nous supprimer, comme ça » en claquant des doigts dans l'air « et personne ne se demandera ce qui s'est passé parce que dans la tête des gens nous sommes des zombies, nous appartenons, de fait, à une catégorie d'humains moins protégés que d'autres » et ce discours enthousiasme Laurent, qui ne perd jamais une occasion de tenter de se rapprocher de Pamela – « vous êtes traités comme des SDF. Nous sommes des parias – même pas une norme d'ajustement. Vous savez combien d'entre nous meurent, par année ? Vous savez à quel point ce serait facile de faire en sorte qu'on nous héberge tous, en période de grand froid ? Tout le monde se fout du nom de ceux qui perdent la vie sur le trottoir. » Il se juche sur une branche basse, ses pieds se balancent juste au-dessus du sol. « On vit comme des

chiens, on crève comme des chiens », répond généralement Daniel et Olga secoue la tête : « Non. Les chiens
ont des maîtres qui les pleurent. »

Vernon ne parvient plus à détacher ses yeux du
groupe des filles, en bas – il se trame quelque chose. Il
redemande à Daniel : « Mais qu'est-ce qu'elles te racontaient, tout à l'heure ? » Il regarde Pamela, debout,
immobile, mains sur les hanches, le visage tendu au
soleil, les paupières closes, un léger sourire illumine son
visage, qu'il ne lui connaît pas. Il se tourne vers Daniel,
en équilibre sur sa branche, lui aussi a une expression
inhabituelle. Le garçon est toujours souriant et drôle,
mais ses traits sont plus détendus. Quelque chose a
changé, en lui. Comprenant que Vernon le dévisage,
il désigne sur sa main une panthère qu'il vient de se
faire tatouer.

— Elle cicatrise bien, c'est fou. J'ai dû à peine mettre
de la crème.

— C'est Céleste qui te l'a fait ?

— Oui. Elle est douée.

— Elle te plaît beaucoup ?

Daniel s'est déjà fait tatouer deux fois, chez elle. Il
répond :

— Beaucoup.

— Tu crois que c'est réciproque ?

— Je crois, oui… Mais il faut que je lui parle, avant.
Je n'ai pas encore trouvé l'occasion.

— Que tu lui parles de quoi ?

— Que si on baise je ne vais pas sortir ma grosse
bite. Je préfère la prévenir.

210

— J'ai couché avec une fille qui n'était pas opérée. Juste pour te dire que ça ne m'a pas perturbé – pas dans le mauvais sens, en tout cas. J'étais fou d'elle.

— Toi ? Je te prenais plus pour un baltringue.

Pamela, flanquée de deux filles, interrompt leur discussion :

— On va bientôt bouger. Daniel, tu nous suis ?

Et à la façon qu'a Daniel de sauter aussitôt à terre pour les rejoindre, Vernon se redit – il se trame quelque chose dont ils ne veulent pas lui parler.

La plus grande des filles le dévisage. Elle est aussi grande qu'Olga, et au moins aussi baraquée. Elle porte des chaussures rouges à talons compensés très hauts, avec lesquelles elle crapahute dans l'herbe mouillée comme si c'étaient des bottes en caoutchouc, une jupe noire longue, un perfecto clouté vieux de plusieurs décennies, un boa rose autour du cou aux plumes défraîchies, les tempes rasées, et aux doigts une collection de bagues si impressionnante que ses mains paraissent en acier. Elle ne ressemble à rien. Elle dévisage Vernon avec un aplomb étonnant, et qui devrait le faire se sentir mal à l'aise, mais la fille a un charme étrange. Il reconnaît en elle l'assurance de la beauté. Et cette assurance prend le dessus sur son apparence : elle est attirante. Vernon est le premier que cette pensée laisse perplexe : sa libido est au point mort, depuis longtemps déjà.

Pamela rassemble les troupes. Le groupe met du temps à bouger. La fille ne le quitte pas des yeux. Quand Daniel s'éloigne, elle s'approche – « Tu, te quiero besar. » Vernon sourit en faisant semblant de ne pas comprendre la phrase – il ne sait comment décliner gentiment l'invitation. Elle s'adosse au tronc du marronnier, elle attend. Quelqu'un l'appelle, du groupe, en espagnol, et elle leur fait signe de déguerpir. Elles échangent quelques mots et obtempèrent, guère surprises.

Elle se tourne vers Vernon, prend sa main et lui dit « ven conmigo ». Personne, alentour, ne les regarde plus. Elle l'invite à la suivre, le tire gentiment par la main, et il la suit sans opposer plus de résistance. Ils remontent la pelouse, une partie du terrain est très boisée, elle paraît connaître les lieux et l'entraîne sous un sapin particulièrement haut. Intrigué, bizarrement séduit, il la laisse glisser sa langue entre ses lèvres – c'est le baiser du siècle. Plus tard, il se demandera quelle drogue elle a bien pu faire passer de sa bouche à la sienne, qui agisse aussi vite et de façon aussi spectaculaire – une décharge le secoue. Il a le temps de penser – tes lèvres sont étonnamment douces – et il décolle. Il est un arbre aux racines qui s'enfoncent dans le sol si profondément qu'elles touchent un noyau de feu, il sent par la plante de ses pieds l'espace creux des galeries, les câbles électriques, des grains de sable et la femme est un serpent énorme, enroulé autour de lui, la chaleur de son ventre de reptile rassure chaque pore de sa peau-écorce. Ce baiser dure quelques secondes – Vernon fait l'expérience d'un temps d'éternité. Elle se recule d'un pas, « quieres mas ? » et il ne bouge plus. Elle retire alors la bague qu'il porte au doigt, une tête de mort mexicaine qu'on lui a offerte il y a plus de vingt ans, elle la glisse à son doigt à elle, l'embrasse, la lèche, puis la remet au doigt de Vernon « ahora estas mío » – et il part, à nouveau. Il est un oiseau, la sensation de ses ailes est nette, à hauteur des omoplates, leur poids quand elles se déploient, les muscles engagés pour les faire bouger. La femme s'est mise à genoux et embrasse ses chevilles, ses genoux – il revient à lui un instant et se souvient des gestes de la Hyène, sous la douche – mais il perd aussitôt connaissance, il survole le parc et la ville, il est au-dessus des champs, c'est un plaisir extraordinaire de sentir ses ailes qui le portent et l'air sous son ventre le soutient, son bassin s'est ouvert, propulsé vers l'avant, c'est une déchirure puissante et molle. Il ne sait pas combien de temps dure cette extase brutale – quand il revient à lui la femme pose sa main sur sa nuque et lui dit en souriant, dans sa langue cette fois, « Tu es le shaman de l'Europe ». Une brusque envie de pleurer secoue sa poitrine. Elle s'éloigne. Il a été un arbre, il a été un oiseau, il a senti son bec et ses ailes, la vision élargie. Il a complètement perdu la raison et, pour la première fois depuis des semaines, cette certitude le terrorise. Il reste un long moment, secoué de sanglots, assis tout seul sous cet arbre. Puis il sent, dans cette déflagration de désespoir, autre chose qui s'immisce, une sensation de joie inouïe, qui prend le dessus sur les larmes.

Céleste découpe le calque au ciseau pour positionner les vagues autour de la carpe. Elle les a travaillées en regardant le dessin d'Hokusai sur Internet. Elles écoutent Sia. Le cochon d'Inde couine dans sa cage, il veut du concombre, tout de suite. Sur l'écran géant de la télé branchée sur le Web, montent et descendent des méduses géantes, en direct d'un zoo canadien. La cliente roule un pétard, détache avec les dents l'intérieur du filtre d'une clope et le remplit d'un carton roulé. Puis elle tire la tige de son briquet Clipper et tasse le joint. Sur un petit plateau rose en plastique à petites fleurs, qui doit venir directement de Chine, elle a son shit et son herbe, ses feuilles et quelques miettes de tabac. Elle discute avec sa pote qui est dans le sofa, appuyée contre un tapis de massage électrique acheté chez Nature & Découvertes, elle se demande si elle met plutôt en position shiatsu ou rolling. Céleste enfile ses gants noirs, la cliente change de musique : « Tu aimes l'électro ? J'ai une super liste, tu vas voir… parfait pour le tatouage. Parfait pour tout. »

Elle dit qu'elle tient deux heures trente. Au-delà elle commence à avoir mal. Céleste est assise sur un pouf. Elle n'a pas de tabouret. Elle se défonce le dos, à force. Il faudrait qu'elle aille à la piscine pour se détendre et se muscler mais elle ne trouve pas le temps. Entre son boulot au Rosa Bonheur et ses heures de tatouage, il faudrait qu'elle mette son réveil à six heures pour aller nager, mais elle se couche trop tard pour ça.

La copine dans le sofa, les bras croisés, profite de son massage, tire sur le pétard et regarde l'écran télé, « c'est fou on n'arrive pas à croire que c'est des vraies, les méduses… Tu te rends compte que ça existe et qu'on est assez cons pour s'occuper d'autre chose que d'observer la nature et les animaux ? » Céleste est extraite de leur conversation, elle est concentrée sur ce qu'elle fait – des ombres en petits points sur la crête des vagues. Il faudrait qu'on lui demande de grosses pièces, pour s'acheter une machine rotative, pour les petits points, comme Mike Amanita, le Russe qui lui a fait son mandala sur l'épaule. Ça coûte deux cents euros. C'est pas le bout du monde. Mais on lui commande surtout des petits motifs, des papillons et des phrases courtes. Elle n'arrive pas à mettre d'argent de côté. Les deux copines discutent tout le temps, elles sont aussi défoncées l'une que l'autre. La cliente bouge un peu, Céleste pose la main sur son épaule pour l'inciter à se calmer. C'est difficile par moments de rester concentrée dans une ambiance de salon de coiffure. Mais elle aime bien – il y a des tatoueurs qui imposent le silence, elle ça lui plaît d'être dans la vie et de devoir faire abstraction.

C'est de l'électro avec balle de grattes, elle décolle bien. Les aiguilles qu'elle a achetées à Bastille sont super fines, c'est un plaisir de tatouer avec. La cliente est contente, « c'est cool Céleste, c'est vraiment beau » et la copine acquiesce. Elle est toujours scotchée à la commande de son tapis, ça fait bien une heure qu'elle est dessus.

Le gamin de la cliente rentre. Il a une douzaine d'années. Elle l'engueule parce qu'il n'a pas appelé comme il devait le faire. Céleste se dit ça doit être abusé de vivre avec un gamin aussi grand, meuf il peut te mettre une claque sans que tu puisses rien dire, t'as intérêt à le dominer ferme pour le contrôler. Il sort une carotte du frigo et la donne au cochon d'Inde.

La fille habite à Stalingrad, elle est à vingt minutes du bar à pied. Céleste surveille l'heure sur l'ordinateur. L'appartement est cool, dans les gris et bordeaux. Il faut noter quinze codes pour entrer, mais une fois qu'on est à l'intérieur, c'est silencieux et confortable.

Elle n'a aucune envie d'aller bosser, elle préférerait prendre son temps pour finir et ensuite rentrer se reposer. Ça la tue d'enchaîner le service, après.

Mais c'est un bon taf, le Rosa Bonheur. Déjà parce qu'ils sont plusieurs à vouloir s'arranger avec les horaires et les jours, c'est souple. Fanny fait du foot en salle, Elsa a des spectacles de burlesque, Mona des ateliers drag king – elles ont toutes des choses à faire, en dehors, alors elles se mettent d'accord pour que tout le monde puisse avoir ses activités, à côté. N'empêche, vivement qu'elle puisse vivre du tatouage et arrêter son taf alimentaire.

Elle termine, s'étire avant de mettre le cellophane sur le tatouage, donne les conseils d'usage – « tu ne mets rien pendant vingt-quatre heures et tu nettoies quatre fois par jour, puis tu crèmes à fond, et dans trois jours tu laisses à l'air libre dès que tu peux, ça va cicatriser vite. » Elle empoche les deux billets de cinquante euros, enfile son blouson, non elle n'a pas le temps pour un café, elle aimerait bien, mais elle doit filer si elle veut arriver à l'heure.

La météo, cette année, c'est Alcatraz. Le ciel est sale d'une pluie serrée que le vent pousse à l'horizontale. Fin juin et les gens sont toujours en doudoune, le moral est obscurci. C'est plus un été, ma gueule, c'est le pénitencier. Les arbres sont encore nus de feuilles, même pas le début d'un bourgeon sur les branches. Si Céleste était un mec, elle ne pourrait plus marcher tellement elle banderait. Ça l'a prise au réveil, c'est peut-être une remontée de MDMA, elle est chaude comme la braise. Il faut qu'elle trouve à s'accoupler dans les vingt-quatre heures, sinon elle va entrer en dépression. Peut-être qu'elle devrait essayer de prendre des ibupro-fènes, voir si ça fait descendre le truc. Elle a toujours été trop chaude. Quand elle était au collège, tous les garçons la traitaient de pute. Ils appelaient chez elle, le soir, sur la ligne fixe, pour le dire. Son père était déses-péré. Il l'a changée de collège. Elle a compris la leçon : elle couche avec des mecs qu'elle ne reverra jamais. Elle s'en fout, de sa réputation, mais elle ne veut pas faire pleurer son père.

Elle croise Lorenzo, le jardinier mignon. Il l'entre-tient des problèmes d'arbres avec le froid, et tout ce qu'elle a en tête c'est du gonzo pur. Heureusement qu'elle est du type Merteuil, une chatte en feu dans un gant de glace. Il est toujours si poli avec elle. Mec, tu me parles de buissons et je pense à ta langue sur ma chatte – s'il avait accès à son disque dur, il changerait de comportement.

Céleste n'a aucune envie d'aller tafer. Au début ça allait, au bar, l'ambiance est swag, la vie la nuit les bourrés les relous les gouines torse nu qui dansent sur les tables et les vieux qui se croient jeunes et s'éclatent en se dandinant. C'est marrant de les voir faire. Elle espère qu'à trente ans, elle ne sera pas comme eux, à se donner en spectacle en refusant de regarder l'horloge. Elle travaille là depuis plus d'un an, déjà. C'est passé vite. Maintenant, les clients la soûlent. Quatre-vingt pour cent des tables, c'est des cons. Ils pensent qu'elle est là pour servir, qu'ils la payent pour ça, et partant de là se comportent comme des nazes. Elle croyait que ça irait plus vite, vivre du tatouage. Qu'un ancien la repérerait et lui proposerait de faire ses classes dans son magasin. Il faut être patient. Elle en a marre de rester debout des huit heures d'affilée, à ramasser les verres cassés, éviter les flaques de vomi, les mains au cul, les faux biftons, pour à la fin du mois empocher à peine de quoi payer le loyer, pour les pourboires ici c'est pas la fête, il y a trop de monde, les gens se tapent trois heures d'attente pour obtenir une bière, ils n'ont aucune pitié, zéro centime pour la barmaid…

Elle a étudié aux Beaux-Arts, après le bac. Mais l'ambiance l'a vite gavée. Ça pérorait trop. Ce qui l'intéresse, elle, c'est faire des choses, pas apprendre à baratiner du concept sur des installations débiles. Elle a touché un peu à tout, ensuite, du théâtre en passant par le montage vidéo – son père la prévenait chaque fois qu'il y avait un concours de la fonction publique et faisait la gueule quand elle lui répondait « mais c'est fini papa, plus personne ne sera fonctionnaire à vie, laisse-moi faire mon truc ». Il n'y avait pas grand-chose à répondre, non plus. Pour ses vingt ans, ses potes se sont cotisés ils lui ont offert sa machine à tatouer. Lauro Paolini, Prestige… Et ça a été le déclic. Elle s'est entraînée sur des peaux de cochon, elle n'aimait pas ça et elles pourrissaient super vite en remplissant la maison d'une puanteur atroce. Heureusement, il y a eu Chris, le mec était tatoué de la tête aux pieds et il avait un faible pour elle, il lui a dit « je t'offre mon corps, entraîne-toi ». Et ça a vraiment commencé. Tout le monde dit qu'elle a la main. Elle a quelque chose. Elle aime les tatouages russes, le noir et blanc. Mais les clients ont des goûts de chiotte, ils veulent du lotus en couleur, ou des hirondelles à la con. Ça passera. Il faut persévérer. En attendant, dès que les gens au bar apprennent qu'elle est tatoueuse, ils se mettent à lui raconter pendant des heures ce qu'ils voudraient se faire tatouer. Elle a envie de leur dire arrête de me raconter ta life, prends un rendez-vous et c'est tout.

Quand elle arrive, le Rosa Bonheur est ouvert. Ce n'est pas toujours le cas, parfois il faut attendre une demi-heure devant la porte avant que celui qui a les clefs débarque, la tête dans le cul… Dans la grande salle, il fait un froid assassin. Tout le monde est en écharpe-bonnet. Ils écoutent Björk à fond la caisse, ça ne donne pas trop envie de rester. Mimi la patronne lui demande direct de descendre deux caisses de nourriture pour les disciples de Subutex. Comme si c'était le truc le plus important de la journée. Mimi a retrouvé une fille qu'elle connaissait et qui traîne avec eux, elle dit qu'elle était bassiste et elle l'adore. Aujourd'hui, quand tu vois le morceau, t'as du mal à l'imaginer avoir la classe sur scène. Au début, la patronne se contentait de leur faire descendre les trucs qui restaient de la veille et qu'on ne pouvait plus revendre, mais maintenant elle leur prépare de la tortilla, des petites bouteilles de bière, du chocolat... Elle est trop tombée dans la secte. Elle dit qu'un jour elle a passé la soirée avec Subutex, et que la nuit d'après, elle a fait des rêves pas possibles, avec des morts qui la visitent et lui disent des choses importantes, genre ça lui a changé la vie. Tu parles, avec toute la drogue qu'elle prend, à son âge, rien d'étonnant à ce qu'elle fasse des rêves en couleur. Depuis elle ne fume plus de shit le soir, elle ne boit presque plus, parce qu'elle tient à bien se souvenir de ses rêves. Elle a meilleure mine, c'est sûr... mais c'est n'importe quoi, leur truc avec ce Subutex. Ils sont tous après lui comme si c'était le prophète. La grande saucisse et ses bottes rouges. A chacun ses héros, remarque... Ça ne doit pas être marrant d'être vieux. Ils sont une vingtaine à se rassembler là, tous les jours, une horde de préretraités – il n'y a pas que des obsolètes, dans le tas, mais la moyenne d'âge, quand même, c'est des ancêtres. En tout cas ils sont contents d'être là, vu le froid, sinon ils renonceraient. Ils discutent d'on ne sait pas trop quoi. C'est dur de se faire une opinion, entre c'est trop mignon leur truc ou juste ça donne la chair de poule.

Céleste descend avec ses deux cageots remplis de victuailles, elle est saluée de loin, forcément, ils sont contents de la voir : de la bonne nourriture, gratuite. Vernon parade sous son grand arbre, dans sa Goose longue flambant neuve, le cadeau d'une admiratrice – la meuf qui a mille boules à lâcher pour être sûre qu'un SDF dorme au chaud, y a pas à dire, y en a qui sont motivés. Le gars est plus tranquille qu'avant, Céleste peut s'approcher de lui sans qu'il lui reluque les seins comme un affamé. On raconte que, la nuit, des filles descendent sur les voies ferrées et patientent dans le froid pour se glisser sous sa tente… C'est peut-être une légende urbaine. Mais tout est possible, avec eux. Et qu'est-ce qu'ils causent… Ils adorent ça. Ils mangent et ils parlent. C'est l'histoire de leur vie, ça. Ils sont de plus en plus flippés – « pas un mot sur les réseaux sociaux de ce qui se passe ici ». Heureusement qu'ils ont pensé à la prévenir. Sans quoi, comment résisterait-elle à la tentation de poster sur Instagram des photos de périmés qui pique-niquent en parlant de rock aux Buttes-Chaumont ? Avec son vieux nom de matelas, l'autre, Subutex… Elle pourrait bien mettre en ligne toutes les photos de leurs après-midi, les chances pour que leur sauterie sur l'herbe devienne virale restent faibles. Ils ont même un caniche pelé, c'est dire s'ils sont largués.

Le père d'Aïcha est assis à califourchon sur une caisse, il parle de « la République, la République, la République », on dirait un corbeau sur sa branche... Il est comme ça, lui, il sort du taf et se précipite dans la prairie déblatérer des trucs dont tout le monde se fout. La dette, le service public, la corruption... il a toujours quelque chose à dire sur des problèmes auxquels il ne changera jamais rien. Ça se saurait, si ce que veulent les gens modifiait quoi que ce soit à la politique. Elle est un peu gérontophobe. Ça l'énerve de les voir tout le temps croire en des choses qui n'existent plus. Les vieux font toujours un peu pitié. Ils se conduisent tellement comme s'ils étaient encore des jeunes. Sauf qu'ils sont moisis. Ils peuvent se tirer sur les rides, ça ne change rien. Ils vivent encore à l'âge vapeur quand le monde est sur écran tactile. Il y a toujours quelque chose en eux de mai 68. Même les réacs, comme son père.

Daniel lui sourit, elle l'esquive. Pourtant c'est un bon client. Pour une fois que quelqu'un vient la voir pour faire de belles choses, qu'il la laisse dessiner et n'a pas de conneries à dire quand il voit ce qu'elle ramène... Chaque fois qu'il demande une modification, il a raison... Le mec a bon goût, côté tatouage. Il n'en a pas un seul qui déconne. C'est presque un honneur de le piquer... Il la drague. Il la trouble. Les mecs un peu vieux qui prennent rendez-vous et qui kiffent quand elle enfile ses gants noirs, elle a l'habitude de les gérer. Ça fait partie de son taf. Mais Daniel est sexy. Et mignon. Il est macho sympa. S'il était réellement ce qu'il prétend être, elle irait voir comment ça se passe, avec lui. Malgré la différence d'âge. Sauf qu'elle sait. Elle a grillé une conversation après qu'il était passé prendre une bière, un soir. Il est trans. Céleste n'a rien contre ça. Mais elle n'a pas envie d'essayer. Il y a des meufs, il y a des mecs, ça fait douze mille ans que c'est comme ça – tu t'imagines dire à ton père « j'ai un petit copain, quand il était jeune, il avait ses règles » ? Alors elle le fuit. Elle ne cherche pas à savoir comment sa panthère a cicatrisé. Ça la fait un peu chier, mais c'est mieux comme ça.

Elle remonte au Rosa, Mimi est déjà partie, Pissed Jeans grésille dans les enceintes. La patronne dit qu'en plein après-midi, les clients à poussettes ne sont pas friands de grosse fuzz. Mais au moins, ça te booste pour le service. C'est Vernon qui a ramené Pissed Jeans. Parce que des fois, il fait DJ. Elle l'a entendu mixer, pas de quoi se taper le cul par terre, mais ça va, ça passe.

Aïcha est assise en terrasse, tout sourire. Ça, ça tue Céleste. La meuf disparaît huit jours, pas de nouvelles, pas de texto. Et miss Kebab est de retour, fraîche comme une rose, s'attendant à ce que sa pote lui claque la bise, sans faire de commentaire. Aïcha est bidon. Elle est trop moitié moitié. Moitié sa pote et moitié en mode désaccord. Ça ne marche pas comme ça, l'amitié. C'est pas tu viens dans mon bar me chercher et le lendemain tu ne me calcules plus. Elle lui a déjà fait le coup deux fois. Aïcha se tape trop des coups de speed, elle rigole, tout va bien, elle raconte sa life, elle s'intéresse à tes histoires, elle te met en confiance et d'un coup, sans qu'on comprenne ce qui lui arrive, elle se braque, s'assombrit, disparaît. Le vide. T'avais une pote, et le lendemain, t'as plus personne. Non, Céleste n'est plus d'accord. Elle n'est pas un punching-ball, un machin qu'on cogne pour se défouler. Le problème avec Aïcha, c'est qu'elle croit qu'elle est responsable y compris de la vie des autres. Ça donne que le lundi elles sont inséparables mais le mardi sa conscience la taraude et toc, le mauvais œil, l'influence néfaste de Céleste, et elle s'écarte comme si l'autre risquait de la salir rien qu'en s'asseyant à ses côtés. Céleste est comme elle est, tu la prends ou tu l'évites, mais tu fais pas un temps partiel. Soit elle est une salope impure qui risque de la contaminer, et alors Aïcha ne lui parle pas, soit elles sont potes et elles peuvent compter l'une sur l'autre. La bonne humeur en alternance, elle n'en veut plus. Si Aïcha flippe que les démons à visage humain l'orientent vers le faux, comme elle dit, elle n'a qu'à se tenir éloignée des bars.

Elles se sont rencontrées il y a peu de temps, mais il y a déjà eu tant de hauts et de bas entre elles deux que Céleste a l'impression d'être dans une histoire qui dure depuis dix ans. La première fois qu'elles se sont parlé, elle arrivait au bar quand elle a repéré Aïcha, allongée dans l'herbe, toute droite, les bras collés au corps, qui contemplait le ciel, fixement. Un mec vraiment chelou s'était accroupi à quelques pas, il la regardait avec un mélange de haine et de fascination. Céleste l'avait déjà repéré, il arrêtait les filles seules pour leur proposer « un massage égyptien » et devenait agressif quand elles refusaient de lui parler. Là, ça se voyait qu'il était parti sur un trip morbide – ça devait être le voile qui lui faisait cet effet-là. Les pervers, quand ils ne t'en veulent pas parce que t'es en short, c'est qu'ils t'insultent parce qu'on ne voit pas tes cheveux. Alors elle s'était assise, pas loin. Quand le type s'était approché d'Aïcha, Céleste ne le quittait pas des yeux, prête à intervenir. Il ne lui faisait pas peur. L'autre avait dû sentir que quelque chose se tramait, elle avait tourné la tête, et découvrant l'homme penché sur elle, s'était redressée d'un bond. Il avait fait le geste de lui cracher à la figure et Céleste l'avait insulté, direct, « tire-toi, enculé, tire-toi tout de suite ou j'appelle les gardiens ». Il avait déjà eu des problèmes avec le personnel du parc, il avait filé sans demander son reste. Aïcha avait dévisagé Céleste, en silence, et ça lui avait demandé un temps de réflexion avant d'articuler « merci. » On dirait toujours que ça lui coûte, d'être aimable. Elles ne s'étaient pas dit grand-chose d'autre, elles étaient remontées ensemble, en direction du Rosa. Arrivées à hauteur du bar, Céleste était sur le point de dire moi je m'arrête là, salut, mais Aïcha avait craqué à ce moment-là. Son corps était secoué de sanglots, elle regardait Céleste en ouvrant de grands yeux – on aurait dit quelqu'un qui saigne et qui ne croit pas ce qui lui arrive. Ce n'était pas évident de la planter là, comme ça, même si elles ne se connaissaient pas. Céleste l'avait emmenée à l'étage, réservé au personnel. Elle lui avait donné un Coca. Le Coca, c'est bon pour tout. Elle n'était pas descendue travailler tout de suite, ce jour-là il n'y avait personne. La pluie s'était remise à tomber tôt, les gens n'étaient pas revenus et le bar était vide. Aïcha était en état de choc. Elle s'était mise à raconter – sa mère la moule à l'air sur Internet, elle qui croyait qu'elle était la fille d'une meuf effacée et dépressive, en fait elle était juste la fille d'une dévergondée notoire. Tout ça se mélangeait avec la mort de Satana et la tristesse de son père. Céleste avait raconté son histoire aussi, sa mère avait décidé un beau jour qu'elle n'avait jamais voulu d'enfant, qu'elle n'était pas faite pour cette vie, elle s'était fait muter à Shanghai et ne voyait sa fille qu'un mois dans l'année, ce qui paraissait encore lui peser. Son père aussi était inconsolable. C'est comme ça qu'elles étaient devenues amies – en se disant tout sur l'essentiel. Filles de mères démissionnaires, elles se trouvaient des points communs.

Elle a kiffé Aïcha, dès ce premier jour. Elle a eu envie qu'elles soient potes. Pourtant, Céleste n'aime pas les gens qui se croient supérieurs et passent trop de temps à examiner le comportement des autres. Mais elle apprécie cette fille qui parle comme un bonhomme. Une fureur secrète, mêlée de timidité, l'habite. Il y a une vérité, en elle, qui hurle. Une brutalité contenue. Elle parle en articulant à peine, on dirait qu'elle n'ose pas ouvrir la bouche. Ça lui tord la gueule. Aïcha a le menton haut, mais les yeux baissés, les bras croisés sur sa poitrine, sur la défensive, et il y a tout le temps une douleur dans son regard, qui rend ce qu'elle dit plus intéressant. Elle est très intelligente. Il faut l'apprivoiser, mais au moins quand elle prend confiance, on se dit qu'on ne s'est pas fait chier pour rien. On a envie de savoir ce qu'elle pense, elle est imprévisible, et définitive. Jusque-là, Céleste n'a jamais été fan des lascars. Elle s'en est coltiné un paquet à l'école. Ils n'ont pas été les plus brutes, avec elle, mais elle était quand même contente de les laisser derrière elle, après le bac. Chez Aïcha, elle avoue, elle aime la gestuelle. Elle a son intensité, une classe.

Sauf que là, Céleste en a marre des sautes d'humeur de sa copine. Elle choisit de ne pas la calculer. Elle devrait s'occuper de sa table, mais elle l'ignore. Serveuse, la première chose que tu apprends à faire, c'est rendre invisibles ceux qui t'emmerdent. Ton regard passe au-dessus, à côté, n'importe où, pourvu que ça ne coïncide pas avec celui du client qui va te demander un truc qui t'embrouille. Mais l'autre andouille est dans une phase euphorique, alors elle attire son attention en secouant les bras au-dessus de sa tête, jusqu'à ce que Céleste se rapproche, excédée :

— Qu'est-ce que tu fous là ?

— Qu'est-ce qu'il y a ? Tu m'en veux de quelque chose ?

— Quand ça t'intéresse, on se connaît trop bien, mais du jour au lendemain, tu me mets une balayette… Pitié, lâche-moi, trouve-toi une copine qui soit comme toi, et moi tu me laisses tranquille.

— Je ne savais pas qu'on était mariées, gros. J'étais en déplacement, je ne faisais pas la gueule, qu'est-ce que tu me fais comme parano ? Assieds-toi avec moi. Y a personne, arrête de faire semblant de trimer comme une malade…

— Je n'ai pas de temps à te consacrer, là.

— Tu finis à quelle heure ? Je voudrais que tu m'accompagnes quelque part.

— C'est chem comment tu m'utilises.

— Arrête ton vice, Céleste, je voulais juste que tu viennes avec moi… ça fait longtemps qu'on s'est pas vues, justement, je me suis dit… tiens, je vais demander à Céleste si ça la branche qu'on traîne un peu ensemble… J'ai été très occupée, c'est tout.

Un des problèmes, avec Aïcha, c'est son sourire. Ça lui arrive rarement, mais quand ça lui vient, c'est puissant. Ça lui éclaire les yeux et on a envie que ça recommence. Deux minutes après avoir juré qu'elle ne se laisserait plus avoir, Céleste est de retour avec un café au lait pour elle et un petit noir serré pour Aïcha, qui a l'estomac fragile et ne supporte pas le mélange du lait au café.

— Alors, qu'est-ce que tu me veux ?

— Tu sais garder le secret ?

— A qui tu veux que je parle de tes histoires ?

— Crache et jure sur ce que tu as de plus précieux que ce que je vais te dire, tu le gardes pour toi. C'est important, alors réfléchis bien avant de t'engager.

— Comment t'es casse-burnes, je suis choquée.

Elles regardent passer un joggeur sculptural, elles tournent la tête en même temps, pour le suivre des yeux. Elles ont l'habitude de chercher à deviner quel sport font les coureurs qui ont de l'allure, Céleste décrète :

228

— Boxeur.

— Cycliste. Regarde les mollets.

— T'as vu son dos ? C'est pas le vélo qui te fait un dos pareil.

— Monter les côtes c'est bon pour tout.

C'est leur façon de parler des garçons, sans que ça paraisse sexuel. Céleste termine son café, elle range ses feuilles et ses filtres dans son paquet de tabac, déclare qu'elle doit bosser, se lève et s'apprête à partir. Aïcha ne lâche pas :

— Tu termines tôt ?

— Ouais.

— Il faut qu'on soit au Palais de Tokyo avant vingt heures trente.

— Arrête, Aïcha. Je ne vais pas faire Paris en métro pour aller au musée. Tu rêves ?

— Je t'attends, t'inquiète. J'ai besoin de rien.

Deux heures plus tard, elles sont dans le métro. Céleste est quand même contrariée, elle répète qu'elle est fatiguée, mais la curiosité l'emporte. Elle demande :

— Et on va voir quoi ?

— Une conférence. « Qu'est-ce qu'une exposition performative. » Le mec, c'est le fils d'un producteur qui a fait du mal à ma mère. Je veux lui pourrir la vie.

— Tu vas défendre ta mère, toi, maintenant ? Il s'en est passé, des choses, en mon absence… T'as perdu la tête, c'est abusé… Et d'où tu m'emmènes dans tes plans de débile ?

— Tu fais partie du plan.

— A quel titre ?

— Au titre que tu viens avec moi pour lui mettre la pression.

— Je ne vois que des problèmes dans ton projet : pour commencer, comment tu vas faire pour lui mettre la pression ?

— On tousse.

— On tousse ?

— Ouais. On tousse tout le temps. Ça va lui foutre en l'air son talk.

— Meuf, me dis pas qu'on fait quarante minutes de métro pour aller tousser.

— Si. C'est une première prise de contact.

— Ok. T'es une débile. Question numéro 2 : pourquoi on s'en prendrait au fils alors que c'est au père que t'en veux ? Moi mon père il est flic, et j'ai pas le port d'armes pour autant...

— Moi non plus, j'ai rien fait. Mais je suis la fille de ma mère, que ça m'arrange ou pas. Même tarif pour ce con. Le jour de l'héritage, tu crois que le môme va dire ah non moi je ne mange pas de ce pain-là ? Quand c'est pour le cash et la vieille pierre, t'en fais pas, il est le fils de son père. Alors on y va.

— Je sais pas qui t'a retourné le cerveau, mais tu t'es fait carotte : il te reste pas deux neurones qui connectent. Et qu'est-ce qu'il a fait de si moche, le père ?

— Quand tu sauras, je te connais, tu me diras : c'est pas tousser qu'il faut, c'est acheter des Kalachnikov.

La meuf, plus ça va, plus elle chuchote. Céleste doit presque se coucher sur son oreille pour entendre

230

murmurer quelque chose. Ça ne sert à rien, personne dans la rame ne les calcule. Elle dit, tellement bas que c'est inaudible :

— Son père est responsable de la mort de ma mère.

— Ne me dis pas que c'est la bande à Subutex qui t'a raconté ça… si c'est un truc que raconte Alex Bleach, je te jure que je t'emmène à l'hôpital… on en a déjà parlé. Ce mec était fou, à enfermer. Et le Vernon est un clown. Tu devrais arrêter de les fréquenter…

— Bien sûr que c'est vrai. Qu'est-ce que tu crois ? Ils ont tellement l'habitude de l'impunité, les bourges, ils n'ont pas de limite.

— Je te jure, il faut qu'on s'arrête et qu'on discute. Rien n'est normal dans ce que tu me dis. Pour commencer : maintenant, t'es devenue la vengeresse de ta mère ? Et ensuite : t'écoutes tous les bobards de ces vieux zonards ? Mais le plus important : on te dit qu'on a tué ta mère et toi tu veux aller tousser pendant une conférence ? Ressaisis-toi, Aïcha, par pitié…

— Ça fait plusieurs fois qu'on fait ça, la nuit : on va chez eux et on graffe les façades de leurs maisons. C'est une idée des Boliviennes. Elles font ça, quand il y a des violeurs impunis. On a emprunté le concept. On a une liste, c'est la Hyène et Pamela qui l'ont reconstituée. Tous ceux qui ont abusé de ma mère et savent qu'elle a été assassinée. On a leurs adresses.

— Tu me donnes mal à la tête. Je te laisse une semaine et tu pars en couilles… Vous graffez des maisons, la nuit ? Vous avez des listes ? Mais vous êtes des dangereux, ma parole… qu'est-ce qu'ils en ont à foutre ?

— On les affiche.

— Ça ne m'étonne pas que ça vienne de Bolivie, ton truc. C'est pas exportable.

— Fais-moi confiance. Le mec, quand il se lève un matin et qu'il voit « violeur » « assassin » en lettrage de trois mètres de haut tout le long de sa façade, il sait de quoi il s'agit, et il flippe.

Céleste préfère encore se taire, elle regarde défiler les stations. Un Black jeune et plutôt mignon monte avec sa guitare et se met à chanter en hurlant « la vie est belle, la vie est belle, belle, belle ». Il a une voix puissante, qu'il pousse à fond. Ça doit être une compo à lui, il n'y a pas tellement d'autres paroles. Il est probable que sa mère lui a dit « va jouer dehors là, je vais te tuer ». Il casse les oreilles de tout le wagon. Les gens restent étonnamment calmes. Il est encore plus difficile de discerner ce que dit Aïcha.

— Moi non plus, au départ, je ne voyais pas l'intérêt de leur truc, peindre la porte et les murs, ça me paraissait un peu léger… Mais elles ont raison : les mecs ne supportent pas. Ça les rend fous. Pour une fois, leur thune sert à rien, sauf à nettoyer dans la journée… Et ils n'osent pas porter plainte ou prévenir la presse, parce qu'ils savent, au fond, de quoi on parle… quand toute ta vie, tu la passes le beinard sur les chevilles en train de baiser comme un chien avec des filles qui ont trop besoin d'argent ou de boulot pour préserver leur dignité… le jour où on te met le nez dans ta merde, tu as trop de saletés sur la conscience pour aller prévenir la police…

— Comment tu sais tout ça ?

— Pour commencer, le producteur que Bleach accuse, il raconte tout à la Hyène, alors le soir elle nous retransmet… c'est jouissif de penser que ça le torture. J'en ai marre d'être la seule que ça réveille, la nuit. Alors que j'ai rien fait de mal. On ne peut pas encore parler de justice, à ce stade, mais au moins… Je sais qu'il passe pas une bonne journée. C'est déjà ça.

Céleste ne dit pas ce qu'elle pense. Ça lui fait pitié. Aïcha est partie en vrille. Mais c'est difficile de lui en vouloir. Elle lui a raconté ce que disait Alex Bleach. Que ce soit vrai ou pas, c'est logique que ça sème la panique dans la tête de la fille qui entend ça. Elle imagine mal Aïcha discuter avec les vieux du parc. Elle n'a tellement rien à faire avec ces gens-là.

— Et ton père est au courant ?

— Non. Il serait contre. Mon père est trop old school, il croit encore en la justice de son pays.

— Et Subutex vient avec vous ?

— Pas au courant non plus. Les filles disent qu'il est trop perturbé. On ne prévoit pas ses réactions.

— Alors tous ces jours où t'as disparu, tu traînais avec les vieux dingues du parc ? Je savais que c'était sandwich land, là-bas – mais j'ignorais que la nuit tout le monde mutait concombres masqués.

Céleste est blessée de ce qu'Aïcha se soit mise dans cette histoire sans lui en parler plus tôt. Peut-être qu'elle aurait pu la dissuader. Ou l'accompagner. Mais elle aurait dû faire partie du truc.

A la fin de sa chanson, le chanteur fou ne s'arrête pas pour faire la manche. Il enchaîne sur une autre composition. Le même air, insupportable, avec d'autres paroles, il a vraiment une voix qui porte. Céleste espère que quelqu'un va lui mettre une rouste. Le point positif, c'est qu'elles peuvent parler de ce qu'elles veulent, personne ne risque de les entendre :

— J'ai quand même du mal à imaginer que les mecs, ça les contrarie beaucoup que vous alliez peindre deux conneries sur leurs portes…

Sauf qu'en prononçant ces mots, Céleste se souvient de ce que c'était, au collège, la sonnerie du téléphone qui résonne dans l'appartement et quand elle décrochait elle s'entendait dire « grosse salope demain au lycée tu vas tous nous sucer et après on t'encule, t'entends ? » Et encore, ça, c'était le meilleur scénario, quand elle avait le temps d'atteindre l'appareil avant son père. Et elle n'avait rien à se reprocher. Dix ans après, elle se demande encore pourquoi toute l'hostilité de ce groupe de garçons s'était concentrée sur elle. Elle sait ce que c'est, la menace à domicile, aller se coucher en priant pour que la sonnerie ne résonne pas. Elle n'a pas envie de parler de ça avec Aïcha. Elle dit :

— Quel rapport avec le Palais de Tokyo ?

— C'est le fils du producteur… et on veut juste qu'il sache qu'on est là. On veut que ces gens sachent que l'impunité, c'est fini. Je veux qu'en sortant il appelle son père et qu'il chiale et que son père comprenne que ça va s'étendre à toute sa famille. Il est comment mon plan ?

— Nébuleux.

— Tu ne te sens pas pareil, si tu les attaques, que si tu restes là sans rien faire. La passivité rend fou.

Le guitariste insupportable s'arrête enfin. Les gens sont tellement soulagés qu'il y en a qui lui donnent de l'argent. Céleste réfléchit en silence, puis dit :

— Mais y avait pas du fric à gagner ? En les faisant chanter ?

— La question s'est posée.

— Si vous pensez que Bleach dit vrai, il y a un paquet de thunes à lui demander… et vous vandalisez des façades d'immeuble ?

— Je n'ai pas envie de me vendre au plus offrant. Aucun d'entre nous n'a envie.

— Le jour où ils vont vous repérer, vous vous retrouverez comme des cons, au tribunal, jugés pour harcèlement, et vous n'aurez même pas de quoi payer un avocat…

— On fait attention.

La station Iéna est proche quand Céleste pose la question qui lui brûle les lèvres, depuis le début du trajet :

— T'as pardonné à ta mère ?

— Non. Mais Pamela et Daniel m'ont beaucoup parlé d'elle.

— Me dis pas que t'écoutes une pute et un travelo… Comment ils t'ont retourné le cerveau, c'est abusé…

— J'écoute les gens qui l'ont connue. Même s'ils sont des dégénérés. Ils tiennent à elle. Ma mère était paumée. C'était un peu quelqu'un comme toi, mais qui a fait de mauvaises rencontres. Ça compte pour moi de savoir qu'à part ça, elle avait aussi de l'humour, qu'elle dansait bien, qu'elle avait des amis… C'était aussi quelqu'un de normal, en fait. Elle était pas juste un cas social. Je ne peux pas te dire que j'ai pardonné. Disons plutôt que je relativise.

— T'as pas le choix, remarque.

Le Palais de Tokyo est plein. Un immense espace bétonné, avec des petits gâteaux à l'entrée, une librairie au milieu et ensuite des familles partout, avec des enfants qui courent. Céleste n'a plus mis les pieds dans un musée depuis qu'elle a arrêté les Beaux-Arts. Elle s'y est toujours fait royalement chier. Elle ignorait qu'entre-temps c'était devenu ambiance Aquaboulevard, moins les toboggans.

Elles se perdent assez longuement avant de dénicher, au sous-sol, une salle bas de plafond et privée de fenêtres où se déroulent les conférences. Une trentaine de personnes, mal assises, écoutent un garçon qui paraît catastrophé de devoir parler dans un micro. C'est pas un tribun-né, le gars, tu le sais dès que t'arrives. Aïcha murmure « c'est lui » et repérant qu'il y a des sièges vides au premier rang, elle décide de se faire remarquer un maximum et de s'installer devant. Elle n'a pourtant pas besoin d'insister pour qu'on s'intéresse à elle, ici, le voile produit son effet. Dans l'assistance, on la dévisage, certains se demandent si elle est en avance pour faire le ménage, d'autres louent ces minorités qui cherchent à s'instruire, il y en a qui rangent leurs sacs, d'autres la fixent en se demandant si elle cache une bombe dans la poche arrière de son jean et les plus radicaux doivent s'interroger en chuchotant « on ne peut pas la faire sortir ? Elle a le droit ? T'es sûr ? » Aïcha est une preuve ambulante que l'accessoire est capital, dans le look.

Le garçon qui parle a une trentaine d'années. Cheveux mi-longs, il n'a pas la barbe des hipsters mais il en a l'allure, quand même. Il doit se promener à vélo et aller souvent à Berlin. Il tient son micro à deux mains, comme s'il s'y raccrochait. Parfois, sa main gauche se désolidarise et s'agite, à contretemps de ce qu'il raconte. Il lit un texte qu'il a préparé, il serait incapable d'improviser trois mots. Il a trop peur pour les remarquer. Aïcha tousse et Céleste l'imite, mais sans la moindre conviction. La conférence est tellement pourrie, ce n'est pas deux raclements de gorge qui vont lui bousiller l'affaire. Elle regarde sa montre. Le temps est encore plus lent qu'au boulot. Les mains du mec sont courtaudes et sans charme. Il y a quelque chose qui la touche dans sa difficulté à parler. Elle en a tellement vu, des cons, raconter n'importe quoi avec un aplomb admirable. Il a pris le soleil ou il fait des UV, sa peau est légèrement bronzée. Ça lui vient sans qu'elle s'y attende. Elle a envie de baiser avec lui. Justement pour son côté médiocre. Elle glisse à l'oreille d'Aïcha :

— Ça ne marche pas ton truc. Si tu veux, je vais chez lui, je mets un somnifère dans son verre, j'attends qu'il dorme, je repeins sa chambre.

— Où tu vas aller chercher un somnifère ?

— Au fond de mon sac. Je bosse dans un bar, on prend du speed pour faire la nuit, j'ai toujours de quoi redescendre, pour quand je rentre.

Voilà. Maintenant, elle a compris comment s'y prend la bande à Subutex pour retourner le cerveau des gens : ils proposent des activités inédites. « Je fais une action. Tu veux venir ? » et sur le coup tu te dis non, c'est complètement con, ton truc. Mais cinq minutes plus tard, t'es dans les starting-blocks. Entre l'impuissance et le grand n'importe quoi, tu sautes sur la deuxième option. Au moins, il y a de l'action. Elle va déclencher quelque chose. Aller chez ce con qui ne lui a rien fait et répondre à tous les harceleurs qui lui ont pouri son enfance. Et, par-dessus tout, elle va aider sa copine. Lui montrer qu'elle peut compter sur elle. Qu'elles forment un tout. Elle veut se mettre dans la même aventure qu'Aïcha.

— Et comment tu entres chez lui ?

— Devine.

— C'est horrible.

— Je me dévoue. Tu montes à la librairie à l'entrée m'acheter deux gros marqueurs ?

« Maudite soit la chatte pourrie de ta mère la chienne qui t'a enfanté » « Salope de bourge pourri » « Bâtard infâme » « Crève, salope ».

Son orthographe le surprend. Elle est meilleure que ce que laissait présager son expression orale. L'accent circonflexe sur le « bâtard » le laisse perplexe. Antoine fait le tour. Elle a repeint tous les murs, des portes des placards de la cuisine au salon, en passant par la salle de bains. Elle a utilisé un marqueur rouge de tagueur, le trait est épais et dégoulinant, et elle n'a aucune notion de lettrage. Il n'a pas affaire à une graffeuse.

Il choisit dans le bocal une capsule de café dorée, puis rédige un texto courtois demandant à Olympe, la femme de ménage, de ne pas venir cette semaine – elle n'a pas besoin de voir ça, la pauvre. A présent, Antoine comprend pourquoi il s'est réveillé avec une gueule de bois aussi terrible alors qu'il avait à peine bu la veille : la petite aura mis quelque chose dans son verre. Il est midi, il a dormi comme une bête de somme, il n'a pas entendu son réveil, il a raté ses rendez-vous de la matinée. Il va devoir appeler son assistante pour qu'elle lui change son vol de retour, le reporter au lendemain. De toute façon, il doit s'occuper de faire nettoyer l'appartement avant son départ.

« Connasse, tu suces le pouvoir comme une pute. » Pour être pleinement dégradante, une insulte doit féminiser l'interlocuteur. Ça ne l'étonne même pas que ça vienne d'une fille. Elles ont intériorisé l'idée même de leur infamie. Leur unique rédemption vient de la maternité, et elles se mettent dans cette position délicate : pour se faire épouser, il faut bien être séduisante, ce qui les place dans la position de pute. Et pour se faire engrosser, il faut bien écarter les cuisses, ce qui n'arrange pas leurs affaires. Dans moins de dix ans, ces mères la pudeur ne procréeront plus que par insémination artificielle, il n'y a que comme ça qu'elles se sentiront protégées de la saleté que représente la sexualité, à leurs yeux. Ça soulagera les garçons de leur génération : pour la baise, il y aura les professionnelles, et pour la famille, des vierges mères enfin respectables.

La veille, elle s'est incrustée au dîner. Il eût fallu pour la déloger avoir recours à la contrainte physique. Les jeunes femmes, quand elles se savent jolies – en l'espèce elle se surestime –, n'imaginent jamais que leur insistance relève du harcèlement. Il n'avait pas envie de sa compagnie. Il a été clair. Elle s'est imposée. Il n'était pas surpris : il l'a prise pour une comédienne. Ça lui arrive fréquemment. Impossible de leur faire entendre que coucher avec le fils du père ne leur ouvrira aucune porte. Les très jeunes actrices sont butées. Elles savent que, sans réseau, elles n'arriveront à rien et sont prêtes à tout pour se faire un carnet d'adresses. Pour elles, coucher avec lui relève de la survie sociale.

Elle lui avait concocté un numéro de rentre-dedans suffisamment vulgaire pour qu'il se sente gêné pour elle. Il lui avait paru plus facile de la ramener chez lui que de s'en débarrasser. Ce qui l'étonne le plus, ce n'est pas qu'elle ait peint des insultes en lettres de un mètre de haut plein son salon, c'est qu'il ne rencontre pas plus souvent de problèmes graves. Il est mou, timide et empoté, il est plein aux as et recherche volontiers la compagnie des racailles. Il est bon pour faire repeindre l'appartement. Ça va lui prendre l'après-midi de s'occuper de ça. Il a tellement de choses à faire. Ça le désactive.

Elle s'est jetée sur lui comme la faim sur le monde. Il ne connaît pas son prénom. Au lit, c'était une bonne surprise : elle était torride comme une taularde qui sortirait de dix ans de placard sans avoir appris à aimer les filles. Il avait plutôt aimé sa façon de s'accrocher à lui et d'être tendre et pute, une délurée romantique qui savait ce qu'elle voulait, pas la petite soumise tarée qui se trémousse en simulant le plaisir, comme il les attire d'habitude. C'était mieux que ce qu'il attendait, mais il s'était vite ennuyé, il avait la tête ailleurs. Pour qu'une fille l'émeuve, au lit, il faut que les images qu'il a d'elle, encore habillée, lui fassent quelque effet. Elle l'avait entrepris avec trop d'ardeur pour le faire fantasmer, il n'avait pas eu l'occasion de sublimer quoi que ce soit, ni vêtement, ni geste, ni déclaration. Il avait fini par penser à la fille avec qui elle était venue pour réussir à boucler son affaire. L'autre était moins jolie, la voilée, mais plus excitante, elle paraissait moins accessible. Qui n'aurait pas envie d'une romance avec une princesse de harem ? Il l'avait remarquée, quand elle était arrivée. Il aimerait plaire à une fille comme ça, une revêche, une fière. Mais elle n'avait pas attendu qu'il termine son talk pour rassembler ses affaires et partir. Il a été mauvais. Comme d'habitude. Il n'est pas à l'aise quand il parle en public, il lit ses notes et se sent incapable d'improviser. Et ensuite il s'est laissé emballer par l'autre. Il n'a rien vu venir. C'est bien fait pour lui. Il n'a qu'à aller s'acheter un peu de caractère.

Au moins, l'emmerdeuse avait de bonnes raisons de s'accrocher à lui. Un point pour elle. Désir de nuire. Très réussi. Il chauffe la paume de sa main contre la tasse de café en contemplant le désastre. Il compte douze inscriptions. Il s'imagine dormant comme un enfant alors qu'elle saccageait l'appartement. Elle aurait pu le tuer. L'égorger. Il serait mort en ronflant. C'est encore à son père qu'on s'adresse à travers lui. Sinon, la coïncidence est troublante : on a vandalisé l'appartement du producteur quelques jours plus tôt.

Il aimerait qu'elle soit restée. A présent, il donnerait cher pour en savoir plus sur elle. Immobile, au centre de la pièce dévastée, Antoine est incapable de se mettre en mouvement. Ça fonctionne, leur truc. C'est très violent. Il charge son téléphone. Avant de nettoyer, il veut prendre une série de photos. C'est une pièce, ça pourrait s'exposer. Il ne sait pas s'il aura les couilles pour la proposer comme telle. Pauvre vandale, si elle imagine qu'il va appeler son père pour partager le sentiment de honte qui l'accable… Elle aurait mieux fait de le questionner, la veille, avant de lui offrir son petit corps en sacrifice. Son père, quand il a trouvé la porte de son appartement maculée de graffitis obscènes, a prévenu ses deux enfants qu'il était victime d'un complot dégueulasse, probablement l'œuvre de confrères jaloux, puis il leur a intimé l'ordre de n'en parler à personne et la conversation était close.

Antoine est sidéré par l'ampleur des dégâts. Il n'attend pas que la batterie de son téléphone soit chargée pour commencer à prendre des photos. Il sait reconnaître un geste contemporain. Quand son père lui a parlé de ces inscriptions injurieuses inscrites devant sa porte, Antoine a immédiatement su nommer l'action. Il a assisté, il y a moins d'un an, à la conférence donnée par une curatrice d'Argentine, sur l'escrache, ou comment les mères des enfants disparus sous la dictature ont pris d'assaut les maisons des tortionnaires impunis pour les dénoncer publiquement, en les couvrant d'inscriptions.

Ce qu'il faudrait, c'est ne pas repeindre. Laisser tel quel. Ce serait intéressant. Assumer l'injure. Il saisit avec amertume l'ironie de sa situation : il avait trouvé la conférence passionnante, il avait noirci un carnet de notes sur ces stratégies politiques alternatives, émergeant dans des pays où la justice ne se rendait pas à travers les institutions. Il ne sait pas ce que son père a fait pour s'attirer de tels problèmes. Mais ça ne l'étonne pas d'en faire les frais. Il n'est pas le fils d'un enfant de chœur.

Antoine aimerait retrouver la fille qui a fait ça. Il voudrait la prévenir. Ils se feront avoir. Ils n'ont pas idée des ressources dont son père dispose. Il les retrouvera. Ils n'imaginent pas jusqu'où il est prêt à aller, s'il a la sensation qu'on lui résiste. Ils paieront cher.

Jamais la petite vandale ne détestera son père comme Antoine sait le faire. Elle le connaît trop peu. Peut-être l'a-t-il violée, sur un coin de bureau, un soir de beuverie… mais elle ne l'a pas enduré toute son enfance. Il espère qu'elle n'imagine pas qu'un homme comme lui pourrait connaître le remords. A cette simple idée, Antoine a envie de rire. Quoi que son père ait pu faire, il est convaincu d'être dans son droit – son bon plaisir, avant tout le reste.

Il a grandi en étant ce fils que toutes les grandes familles se traînent : l'idiot gênant. Il a collectionné les diagnostics au fil des thérapies, tour à tour dyslexique, atteint de déficit d'attention, de mémoire, d'apprentissage, de surdité, léger autisme, surdoué, trop émotif. On a fini par l'envoyer étudier en Suisse. Les enseignants pouvaient mettre les tables en rond, le laisser traîner dans la cour ou s'acharner à le punir… le résultat était le même : il ne voyait pas de quoi on lui parlait. Dès lors qu'elles étaient expliquées dans le cadre scolaire, les notions les plus simples lui échappaient, abstraites, impossibles à saisir. Pour qu'il obtienne un bac, sa famille a dépensé l'équivalent d'un duplex dans le VI<sup>e</sup> arrondissement.

Antoine n'a jamais pactisé avec son milieu. Se sentant médiocre parmi ses semblables, il a cherché dès l'adolescence la compagnie des vrais inadaptés – les lascars des quartiers. Peut-être espérait-il, au contact des plus démunis, être enfin débarrassé de ses complexes. Il sait qu'en général ça marche comme ça : les mecs comme lui se rapprochent de gens dont ils pensent qu'ils sont intrinsèquement inférieurs parce qu'ils préfèrent briller chez les paumés qu'assumer leur sentiment d'infériorité parmi les leurs. Il n'a pas l'impression d'être comme ça. Mais on ne sait jamais. Il se sentait sincèrement séduit par l'intelligence des types de banlieue, la rapidité de leurs réactions, l'assurance de leurs intuitions, leur connaissance directe de la vie, et par-dessus tout cet humour incendiaire qui cassait la misère en deux et la transformait en attitude seigneuriale. Il aimait leur langue, leur façon d'entrer par effraction dans tous les domaines, de s'approprier tout ce qui ne leur était pas donné. C'était une autre époque, déjà. Les beaux parleurs suscitaient l'admiration. La culture de banlieue connaissait une véritable explosion, à la fin des années 90, et les gamins de qui il se rapprochait n'étaient pas du genre à l'admirer parce qu'il avait acquis de solides bases en latin. Antoine a dû batailler dur et surmonter quelques crises d'anxiété pour s'imposer parmi ses camarades d'élection.

Auparavant, dans les écoles qu'il fréquentait, il a toujours eu l'impression que les élèves de son niveau social détenaient un secret qui lui avait été caché. L'aisance leur venait naturellement. Ils étaient performants en sport, ils apprenaient des langues sans effort, ils savaient ce qu'il fallait porter… Il avait vingt ans quand Booba a sorti *Temps mort*. Les gamins écoutaient Snoop Dogg et

Dr. Dre, Tupac et Notorious B.I.G. Il s'est réfugié dans ces sons comme on trouve un ventre de substitution. La culture hip hop était devenue mainstream et il s'est improvisé agent d'artistes graffeurs.

Beaucoup d'entre eux étaient prêts à travailler avec la mode, les musées ou les institutions. Il ne s'est pas raconté, à l'époque, qu'il s'agissait d'autre chose que d'une stratégie pour se faire des amis. Quelques artistes avaient du talent, du charisme, ils l'impressionnaient. Antoine avait un nom de famille qui facilitait les contacts et une aptitude au bipolaire : il connaissait la langue des galeries, et apprenait celle de la rue. Comme certains enfants bilingues, il n'était tout à fait à l'aise dans aucune des deux. Il était convaincu – pourtant l'histoire du street art lui enseignait le contraire – qu'il suffirait d'ouvrir les portes pour que les deux univers communiquent. Il a bien choisi ses poulains. Ils lui ont rapporté un peu d'argent, mais surtout une crédibilité à l'international. Il est vite devenu un curateur en vogue. Ses artistes ont empoché de belles sommes. Mais rares sont ceux qui ont pris leur envol. La plupart de ceux avec qui il a travaillé sont revenus à leur point de départ, violemment désabusés. Une fois qu'on a entraperçu le monde qui respire à pleins poumons, accédé aux sphères privilégiées que l'argent alimente sans discontinuer, il devient plus difficile encore de supporter l'asphyxie de ses quartiers d'origine. Les mecs obtenaient un contrat, empochaient quelques milliers d'euros, sentaient le bien que ça fait quand l'étau se desserre, puis un mec plus jeune débarquait, l'Art Contemporain avait le goût du neuf, et il renvoyait l'étoile de la veille à son RSA. C'était la règle, Antoine l'avait découverte en même temps que ses artistes, mais la différence entre eux et lui fut qu'il était durablement propulsé.

Antoine peut se targuer d'avoir exhibé, de galeries new-yorkaises en vernissages sur la côte Ouest, quelques grands noms du street art, puis d'avoir été contraint de les lâcher, les uns après les autres. Les enfants riches sont enthousiastes et ont les moyens de leur naïveté : la facture que la vie leur présente en règlement de leurs erreurs n'a rien d'exorbitant. Il partait du principe, erroné, que si on leur en donne l'opportunité, les plus démunis se conformeront avec zèle aux diktats du système. Sauf que tout foutre en l'air demeure leur option favorite. Ils sont sensibles : à la première concession qu'on suggère, ils se sentent offensés, sortent les crocs et menacent de tuer. Il leur manque ce que seule la fréquentation des écoles prestigieuses dispense : la certitude d'être important, qu'aucune critique ne peut ébranler.

Pendant ses premières années de curateur, on a successivement pillé son appartement, volé ses papiers, brûlé des galeries, escroqué son avocat, harcelé sa sœur, on a cassé le nez d'un diplomate, tagué l'Institut français à Londres… Mais sa carrière était lancée. Sans que la décision soit consciente, il s'est progressivement rapproché d'artistes plus classiques. Il pouvait, une fois sa réputation imposée, fréquenter des gens qui lui ressemblaient sans se sentir diminué. L'époque – le profil des investisseurs – fait émerger de nombreux talents du Moyen-Orient et des pays de l'Est, alors Antoine étanche sa soif d'ouverture en travaillant avec d'autres enfants de riches, d'une culture qui était exotique la veille et devient le nouvel Universel. Il n'écoute plus guère de hip hop : il vénère Leonard Cohen.

Il ne peut pas laisser l'appartement en l'état. Il quitte Paris demain et Francesca pourrait rentrer durant son absence. Elle n'appréciera pas la nouvelle déco, même s'il la lui vend comme de l'art. Difficile de lui expliquer qu'il a ramené une gamine inconnue dormir à la maison. Quatre cafés. Il commet la même erreur chaque matin. Nausée sèche et nœud dans l'estomac. C'est sa façon de se mettre en route. Puisqu'il est coincé à Paris, il établit une liste de choses qu'il pourrait y faire. Il doit alimenter son compte Twitter – ce n'est jamais inscrit dans ses contrats mais il est explicite qu'on attend de lui une certaine présence sur les réseaux. On l'envoie voyager aux quatre coins de la planète, il passe sa vie dans les salles d'embarquement, une petite valise à roulettes au bout de la main. Ils sont une population à part, ils se reconnaissent, entre professionnels du décalage horaire, ils marquent un peu de mépris pour les amateurs des aéroports. Cette manie des réunions à l'étranger. Des choses qu'ils pourraient parfaitement régler par Skype. Rien ne lessive mieux le cerveau que ces séjours prolongés dans des salons premium. D'une chambre d'hôtel à l'autre, avec sa trousse de toilette et ses chemises bien pliées, il accumule les voyages au cours desquels se perd, petit à petit, toute faculté de raisonnement.

Il laisse un message sur le répondeur de son père, « Je suis sur Paris jusqu'à demain, si tu as le temps j'aimerais passer au bureau prendre un café avec toi – et en profiter pour récupérer quelques DVD. » D'habitude, il évite de voir son père. Il lui a fallu des années pour formuler cette idée simple : c'est un connard. Longtemps, Antoine l'a vu à travers le regard de sa mère : un homme droit, aimant, d'une intelligence redoutable. Un bon père, déçu par des enfants difficiles. Puis il a reçu la révélation : son père ne l'aimait pas. Il avait tellement entendu parler de la prodigieuse dévotion de son père à son endroit qu'il ne s'était jamais posé la question : à quel moment et de quelle façon ladite dévotion s'exprimait-elle ? Son père n'était ni droit, ni aimant. Il était égocentré, menteur, colérique, fasciné par l'argent et incapable de dompter sa libido… Antoine était un fardeau qui lui coûtait les yeux de la tête. Et le père ne s'était penché sur l'enfant que pour le gratifier de son dédain.

Antoine aimerait pouvoir affirmer que profession-nellement il se démarque de son père, qu'il a des convictions, qu'il est un homme de gauche. Mais il est trop lucide pour ne pas observer qu'il a, objectivement, beaucoup moins d'opportunités de se corrompre que son père n'en a eu. C'est faute de tentation qu'il est resté intègre.

Il s'était juré de ne jamais devenir, à son tour, un père absent et exigeant, un connard cassant qui ne rentre que pour se plaindre de ce que les enfants sont mal élevés. Mais l'araignée de l'hérédité est patiente. Elle travaille dans l'ombre, à l'insu de son hébergeur. A son tour, il peine à dissimuler le mépris que lui inspire son propre fils. Tant que Pablo était petit, tout allait pour le mieux. Mais le gamin qui émerge aujourd'hui lui déplaît. Sa famille n'y est pour rien. Il appartient à son époque. Il n'avait pas dix ans quand il a été happé par la téléréalité. Du sucre pour le cœur. Son gamin était tombé en extase devant « Les Anges de la téléréalité ». Un déluge d'imbécillités dont rien ne pouvait le détourner. Et Antoine avait regardé, sidéré, son intelligence d'enfant fondre comme neige au soleil. Si on le forçait à faire autre chose, Pablo n'opposait aucune résistance. Il attendait passivement de pouvoir retourner devant son écran. Le reste du temps, le gamin chiale qu'il veut une doudoune neuve, un téléphone, un casque à mille euros, des vacances hors de prix. Le regard d'Antoine, il en a conscience, ressemble à celui que son père a dû poser sur lui. Francesca lutte, comme elle peut, pour que son fils développe d'autres facultés que celle de connaître par cœur les prénoms de toutes les candidates du « Bachelor ». Antoine et sa femme sont restés mariés, mais ils évitent tacitement d'être dans le même pays en même temps. Son couple n'est pas sans rappeler celui de ses parents. A cette différence près que Francesca ne l'admire pas, qu'elle ne souffre pas en silence de ses infidélités : il a cessé de l'intéresser assez vite, et c'est elle qui le fuit, obstinément. Il la comprend. Il accepte.

Fille d'une famille cubaine proche du pouvoir, passe-port vénézuélien en poche, Francesca travaillait dans les réseaux d'art contemporain sud-américains quand ils se sont rencontrés, chez des amis, à San Francisco. Leur entente s'est délitée lentement. Il ne sait pas la satisfaire. Elle ne supporte pas qu'il travaille, elle ne supporte pas qu'il manque d'ambition. Elle ne supporte pas de l'avoir tout le temps sur le dos, elle ne supporte pas qu'il voyage. S'ils partent en week-end, elle pleure dans l'avion à l'aller, s'ils vont à hôtel, elle ne supporte pas le bruit que font les voisins à côté, s'ils restent ensemble à la maison, elle se plaint qu'Antoine n'ait pas d'amis avec qui elle s'entende bien. On ne connaît jamais le motif de sa plainte à l'avance, c'est imprévisible. Ce qui est sûr, c'est qu'elle n'est jamais heureuse avec lui.

Quand elle n'est pas là, Antoine chérit l'idée qu'il se fait d'elle, sa liberté de ton, son intelligence irrévéren-cieuse, sa radicalité, sa gaieté. Mais quand elle est dans les parages, il craint ses éclats de voix, ses reproches continuels – elle le ratatine. Là encore, le cauche-mar du père n'est pas loin – Francesca lui rappelle sa belle-mère.

Antoine avait dix ans lorsque Marilyn est entrée dans leur vie. Jusque-là, la famille s'était conformée au pro-tocole classique : les époux, les enfants, une maîtresse régulière, quelques putes et des partouzes discrètes. Mais l'épouse dépassant la quarantaine, le père avait décidé de perpétuer une autre tradition : il l'avait quittée pour une femme plus jeune. Marilyn portait de grands chapeaux, elle se passionnait pour le design d'intérieur et les médecines douces. Vingt ans plus tard, l'odeur de l'huile essentielle de lavande suscite chez Antoine de violentes nausées. La marâtre était ingérable. Elle faisait régner la terreur au foyer. Le père souvent absent. Leur mère n'avait pas supporté la séparation, reléguée dans un studio à la porte Dorée elle avait tenté de mettre fin à ses jours dans les mois qui avaient suivi le divorce, et pendant des années ils ne l'avaient vue que de chambre d'hôpital en chambre d'hôpital. Puis Marilyn était tombée enceinte. Et le plus dur avait commencé. Elle s'était mis en tête que son fils serait lésé, à l'héritage, que les deux premiers enfants recevraient davantage. Antoine avait appris à se cacher sous le lit quand elle se mettait en colère. Elle avait une intelligence de sorcière : elle trouvait le point faible, la punition humiliante, le mot pour estropier. Elle démolissait le frère et la sœur, avec un zèle de tortionnaire. Le père voyait ce qui se passait. Jamais il ne chercha à les protéger de la situation qu'il leur imposait. Marilyn était son bras armé.

Les bureaux de la production ont changé de rue. L'entrée est si vaste qu'on pourrait la transformer en patinoire. Cette démesure a quelque chose de pathétique, elle en dit long sur le profil d'un homme qui ne sait plus comment affirmer qu'il existe, et que rien ne peut rassurer. Le dieu de son père, c'est le Capital. C'est une idole imprévisible et exigeante, du genre à faire tomber la foudre sur les récoltes, violer des vierges, noyer les innocents ou ordonner à ses sujets d'égorger leurs propres enfants car elle a subitement soif de sang frais. On ne discute pas les ordres de ce genre de divinité : on lui sacrifie tout, sans discussion.

La boîte a changé de nom, d'adresse, d'ampleur, d'ambiance, mais la fille à l'accueil est la même depuis dix ans. Antoine ne mémorise pas son prénom. Elle a considérablement minci, et se maquille davantage que la dernière fois qu'il l'a vue. Ça la vieillit. Elle le met en garde : il ne tombe pas au meilleur moment, la journée est particulièrement difficile. Il a l'habitude. Toutes les journées sont difficiles et chargées depuis qu'il connaît son père. Il a le temps de parcourir plusieurs exemplaires d'*Ecran Total* avant de pouvoir accéder à l'ascenseur qui le conduit dans l'antre du grand patron :

— Antoine ? Je ne savais même pas que tu étais à Paris… Entre. Tu veux venir dîner avec moi ce soir ? On sera en tête à tête, Chouchou est en déplacement.

— Je repars tout à l'heure, papa.

Cette manie qu'il a d'appeler sa conne de meuf « chouchou ». Il est préoccupé. Il a une mine épouvantable. Antoine crève d'envie de lui demander, simplement – qu'est-ce que tu as fait, papa, pour qu'on nous en veuille comme ça ?

Face à son père, une puissante nostalgie envahit sa poitrine, le regret d'une entente qui n'a jamais existé. Et pourtant, il a la sensation de quelque chose qu'il aurait perdu – un mélange de respect, d'attention et de tendresse, une facilité, entre eux. Mais il ne dit rien de ce qui le taraude, il dit : non, pas de sucre, toujours pas, ni lait, non merci, oui, oui, court et noir. A New York ? Tout va bien, mieux qu'ici, on sent la reprise…

On dit que tous les galeristes sont en train de quitter la capitale, à cause des impôts… on dit que le marché de l'art passe de moins en moins par Paris… Je n'y crois pas, on dit ça depuis des années et ça ne change pas… En ce moment, je travaille avec des Allemands et des Hollandais. C'est insupportable, cette façon qu'ils ont de nous prendre de haut, depuis la crise.

Son père est assis, jambes croisées, les fesses au bord du siège Eames, il écoute d'une oreille distraite, son sourire est vide, ce qu'on perçoit de sincère, c'est la tension. Il se gratte la nuque, regarde par la fenêtre, puis brusquement se lève en s'excusant :

— J'ai un problème avec une collaboratrice, il faut que je lui parle. Donne-moi juste cinq minutes.

Et comme il en a l'habitude, il ne ferme pas la porte qui sépare son bureau de celui de sa collègue, son ton change dès qu'il passe de l'autre côté, une colère qu'il a brièvement réprimée s'est transformée en rage assassine :

— Je ne vous permets pas. Vos jugements déplacés sur des proches, vous m'entendez, je ne vous permets pas ! Je vous l'ai dit gentiment plusieurs fois, vous avez été prévenue. Mais vous vous croyez où ? Vous me prenez pour qui ? Vous pensez qu'on est potes et qu'on peut rigoler ? Tout cela est de ma faute. J'aurais dû m'en rendre compte dès que je vous ai vue débarquer, vous n'avez pas la maturité, aucune idée de ce qu'on vous demande et par-dessus le marché vous êtes insolente… Mais vous vous prenez pour qui ? J'ai réfléchi, c'est réglé : vous rassemblez vos affaires, tout de suite, et dès que vous avez vidé votre bureau, vous sortez, je ne veux plus vous voir ici.

Il claque la porte pour clore la discussion, fait trembler les tableaux, et hurle, par-dessus son épaule :

— Et merci de m'obliger à vous licencier du jour au lendemain ! C'est extrêmement pratique pour moi de me retrouver avec tous vos projets sur les bras, merci ! Vous, vraiment, vous m'aurez fait chier jusqu'au bout, bravo, bravo et bravo.

Il postillonne et s'empourpre. Il a toujours été d'un caractère lâche : il est doux jusqu'à ce que ça craque. Quand ça sort, il s'agit de faire payer à l'interlocuteur toutes les fois où il n'a pas osé être honnête. Mais cette fois, il est vraiment hors de lui. Antoine pense à la petite vandale, il aimerait pouvoir lui dire : ça marche ! Il est convaincu qu'elle a d'excellentes raisons d'en vouloir à sa famille. Il demande, suave et attentionné :

— Des problèmes ?

— Une conne. Il faut que j'arrête de donner leur chance à des gens qui ne sont pas à la hauteur. Trop de générosité, on finit toujours par s'en mordre les doigts… Depuis le temps que je fais ce métier, je ne suis pas assez endurci…

— Qu'est-ce qui s'est passé ?

— Elle ne comprend rien. Non contente d'arriver en retard – avec elle, la RATP a toujours des problèmes –, elle débarque et elle fait une vanne sur Sarave – un type brillant qui a tout donné pour le cinéma français et qui nous a plantés, c'est vrai, mais de là à… elle l'insulte, tranquille, en posant son gros cul sur sa chaise, elle trouve qu'il n'aurait pas dû l'ouvrir sur la nouvelle convention… Est-ce qu'elle imagine qu'on la paie pour donner son avis, cette idiote ?

La conne en question ouvre la porte sans frapper et l'interrompt dans sa diatribe. Belle brune, elle s'adresse au producteur sans y mettre les formes, ni courbettes, ni larmes ni supplication. Le père a raison sur un point : elle n'est pas faite pour ce milieu. Elle affirme :

— Je n'ai jamais dit ça. Je souhaiterais en parler avec vous car…

— Vous sortez !

Il écume de rage. Il répète plusieurs fois « vous sortez », même après qu'elle a refermé la porte.

— Je vais la détruire, je vais l'atomiser, cette petite conne ne travaillera plus jamais, nulle part.

Une intuition étrange : elle sait quelque chose qui l'embarrasse. Et le père a conscience de faire une erreur tactique en la renvoyant. Qu'elle risque davantage de parler de ce qui le dérange en étant hors du bureau qu'en restant à son service. Une fulgurance traverse Antoine, qu'il sent se confirmer au contact de l'agitation démesurée de son père. Il vire des gens depuis toujours. Il lui arrive souvent de passer ses nerfs sur plus faible que lui. Mais cette fois, il y met trop de frénésie, ça ne colle pas avec la situation. Cette mise à l'index manque d'entrain, de jouissance à humilier autrui. Là, il n'y a que de l'abattement. Voire une certaine inquiétude. On ne s'inquiète pas de dégager une meuf comme elle. Antoine suit son instinct. Il jette un œil à son portable, se lève, prétexte un rendez-vous, prend maladroitement son père dans ses bras, « à très vite ». « Viens dîner, appelle-moi et passe à la maison. » Ils savent l'un comme l'autre qu'Antoine ne viendra pas. Il quitte précipitamment les locaux. Il attend sur le trottoir que la fille ait rassemblé ses affaires. Quelque chose le pousse à la suivre.

Anaïs s'y attendait depuis des semaines, et d'une certaine façon c'est comme avoir porté quelque chose de sale et pouvoir s'en débarrasser. Dopalet avait toujours été courtois, avec elle, respectueux jusqu'à l'élégance, et pendant un certain temps, il avait fait d'elle sa confidente privilégiée. Quand il s'est mis à hurler, tout à l'heure, c'était comme un cauchemar. Et personne, à l'étage, n'a rien dit pour protester – on l'a aidée à fermer ses cartons en lui promettant de les lui expédier rapidement, déjà on évitait son regard, elle était pestiférée. Elle a compris qu'elle n'était pas la première à qui ça arrivait. C'était encore plus humiliant.

On ne l'a jamais jetée comme ça. On ne lui a jamais parlé sur ce ton. Elle a déjà été remerciée – on ne renouvelait pas le contrat, on la convoquait pour lui expliquer que le travail coûte trop cher, on évoquait la crise, l'éventualité qu'une fille de son âge tombe enceinte, les ravages atroces des trente-cinq heures… On s'est toujours débarrassé d'elle avec un minimum de tact et de courtoisie. Ce qui ne l'a pas empêchée d'entrer dans des paniques démesurées, poussée au cul par la terreur d'enquiller plus de six mois de chômage d'affilée. Elle a une peur phobique du trou inexplicable dans son CV, qui jetterait le soupçon sur son cas, c'est son côté bonne élève appliquée, ou fille de gens qui ont bossé dur et lui ont inculqué l'idée que le mérite demande un effort permanent. Ses parents sont les propriétaires de la plus grande pharmacie de Tours. Ils sont partis de rien, et lui ont légué ça : elle ne se repose jamais sur ses lauriers, elle sait que rien n'est acquis et qu'il ne faut jamais s'imaginer qu'on a du temps devant soi pour faire ses preuves. Mais ce qui lui donnait l'impression, pendant ses premières années de formation, d'une succession d'expériences enrichissantes – elle a été l'assistante d'un photographe culinaire, stagiaire à la régie sur des pubs, runneuse sur des défilés de mode, accessoiriste au théâtre –, commence à conférer à son profil des allures de jeune femme instable.

Elle a rencontré Dopalet alors qu'elle était au plus bas. Elle préparait le texte du journal du matin pour une chaîne du câble, le journaliste pour qui elle travaillait ne pouvait pas la blairer et à la moindre erreur il alertait la direction. Elle n'en pouvait plus de se lever à cinq heures du matin pour rédiger les news en lisant les dépêches AFP. Le producteur était venu pour rencontrer quelqu'un de la chaîne, il l'avait draguée à la machine à café. Elle avait fait semblant de ne pas comprendre où il voulait en venir quand il l'avait invitée à déjeuner, pour « parler du jeune cinéma expérimental » qu'elle connaissait bien. Elle lui avait tapé dans l'œil. Il l'avait embauchée, un peu au-dessus du SMIC. Elle avait créé son poste sur mesure : talent scout sur le Web. Ça ne lui était jamais arrivé. Elle avait toujours eu des statuts de stagiaire.

Les premiers jours dans la boîte, Dopalet l'éblouissait. Son charisme, sa rapidité de décision, son intuition, sa fougue… Il la valorisait. Il déployait pléthore de compliments sur sa faculté de travail, l'acuité de ses raisonnements ou l'étendue de sa culture… Elle savait qu'elle lui plaisait, mais il ne lui faisait jamais sentir qu'elle était embauchée pour son joli cul. Il n'a jamais été lourd avec elle. Assez vite, cependant, elle devait déchanter : le mec prend l'essentiel de ses décisions en se tirant le Yi King ou les tarots. Un « obscurcissement de la lumière » et il interrompt une prépa. Une « Maison Dieu » et il vire la comptable. « Chariot », il embauche le stagiaire. Voilà comment elle avait dû être recrutée – à mi-chemin entre réminiscences libidineuses et bonne pioche dans les cartes. Le mec ne s'intéresse à rien. D'une superficialité déroutante, il case le mot « culture » dans chaque phrase pour se plaindre des films qu'il en est réduit à produire et sous-entendre qu'il joue bien en dessous de sa catégorie. Mais il n'ira jamais en salle voir un truc qui n'est pas en haut du box-office, il n'ouvre pas un livre, il n'entre pas dans les expos, il n'écoute pas de musique et sa seule connaissance du Web se réduit à la lecture des fiches IMDb. Les conversations qui l'intéressent sont celles qui tournent autour de lui. Elle ne l'a jamais entendu émettre un avis pertinent sur le cinéma. Il réclame des idées originales mais ne respecte que ce qui a déjà fait ses preuves. Il lui est difficile de fixer son attention plus de deux minutes sur un sujet sans envoyer un texto, ouvrir une porte ou parler d'autre chose, le moindre rendez-vous avec lui prend des allures de marathon. Dopalet doit être sûr qu'il met son interlocuteur mal à l'aise. Il s'enflamme pour un projet qu'il oubliera dans l'heure, fait des promesses à n'importe qui, puis refuse de les honorer. Sa seule qualité, c'est qu'il s'est bien entouré. Mais la hiérarchie change d'une demi-journée à l'autre, ce sera son seul point commun avec Fassbinder : il aime faire savoir, chaque matin, qui est en estime et qui est en disgrâce.

Anaïs devait dénicher les talents qui ne seraient pas « du sérail ». En clair, elle l'avait vite compris, il s'agissait pour elle de repérer « le meilleur » des chaînes YouTube – comprendre « ceux qui ont déjà un public » – les convaincre de « proposer un projet » – comprendre « écrire gratuitement » – qui « l'excite » – comprendre « qui soit commercialisable, mais tourné par des bénévoles ». Elle pensait avoir correctement déchiffré la demande, et avait tenté d'y répondre, mais les rares fois où elle était parvenue à ramener un gamin dans les bureaux, il n'avait pas marqué suffisamment de respect au producteur. Dopalet n'arrêtait pas de répéter « je veux voir des gueules que je ne croise pas chaque année aux Césars » mais il ne supportait pas qu'on le sorte de ce « sérail » dont il pensait tant de mal. Dans son petit milieu, il avait l'habitude d'être quelqu'un. Il attendait des acteurs du Web qu'ils se pâment de gratitude d'avoir été repérés. Or, les jeunes gens qui cartonnent sur YouTube ont la tête qui enfle vite et se contrefoutent du septième art – la confrontation des ego ne se déroulait pas bien.

Depuis quelque temps déjà, Anaïs sentait qu'elle était sur la sellette. Elle ne l'émoustille plus. Il ne compte plus sur elle pour lui présenter le Stanley Kubrick du Web, celui qui lui tournerait *Orange mécanique* pour trois euros cinquante.

Elle descend à pied vers la station Tuileries. Il a fait soleil cinq minutes mais déjà le ciel s'obscurcit, la pluie menace d'une minute à l'autre. Paris est comme à l'automne. Anaïs prend les escaliers du métro, au milieu des touristes qui parlent des langues qu'elle ne reconnaît pas. Dans les couloirs, un violoniste joue un thème de Kreisler. Elle ralentit. Elle a étudié ce morceau, petite fille. Elle n'a jamais été capable de l'interpréter sans le massacrer. Ses parents tenaient à ce qu'elle étudie la musique, et sa sœur faisait du piano. Mais Anaïs avait opté pour le violon et n'était pas douée pour son instrument.

Elle n'a pas envie de prévenir ses parents de ce qui lui arrive. Elle va encore leur faire de la peine. Ils étaient contents pour elle de ce travail. Ils ont été tellement déçus quand elle et Kevin se sont séparés. Ils avaient passé sept ans ensemble. Tout le monde autour d'eux attendait qu'ils mettent en route le petit premier. Ils pensaient qu'ils avaient le temps.

Sur le quai du métro, elle est saisie d'une fulgurance : elle sent comment c'était d'être avec lui. Quand elle marchait à côté de lui. Elle était complète. Ils étaient une seule et même entité. Quand elle revient à la réalité, elle se déséquilibre. Elle se cogne et casse des choses, depuis qu'il est parti. C'est à cause de cette sensation. Ce vide glacé à ses côtés. Elle ne peut pas l'appeler pour lui dire ce qui vient de lui arriver. Elle doit se faire à cette idée. Depuis quelque temps, il lui envoie des textos atroces, du genre : « Cherche la lumière au fond de ton cœur, je te souhaite tout le bonheur du monde. » Des trucs de naze, en plus. Mais surtout des trucs de mec qui a vraiment zappé. Quand tu envoies ça à la fille qui a été l'amour de ta vie, ça veut dire : je m'en lave les mains de ce qui t'arrive. Il la contacte par acquit de conscience, pour se dire qu'il est un mec bien. Elle lui répond « Dégage, Oui-Oui, tu me casses les couilles » et il lui faut une semaine pour s'en remettre. Dans ses textos, maintenant, il met des « :) ». Il a appris ça avec la nouvelle. Jamais Anaïs et lui ne faisaient un truc pareil. Des smileys. Quelle misère.

Il est parti pour une autre. Il ne l'a pas trompée. Il l'a prévenue dès qu'il l'a rencontrée. Il paraissait préoccupé, il était en train de mettre une photo sous verre, il luttait avec les baguettes du cadre Habitat, elle a demandé « Tu as l'air soucieux ? » et il a dit « Il y a quelque chose entre moi et Karine ». Anaïs a d'abord cru que c'était de l'humour.

Ils n'ont pas regardé *Game of Thrones* ce soir-là. Ils ont pleuré sur le sofa. Elle s'est réveillée le lendemain en se disant qu'elle s'était trompée. Ça ne pouvait pas leur arriver. Il a fait ses valises dans la semaine. La nouvelle fait de la politique. A l'UMP. Ce n'est pas possible. Rien n'est possible dans cette histoire, et pourtant cela n'arrête pas d'arriver. Il ne sont plus ensemble.

Anaïs ouvre sa liste de musique sur son téléphone, elle cherche Neil Young et écoute *I'm still living in the dream we had*. Elle sait que ça la fait pleurer. Elle en a envie. Comment oublier ce qu'ils étaient, ce qu'ils s'étaient promis. Deux planètes mises en orbite pendant des années, et du jour au lendemain l'attraction a cessé – ils ont continué leurs chemins, séparément. Elle a compris que même s'il revenait demain, il ne redeviendrait jamais celui avec qui elle a vécu, en toute confiance, un grand amour, pendant ces années. Ça, c'est mort. Elle est comme ces gens en exil, qui rêvent de leur pays d'origine et ne le reconnaissent plus quand ils peuvent enfin y retourner : rien n'est comme dans leur souvenir.

Ils étaient sûrs que leur histoire était particulière. Tous les couples amoureux pensent ça. L'amour différent. Celui que rien ne peut déchirer. *I'm still living in the dream we had, for me it's not over*. Elle a gardé l'appartement. La toile cirée rouge à carreaux qu'il avait posée pour protéger le plan de travail dans la cuisine est si élimée qu'elle est devenue blanche. Elle n'y touche pas. Il reste encore, dans le congélateur, des légumes verts cuits à la vapeur qu'il achetait en grande quantité -- il faisait attention à sa ligne. Elle sait tout de lui. Elle regrette tout de lui. Elle n'arrive pas à croire que ça ne lui manque pas à lui autant qu'à elle, leur vie mise en commun. Quand tout était une fête – aller manger à la pizzéria d'en face, se faire un ciné le dimanche soir, se coucher tôt pour lire ensemble, et se chamailler pour savoir qui allait se lever pour préparer une boisson chaude. Ils étaient heureux, putain. Pourquoi Kevin n'a-t-il pas respecté ça ?

Sur Internet elle a vu des photos de sa nouvelle copine, dans son grand appartement du VIIIᵉ arrondissement. Haussmannien, haut de plafond, bien meublé. Du tapis au sofa, tout est de bon goût. Anaïs regarde sa propre maison. Leurs étagères Ikea, la table ronde blanche défoncée de taches et de coups, qu'ils n'ont jamais eu les moyens de changer. Ils s'en foutaient, du confort bourgeois, ils n'étaient pas matérialistes. Et pourtant. Comme te voilà parvenu, mon Kevin. Avait-il toujours rêvé du double salon, des moulures, des portes-fenêtres et des restaurants chic ? Feignait-il de les mépriser parce que c'était hors d'atteinte, ou avait-il changé ? Elle se demandait s'il buvait encore sa Ricoré avec du lait chaud, le matin, ou s'il était passé au café, avec l'autre.

Est-ce que quelqu'un peut changer à ce point ? Il est devenu cet étranger, elle pense à *La Métamorphose* : un jour son prince a entamé sa transformation vers le cloporte. Elle croyait que c'était réservé aux ouvrages de fiction. Quand ils étaient venus ensemble s'installer à Paris, ils pensaient que Kevin deviendrait un grand peintre. Anaïs, elle, avait des projets de documentaires. Ils aimaient les films de Wang Bing, Chris Marker, Watkins ou Oppenheimer… Ça ne les inquiétait pas de galérer. Leurs parents les aidaient un peu. Ils devaient se priver de tout. Ils méprisaient le consumérisme. Quand Kevin avait été pris à *Libé* pour faire des piges sur l'art contemporain, c'était juste un peu d'argent qui tombait de temps en temps. Ce journal, c'était la gauche embourbée dans ce que Daney appelait « les conversations privées ». Des rédacteurs pour qui le lecteur est davantage un témoin gênant qu'un interlocuteur, leurs articles s'adressant exclusivement aux annonceurs, lobbies, voisins de table, chefs de rédaction, confrères… Mais Kevin s'était pris au jeu. On lui avait proposé de remplacer quelqu'un aux pages cinéma. Elle l'avait vu changer de garde-robe, en même temps que de comportement. Elle était gênée parfois de l'entendre se présenter – « Je travaille à *Libé* ». Il devenait quelqu'un d'autre. Il dînait avec des pontes du journal. Il exultait quand il rentrait. Il écrivait des choses qui lui ressemblaient de moins en moins. Et était parti avec cette fille rencontrée aux cinquante ans d'un photographe qu'il connaissait du journal. Anaïs était avec lui. Elle n'avait même pas pensé à se méfier de Karine. Mais dix jours plus tard elle aurait dû comprendre en entendant Kevin dire « C'est dépassé, la droite et la gauche. La seule chose qui compte, aujourd'hui, c'est ta position vis-à-vis de la globalisation. » Comment peut-on dire quelque chose d'aussi con ? C'est une réflexion de mec qui bascule à droite. Typique. Deux mois après, il partait. Il avait changé tellement vite…

La solitude n'est pas désagréable, en soi. Ça faisait longtemps qu'elle n'avait pas connu ça. Elle lit plus. Mais elle sourit moins. On peut faire un tas de choses, seule. On ne rigole pas. Avec lui, elle riait tout le temps. Est-ce qu'elle est drôle, la nouvelle ? Elle n'a pas l'air marrante, non. Anaïs est bien la seule fille de sa connaissance à se faire plaquer pour une vieille. Karine a presque quarante ans. A tous les coups, elle va faire un enfant tout de suite.

Anaïs aussi couche avec une fille plus vieille. Ça y est. Elle est allée voir ailleurs. Elle a attendu que le calendrier marque ses douze mois, elle a fêté tous les anniversaires de ce qu'ils avaient fait ensemble, l'année d'avant, à la même époque. Et puis c'est arrivé. Quelqu'un d'autre l'a déshabillée, et elle en crevait d'envie. Sa maîtresse à elle est très belle. La Hyène la casse en deux, avec une violence démente. C'est magique. C'est atroce que ce soit magique à ce point. Au moins, ce n'est pas avec un mec qu'elle couche, la comparaison est moins directe.

La Hyène a du culot. Elle manifeste son désir avec une insolence troublante, et l'effet que ça fait est exactement le même que si elle était un mec. Anaïs se sent regardée avec une autorité de prédateur, et ça la met dans tous ses états. Elle a compris, maintenant : ce qui fait l'homme, c'est l'impétuosité du désir, pas la bite. Ce qui l'a surprise n'est pas d'être attirée par une fille : c'est d'accepter de sortir de sa douleur, aussi vite. Et après, elles ont baisé. Et là, c'était réglé : tout ce qui l'intéresse, depuis, c'est recommencer.

Ce qu'il y a de fabuleux dans ce qui lui arrive a son revers obscur : chaque beau moment, c'est un pas de plus qui l'éloigne de Kevin. Une amputation, à petits coups. Parfois elle fait un geste qu'elle avait l'habitude de faire avec lui, ou un mot lui échappe, qui leur appartenait. Ça lui arrache quelque chose. C'est comme si elle tirait à bout portant une balle dans la nuque de ce qui fut leur amour. « Tu étais la femme de ma vie. »

267

Ce verbe au passé, comme un poignard fiché en pleine poitrine. Elle n'est jamais revenue de sa stupéfaction. Elle ne pensait pas possible de vivre les jours qui ont suivi. Mais elle n'a pas pu se soustraire. Elle n'est pas la même personne qu'avant cette blessure. Désormais, elle sait : chaque « je t'aime » est un coup de poignard en devenir.

Cette histoire avec la Hyène, ça la remet debout. La vie lui revient, par bribes. Comment vont-elles se voir, maintenant qu'elle est virée ? Elle n'arrive pas à croire qu'il l'ait foutue dehors comme ça. C'est cette histoire de graffitis chez lui. Depuis, Dopalet est à côté de la plaque. Il y avait de quoi. Elle faisait encore partie du cercle de ses favorites. Il l'avait mise dans la confidence. Un matin, il s'est enfermé en arrivant au bureau. Tout le monde a remarqué qu'il faisait une gueule pas possible. Puis il l'a convoquée. Il était allongé sur le sofa à dix heures du matin, un verre de whisky à la main, rempli comme si c'était du jus d'orange. Il respirait difficilement, il faisait une crise d'angoisse. Il lui a parlé sur un ton de mec à l'agonie :

— Anaïs tout ce que je vais vous dire doit rester entre nous. Je peux compter sur vous ? Je suis victime d'une bande de tarés, je n'ai aucune idée d'où ça vient. Ils sont venus, la nuit, ils ont vandalisé toute la façade devant chez moi. C'est une horreur. Une horreur… Vous ne pouvez pas savoir.

Il voulait éviter le scandale – Anaïs avait été dépêchée en urgence sur les lieux du crime. Dopalet avait appelé un taxi. Il tenait à s'assurer que le peintre recruté respectait bien les consignes de discrétion. Ni sa femme ni lui ne pouvaient rester sur place, et puis ils étaient détruits, l'un et l'autre. Il fallait absolument que tout soit effacé pour le soir, mais il était hors de question de mettre deux peintres dans la confidence. Anaïs y était allée, un peu soûlée de devenir la bonne à tout faire du patron. Elle s'attendait à trouver deux graffitis sur la devanture, franchement, pas de quoi faire tout ce cirque.

Un peintre était sur place. Il avait bien bâché les inscriptions d'un papier blanc assez opaque pour les dissimuler, c'est-à-dire toute la façade du superbe édifice dont Dopalet occupait un étage, dans le VII$^e$. Chaque panneau qu'elle soulevait découvrait de nouvelles injures : « pervers » « assassin » « tout le monde saura » « violeur » « DOPALET DANS TON CUL ». Ça l'avait secouée. Elle ne s'attendait pas à quelque chose d'aussi délirant, il y en avait partout. C'était une scène de guerre. Même Anaïs, qui n'était pas personnellement impliquée, avait senti le poids de la désolation dans sa poitrine. Le peintre était un rouquin taciturne, qui devait se retaper toute la façade en blanc, avant que les équipes de l'assurance ne reprennent le travail derrière lui. Anaïs avait essayé d'entamer une conversation :

— Il faut vraiment être dérangé pour faire un truc pareil... heureusement, avec les caméras de surveillance, ça ne devrait pas être difficile ...

— Encore faudrait-il porter plainte.

Il n'était pas engageant. Anaïs avait demandé :

— Vous pensez que vous en avez pour combien de temps ?

— Je dirais la journée, si je ne m'arrête pas pour discuter.

— Je vous laisse travailler.

Elle ne se voyait pas rester auprès de lui, à le regarder peindre. Elle avait traversé la rue pour entrer dans le bar qui faisait l'angle. Dopalet était injoignable, il avait un rendez-vous avec Canal Plus. Elle ne savait pas ce qu'elle devait faire. Aider le peintre ? Elle n'était pas habillée pour ça. Accoudée au comptoir, elle déchirait le papier du sucre. Elle imaginait ce que devait ressentir le producteur, en voyant l'entrée dans cet état. C'était probablement des gens qu'il connaissait. Un fou, ou une dingue. Cette manie qu'il avait, aussi, de multiplier les aventures avec des filles qui se défonçaient… Ils en voyaient passer de belles, au bureau. L'une d'entre elles avait dû vouloir se venger de ce qu'il n'ait pas quitté sa femme. C'était tellement dégradant, quoi que Dopalet ait pu faire, ça ne justifiait pas une violence pareille.

La Hyène avait garé sa moto juste devant la vitrine du bar. La joie qu'avait éprouvée Anaïs en reconnaissant son casque ne laissait aucune place au doute : quand ça tonitrue à ce point-là, ce n'est pas juste que ça te fait du bien de baiser. Elle avait pensé « je suis amoureuse d'elle » pour la première fois. Elle s'était précipitée sur la porte du bar qu'elle avait ouverte en souriant, sans chercher à dissimuler sa gaieté, et elle s'était pris un joli râteau. La Hyène l'avait freinée dans son élan, elle avait eu cette drôle de réaction – « Dopalet m'a appelée, il veut que je regarde s'ils ont laissé des traces… Fais comme si on était au bureau, toi et moi on se connaît à peine. » Elle semblait craindre qu'on les observe et qu'on découvre leur secret. Elle était entrée dans le bar mais avait refusé de commander, elle n'avait pas le temps. Elle avait dit à Anaïs : « C'est vrai que tu n'as rien à faire ici. Retourne au bureau, dis à Dopalet que c'est moi qui t'ai dit de me laisser avec le peintre. » Elle l'avait virée. Anaïs en était blessée. Ça y est, les petites déceptions, les moments où on tend la main et où l'autre lâche. Tout ce qu'elle n'avait pas connu, avec Kevin, mais qui lui était familier, de l'adolescence. Elle n'avait pas envie de vivre une histoire avec des petits morceaux de merde dedans. Mais dès le lendemain elles se retrouvaient à l'hôtel et elle oubliait de prendre ses distances.

Le premier baiser, ça avait été dans l'ascenseur, au bureau, elles descendaient ensemble, elles se cherchaient depuis un moment. Seules les mains de la Hyène avaient bougé, qui s'étaient posées sur ses hanches. La chaîne qu'elle portait au poignet rendait hypnotique l'os saillant juste avant la main, la paume carrée, les doigts longs et chargés d'une autorité qui donnait le vertige. Anaïs avait envie de baiser, à en crever. Elle sentait le sol se dérober tellement c'était intense, et tellement elle ne s'y attendait pas. Pas avec cette puissance-là. Elles étaient restées immobiles jusqu'à ce que les portes s'ouvrent, alors la Hyène avait appuyé de nouveau sur le bouton de l'étage le plus haut, et elles s'étaient rapprochées.

Depuis, elles se cachent. Au bureau, en passant, elle glisse des papiers pliés en quatre dans son sac, sur lesquels sont inscrits l'heure et l'endroit du prochain rendez-vous, et Anaïs ne peut l'appeler qu'en cas d'empêchement, en usant d'un code précis – « je n'ai pas trouvé les documents que vous me demandiez ». La clandestinité rajoute sans doute à l'excitation. Elles se voient dans des hôtels.

Sa main quand elles sont debout et que ses doigts la baisent, son sourire chaque fois qu'elle découvre qu'Anaïs est déjà trempée, elle a les hanches qui tremblent compulsivement, une terreur délicieuse et cette sensation neuve quand l'autre jouit, le visage fin tourné de profil sur l'oreiller, qui abandonne, cette expression indéchiffrable.

Aujourd'hui, la Hyène a rendez-vous dans le Marais. Elle en a parlé, devant elle, au téléphone, la dernière fois qu'elles se sont vues. Anaïs monte dans la rame de métro. Une odeur de pisse et de sueur remplit le wagon. Un gars aux cheveux bouclés, très longs, en pull beige, est assis, isolé, tout le monde s'est éloigné de lui. Il n'a pas le physique de sa puanteur, il est plutôt mignon et a juste l'air un peu hippie. Les passagers se regardent sans rien dire, ils sont écœurés ou souriants, deux gamines sont mortes de rire, un type en Converse pense à ouvrir la fenêtre, un autre porte un mouchoir sur son nez et change de rame dès que c'est possible. Anaïs s'impose de rester. L'odeur est si forte qu'elle sent qu'elle pourrait vomir.

Son iPhone est sur lecture aléatoire, elle écoute Mary J. Blige *No more drama* et elle revoit Audrey, la secrétaire de Dopalet, les larmes aux yeux, ce n'était pas feint, elle était catastrophée. Elle a été la seule, de toute l'équipe, à lui marquer un peu d'empathie. Les autres l'ont fuie, dès qu'ils ont appris qu'elle devait vider son bureau. Audrey a glissé, en ouvrant le cagibi où entasser ses cartons et en promettant de les lui faire porter sans faute à domicile dans la journée du lendemain, de ne pas s'en faire, côté indemnités. « Il est comme ça. Mais il compense, en indemnités. Il est généreux. Il n'a pas envie d'avoir les prud'hommes sur le dos. Et il sait qu'il déconne. »

Dopalet l'appelait parfois à vingt-trois heures en lui demandant de descendre prendre un verre avec lui, parce qu'il avait besoin de parler. Il savait qu'elle vivait seule. Elle se rhabillait, se remaquillait, sautait dans le taxi qu'il lui envoyait et le rejoignait. Elle l'écoutait pendant des heures. Il ne lui a jamais demandé comment elle allait. Elle lui était reconnaissante de ne pas insister, quand il lui proposait de l'accompagner « prendre un dernier verre dans une boîte ». Ils savaient l'un et l'autre de quel genre de boîte il s'agissait, elle déclinait en souriant, il la laissait partir. Il avait d'autres filles, pour ça, dans son répertoire. Elle ne s'en faisait pas pour lui, de ce côté. Elle rentrait se coucher à deux heures du matin, exténuée, sans oublier de régler son réveil à six heures, le lendemain, pour avoir le temps de se préparer avant d'arriver au bureau.

Elle sort à la station Saint-Paul. Elle va passer devant le HellBabe. Elle pourrait envoyer un texto, pour prévenir. Mais la Hyène n'aime pas qu'on se serve de son numéro de portable, sauf pour le boulot.

En arrivant rue Vieille-du-Temple, Gaëlle se sent comme une ampoule en bout de course, quand ça commence à grésiller pour prévenir que ça va péricliter. Elle a passé sa matinée sur Internet, à essayer de changer de mobile. Déjà, pour accéder à ses factures, il aurait fallu qu'elle se souvienne de son code, ou de l'adresse mail qu'elle avait donnée. Elle a l'impression de passer son temps à créer des profils sur des sites Internet – elle ne se souvient jamais des mots de passe. Ensuite, pour payer, ils lui ont envoyé un code bancaire sur son téléphone portable. C'est parce que la batterie était morte qu'elle voulait changer d'appareil. Et elle ne trouvait aucun numéro à appeler pour sortir de cette impasse. Dès lors, tout était devenu formidablement complexe. Elle avait mis tant de temps à trouver ce putain de code que la transaction avait été annulée. Il avait fallu tout recommencer. Puis les prix affichés variaient selon tant de paramètres qu'il devenait impossible d'évaluer ce qu'un nouveau téléphone lui coûterait. Elle s'était résolue à entamer un chat avec un conseiller. C'était un moteur à la con, toutes les réponses qu'il lui faisait étaient à côté de la plaque, il faut croire qu'elle ne trouvait pas la formule magique pour l'orienter correctement. Elle avait fini par réclamer la résiliation de son abonnement, ce qui ne pénalisait qu'elle. C'est alors qu'à l'autre bout du chat, un dyslexique déchaîné avait pris la conversation en main – le gars, ou la meuf, refusait d'orthographier tout mot dépassant les deux lettres selon les conventions en usage. Déchiffrer les messages abscons qu'il envoyait demandait un effort de concentration qui dépassait ses compétences. Il exigeait qu'elle lui fixe un rendez-vous téléphonique sur une tranche horaire de trois heures pour le lendemain. Sur un numéro fixe. Elle n'avait pas de numéro fixe. Elle avait abandonné. De toute façon, on lui aurait envoyé le téléphone à domicile, elle connaît l'histoire : plus personne ne veut travailler avec la Poste, conclusion des transporteurs fous prétextent que vous n'étiez pas à la maison, alors qu'ils n'ont jamais essayé de passer, et ils laissent vos paquets à l'autre bout de Paris, dans des boutiques qui sont toujours fermées quand vous entamez l'expédition pour vous y rendre. Tout est devenu trop compliqué. Elle se passera de téléphone portable.

La Hyène lui a donné rendez-vous dans le Marais. La vieille baderne a envie de discuter. Gaëlle est un peu en avance, elle s'arrête au burger. Elle veut manger de la viande rouge. Elle n'aime pas ça mais elle est convaincue d'en avoir besoin, une fois par mois, pour le fer, juste après ses règles. Elle perd tellement de sang, on dirait qu'elle se vide pendant les huit jours que ça dure. Cycles de vingt et un jours. Un cauchemar. Elle évite de s'asseoir chez les autres, elle a déjà démoli plusieurs canapés. Troisième millénaire, et elle porte les mêmes serviettes hygiéniques que sa mère mettait à son âge. Ça colle, on a l'impression de se balader avec une couche mal mise entre les cuisses, mais vu les performances des tampons, elle n'a pas le choix, elle doit porter les deux. De toute façon, les tampons, elle sera ménopausée avant d'avoir compris comment ça se met correctement. De la même façon qu'elle est incapable de coller une serviette hygiénique en visant juste – il faut toujours que ça saigne à côté. Si les mecs avaient leurs règles, l'industrie aurait inventé depuis longtemps une façon de se protéger high-tech, quelque chose de digne, qu'on se fixerait le premier jour et qu'on expulserait le dernier, un truc clean et qui aurait de l'allure. Et on aurait élaboré une drogue adéquate, pour les douleurs prémenstruelles. On ne les laisserait pas tous seuls patauger dans cette merde, c'est évident. On pollue l'espace intersidéral de satellites de reconnaissance, mais pour les symptômes d'avant règle, que dalle.

Elle ouvre son burger et recouvre la viande de sauce ketchup et de mayonnaise, pour masquer le goût. Ça sent le cadavre, sinon. Elle ne veut rien savoir des abattoirs dans lesquels c'est débité. Quand elle voit, sur Internet, une image de poulet ou de cochon bloqué dans un casier, destiné à être mangé, elle change de page, tout de suite. L'endroit est cosy, façon truc à milkshakes. Mais la nourriture est infecte. Les frites congelées ont été saupoudrées d'une herbe aromatique qui a dû être congelée elle aussi pour avoir un goût aussi étonnant. Elle boit son Coca et abandonne son assiette.

Elle laisse un gros pourboire parce qu'elle a souvent fait serveuse, dans sa vie, les filles ne sont pas responsables de ce qu'un arnaqueur fait mal à bouffer.

La Hyène est déjà assise en terrasse quand elle la rejoint. Elles se connaissent depuis plus de vingt ans. Gaëlle parle des manifestations. C'est ça ou la météo pourrie, cette année.

— T'es allée à aucune manif pour le mariage gay ?

— Pas mon genre.

— Ma meuf ne m'a pas laissé le choix, je l'ai suivie à la première. Il faisait beau. On partait de Bastille. J'ai tenu jusqu'à Hôtel-de-Ville, je me suis arrêtée en terrasse et j'ai regardé passer les gens.

— Méfie-toi de ta meuf. On commence par une manif et on termine enchaînée à des grilles d'ambassade à faire la grève de la faim.

— Elle est jeune. Elle est fougueuse. Je n'ai pas osé lui dire que je m'en foutais d'aller manifester. Je comprends qu'elle soit concernée... Tu n'imagines pas le nombre de gens qui se sont sentis obligés de nous dire qu'ils étaient contre le mariage gay. Et pas des cathos de droite, en plus. Les socialistes d'aujourd'hui, c'est vraiment des sans vergogne...

— Moi, je n'ai rencontré personne qui soit contre.

— Parce qu'ils n'osent pas t'en parler.

— Je préfère qu'ils s'abstiennent. Je suis contre le mariage gay, mais si j'entends un hétéro qui le dit, je le lynche.

— T'es contre ?

— Le mariage ? Bien sûr que je suis contre.

— Je te comprends. Notre génération, on est des gouines, des vraies, on a souffert pour ça et on ne veut pas ressembler aux hétéros connards.

— C'est pas ça, copine… l'adoption, la PMA, le mariage – je suis contre pour tout le monde. Je suis favorable à la stérilisation de l'ensemble de la population, dès la puberté. On est sept milliards. Tu crois pas que ça suffit comme ça ? Il faut ralentir la cadence, urgemment. Je vois les gens avec des poussettes, je regarde leurs gueules, et je me dis : mais pourquoi ? Qu'est-ce que vous croyez que vous faites, là, à vous reproduire ? On n'a pas besoin de votre génétique à la con, arrêtez la mégalomanie. Faites de la peinture si vous voulez vous occuper. Mais ne nous faites pas chier avec votre progéniture. Si on me demandait mon avis, je te collerais tout ça dans un stade : vasectomie, ablation de l'utérus, et rentrez tous chez vous… Sept milliards, et ils continuent d'infecter la planète… Le jour où on défile pour la stérilisation de l'humanité, tu me verras dehors tous les jours. Et pas en terrasse, j'aime autant te dire.

— Putain t'as raison. Ma meuf est trop réformiste. Je me laisse influencer. Ça me fait du bien de te voir, ça me fait une piqûre de rappel.

En dépit d'une pluie fine qui leur mouille le bout des boots, elles restent en terrasse pour fumer des clopes. Elles commandent la même chose, deux muscats d'Alsace. Gaëlle aime le Marais. Le soleil qui dore les vieilles pierres, l'atmosphère trafiquée pour plaire

– les magasins sont tellement chic qu'on se croirait dans un faux quartier. Elle aime ces rues riches et les filles qui se tiennent par la main, même si depuis une dizaine d'années le quartier est colonisé par les familles et les touristes, ça reste l'endroit où on croise les plus belles gouines à Paris. Elle aime voir les garçons heureux, nulle part les mecs n'ont l'air aussi contents. Et ce n'est pas seulement parce qu'ils sont jeunes, pleins d'argent et beaux, sinon ils seraient réjouis aussi dans le XVIᵉ, c'est parce qu'ils sont pédés et que les pédés sont plus épanouis que les autres mecs, ça se voit à l'œil nu.

Elle aime Paris, de toute façon, de la porte de la Chapelle à Montparnasse. Elle en aime les couches successives, contradictoires, les intersections et les changements brusques. Parfois, deux rues suffisent pour basculer d'un quartier à l'autre, d'autres fois il faut traverser de courtes zones sans identité. Elle aime le brassage des touristes, de la racaille, des Chinois, des provinciaux, des cultureux, des modeuses, des banquiers et des caissières – tous chez eux, en même temps, qui n'habitent ni tout à fait la même ville, ni tout à fait une autre. Un jour on pensera à ce Paris cosmopolite du début du troisième millénaire comme à une Babylone insensée, et on aura du mal à se représenter autant de gens différents ayant réussi à vivre ensemble dans une paix bien réelle. Des geeks barbus, des pédés d'extrême droite, des Juifs dealeurs, des bombasses khâgneuses, des Américains bohèmes et des toxicos réactionnaires… Toutes les articulations sont possibles et elle fait partie de cette mosaïque. Même si elle n'arrête pas de se plaindre que tout change et toujours vers le pire, elle se sent toujours autant chez elle, dans cette ville tarabiscotée.

Au contact de la Hyène, Gaëlle change d'humeur. Comme à chaque fois qu'elles se voient. Elle était furieuse contre elle, il y a peu de temps, de lui avoir demandé de trouver Vernon, avant de s'évanouir dans la nature une fois que c'était fait. Gaëlle s'est vraiment fait mal voir par Kiko, à l'époque, elle était outrée de s'être mise dans ce pétrin pour rien. Mais ce n'est pas la première fois que la Hyène lui fait un mauvais plan, ni la dernière qu'elle lui pardonne. De toute façon, la roue a tourné, depuis. Kiko a retrouvé Subutex et au lieu de lui démonter la gueule, il s'est de nouveau fait embobiner.

Il fut un temps où la Hyène trempait dans des affaires sérieuses, façon grosse prise. Elle est sur le déclin. Elle a l'air de s'en foutre. Gaëlle a rarement vu quelqu'un mépriser à ce point l'opinion de ses semblables. Elle a toujours été comme ça, d'une arrogance telle qu'on ne peut que s'incliner.

Elle coupe ses cheveux elle-même, ça se voit, et la teinture aussi est faite maison. Les dents sont saines, le regard hautain. En définitive, elle a tout perdu, sauf la superbe. La Hyène observe son verre de blanc. Elle réfléchit. Gaëlle la laisse se débrouiller. Elle sait de quoi elle veut lui parler, tout le monde ne pense qu'à ça, cette saison : Vernon. Est-ce qu'elle l'a vu, au Rosa Bonheur, récemment, est-ce qu'elle a entendu dire des choses, ce genre de trucs… Ce qu'elle ne saisit pas, c'est pourquoi la Hyène aussi mord à l'hameçon. Qu'est-ce qu'il leur fait, Subutex, pour les subjuguer tous à ce point ? Le mec est sympa, mais il est dans un état plus que limite… Gaëlle a toujours détesté les punks à chiens. Elle n'aime pas la saleté, le laisser-aller, et par principe, elle ne parle pas à des gens qui portent la barbe. Mais la Hyène botte en touche :

— Et ta petite copine, quand elle ne manifeste pas, elle est comment ?

— Très mignonne, bombasse. Elle a vingt-cinq ans de moins que moi. En gros, dans la vie, elle attend, tandis que je me souviens.

— Elle n'a pas les boules d'être avec une vieille ?

— Je la baise bien. Ça rattrape.

La Hyène sourit. C'est leur genre d'humour. Elles travaillent les mêmes vannes depuis des décennies, maintenant. Gaëlle finit son verre, cherche la serveuse des yeux et demande :

— Et tu voulais me voir pour prendre des nouvelles de ma vie sentimentale ?

— Je voulais faire un débrief global. Ça faisait longtemps qu'on ne s'était pas vues. Il paraît que t'es souvent au Rosa Bonheur, en ce moment ?

— Ouais. J'aide Zouzou quand elle monte des fêtes là-bas. Et il y en a beaucoup. Mais t'es au parc, toi, il paraît, de temps à autre ? Tu devrais passer nous voir plus souvent…

— Tu entends raconter beaucoup de choses, sur Vernon, au Rosa ?

C'est bien là qu'elle voulait en venir. Gaëlle avait vu juste. Elle ne comprend rien, avec Vernon. Pour commencer, comment s'est-il débrouillé pour se retrouver à la rue ? Si vite. Perdre son appartement, d'accord. C'est la crise, le gars n'est plus tout jeune, il n'a pas gardé de liens avec sa famille. Mais quand même, vingt ans de boutique, ça te laisse un carnet d'adresses assez rempli pour ne pas roupiller dehors en moins de trois mois… et comment ce type sympathique mais proche de la courge molle au niveau du charisme a-t-il muté en idole des Buttes-Chaumont ? Le type dort dehors, il pue la sueur et porte des bottes de plouc, et on croirait l'enfant Jésus qui aurait zappé l'étape de la croix, entouré d'une débauche de rois mages, le mec reçoit des cadeaux tous les jours. Vernon choisit un arbre, s'assoit dessous et les gens viennent le voir. Bien sûr qu'elle entend parler de lui, au Rosa. On ne parle que de lui, même, quasiment. Elle est allée jeter un œil à sa bande. Des hétéros beaufs en goguette. Même Kiko s'est fait doser. Quand il a appris que Subutex traînait dans le parc, Gaëlle l'a vu partir, méchant comme il sait l'être, genre je vais lui remettre une couche de coups dans sa gueule, ça lui apprendra à être parti avec ma coke… et il est rentré, le lendemain, il a écouté Jethro Trull pendant trois semaines. Pas de fêtes, pas de plan cul, juste la musique au casque, et de la drogue. Il n'est pas allé bosser. Ça ne lui était jamais arrivé. Il s'est mis à débloquer dans les grandes largeurs – qu'il croyait que Dieu allait bientôt exister, il serait une somme de logarithmes, il n'y a que lui qui sauverait la planète et l'humanité en son sein – et qu'il fallait s'occuper de concevoir les bons programmes, ceux qui indiqueraient aux gens comment faire pour vivre dans une collectivité fonctionnelle. Quand les yuppies se mêlent de spiritualité, d'après Gaëlle, c'est que les temps vont être sacrément durs. Au terme de ces trois semaines de retraite, Kiko avait en tête un grand projet : faire le tour de l'Amérique latine. Si on veut lire entre les lignes, le gars veut aller chercher la cocaïne à sa source. Après tout, pourquoi pas, on peut concevoir que c'est sa passion de base. Mais l'idée de recevoir des photos du Guatemala avec Kiko juché sur un lama qui porterait des bonnets péruviens l'a déprimée. Gaëlle se promet que si on le retrouve à laver ses fringues dans des ruisseaux au Chiapas, elle déboule au parc et elle fout le feu. Elle vit chez ce mec gratos depuis des années, il a toujours été un furieux du libéralisme, elle en a marre qu'on lui chamboule ses repères. Entre-temps, Kiko s'est ressaisi, il est retourné au taf et il ne parle de Subutex qu'assez tard dans la nuit. Il dit qu'il prépare son voyage. Elle sait, d'expérience, que plus les gens se croient endurcis, plus ils sont prompts à se faire embobiner par le premier traquenard new age venu – le cynisme est la parade du tendre – mais quand même, ça lui a fait un choc. Elle espère qu'il va oublier tout ça et reprendre du poil de la bête. En attendant, il est déjà venu deux fois écouter Subutex mixer au Rosa. Il faut dire que c'est quelque chose. Ça, même Gaëlle doit l'admettre. Ça a été une idée de Mimi, au départ. Genre c'était une façon de lui donner trois billets au black sans avoir l'air de vraiment faire la charité. Mais ça s'est bien passé. Il en a déjà fait deux. Il faudrait juste le forcer à se doucher, avant, mais sans ça, il assure. Passer des disques, ça a toujours été son truc.

Quand Vernon prend les platines au Rosa, on ferme le bar. On dit que c'est soirée privée, qu'ils répètent pour la chorale, histoire de laisser les initiés communier tranquilles. Même Gaëlle, pourtant réfractaire à toute forme de sentimentalisme, et plus encore si ça vire au mysticisme, admet qu'il se passe quelque chose. Vernon est doué pour créer une capsule. En début de soirée, elle note l'enchaînement des morceaux et maugrée dans son coin qu'il n'y a pas de quoi entrer en transe, mais au cinquième titre, approximativement, elle n'en mène pas plus large qu'un autre. Elle danse. C'est collectif, c'est une folie, ce serait idiot de se rétracter. Et elle ne danse pas pour montrer aux autres qu'elle chaloupe encore bien pour son âge, son bassin se balance comme en montée d'ecstasy, sauf qu'elle ne prend rien, et elle commence à sentir le son lui rentrer dans les mains, lui délier la nuque et autour d'elle tous les corps sont dans le même état – elle danse et elle a posé le cerveau, et ça la débecte de l'admettre, donc le lendemain elle pense à autre chose, mais elle danse pour se sentir verticale, la plante de ses pieds se connecte au sol et elle est défoncée, des étoiles lui dégringolent dans le ventre, comme si ça avait toujours été leur place, elle danse en pensant aux morts et elle danse avec eux, elle danse en pensant à tout ce qui a disparu et qui pourtant existe encore, intact, aussi facile à redéployer que si elle ouvrait un livre en deux et que des images avec les sons les odeurs et chaque grain de peau se déroulaient, elle danse parmi les autres et elle reconnaît leurs présences, il y a un lien entre eux tous, ils sont heureux d'être ensemble avec la même imbécillité qu'on éprouve quand on est récemment amoureux, sauf que là ils sont une trentaine et elle s'enchaîne à eux sans même y prêter attention, ils sont un seul corps qui ondule et ça leur plaît d'être là. Impossible de dire ce qui déclenche ça. Elle refuse d'en faire tout un cirque et d'en déduire que Vernon est touché d'on ne sait quelle grâce – elle est réfractaire à tout ce fourbi. Mais elle est forcée de reconnaître qu'elle n'a jamais dansé comme ça. La Hyène attaque le vif du sujet :

— Comment ils le prennent, au bar, toi qui y vas souvent… tout le truc Subutex et les gens autour de lui ?

— Qu'est-ce que tu veux savoir, au juste ?

— Je me tiens au courant.

— Et pourquoi je te rendrais service ?

— Par amour.

— J'ai rien pour toi, désolée. Il a fait deux soirées privées, comme DJ, tous ses potes sont venus. Et c'étaient de bonnes soirées. Je ne comprends pas ce que les gens lui trouvent, mais question programmation, il assure le job. C'est l'énigme de la décennie, ce type. Tu me diras, c'est pas le premier truc dont on se demande pourquoi ça marche. Si tu veux être plus précise, peut-être que je pourrais te renseigner… Pourquoi tu t'intéresses encore à lui ?

La Hyène a son sourire de vieux pirate. Celui qui sous-entend qu'elle sait beaucoup de choses dont elle ne parle pas. C'est un joli sourire. Elle voudrait sûrement poser d'autres questions, mais une jolie brune au menton volontaire se dirige vers leur table, avec un air de surprise mal joué. C'est une belle plante, avec quelque chose d'un peu tarte dans l'allure. Parvenue à leur hauteur, elle simule l'étonnement, alors qu'à l'évidence elle l'avait repérée à cent mètres. Tout en elle transpire la fameuse joie de la féminité, une accumulation de détails qui clament : c'est fantastique de jouer la conne. Sa fine montre fluo, pour dire qu'elle est fun, les ongles peints couleur knack, parce qu'elle a lu que c'était tendance dans un magazine, le parfum trop capiteux, les sourcils épilés, le gloss de saison sur des lèvres boudeuses… « Mais qu'est-ce que tu fais là ? » Evidemment quand elle ouvre la bouche, elle a une voix de petite fille, aiguë et désagréable. La Hyène la fixe en souriant, sans l'inviter à s'asseoir. « Anaïs, je te présente Gaëlle… »

Il ne faut à Gaëlle que quelques secondes pour comprendre qu'elles couchent ensemble. Sans cela, la Hyène jouerait moins sa carte George Clooney.

— Je viens de me faire virer.

— Par Dopalet ?

— A l'instant. Comme une merde. Ça ne m'était jamais arrivé. C'était atroce.

— A cause de ?

— Je n'ai pas compris. Il m'a virée comme il m'avait embauchée, remarque : caprice du chef. Je

287

suis libre pour un café, du coup. Je peux m'asseoir avec vous ?

— Anaïs, je suis vraiment désolée pour toi. On va en parler plus tard. J'allais partir à l'instant.

Anaïs déglutit. Elle le prend comme une claque dans la gueule, mais se sent obligée de faire bonne figure. Elle dévisage Gaëlle, à la dérobée, en se demandant si c'est elle qui lui vaut ce traitement de défaveur. La Hyène insiste :

— Je suis déjà en retard pour un autre rencard. Mais si t'es libre ce soir, si tu veux, je t'appelle et tu me raconteras ça.

— Tu vas daigner utiliser ton téléphone pour moi, maintenant ?

La jolie brune est devenue cassante. Elle n'a pas pu se retenir. Ça lui va mieux que l'amabilité, juge Gaëlle, qui soudain la trouve plus intéressante. Il faut dire que la Hyène a fait fort – sans avoir aucune idée du genre de relation dans laquelle elles sont, ça ne se fait pas de coucher avec une fille et de lui dire je suis en retard quand elle t'annonce qu'elle est virée… Gaëlle trouve la situation injuste, elle adresse un clin d'œil à Anaïs et lui montre la chaise libre à sa droite :

— Assieds-toi quand même. Moi, je ne suis pas pressée.

La Hyène la fusille du regard. Elles se sont déjà piqué, ou emprunté, quelques copines. Forcément, depuis qu'elles se connaissent… Gaëlle aborde son plus joli sourire de garce – meuf, ça fait partie des lois non écrites mais sur lesquelles tout le monde tombe d'accord – si tu traites mal ta maîtresse, j'ai le droit de m'occuper de son cas… De toute façon, il n'était pas question de lever le camp, avant que la petite arrive. Et elle a bien l'intention de se commander un deuxième verre.

Excédée, la Hyène rafle sur la table ses clopes son briquet et les notes, ses doigts sont longs et fins, elle a des gestes efficaces, elle cherche dans la poche de son blouson de quoi payer – elle est contrariée de partir en les laissant seules.

— Je vais vers République, vous voulez m'accompagner ?

— Si t'es vraiment très pressée, non. Je n'ai pas fini mon verre et mademoiselle n'a pas eu le temps de commander le sien.

La Hyène est irritée, elle dit avant de s'éloigner « Anaïs, je peux passer te voir ce soir ? » et Gaëlle ne peut pas s'empêcher de penser – je crois qu'elle sera dans mon lit, chérie. Juste pour le fun. Elle n'a pas l'impression que ça créera énormément de tension, non plus. Quand on tient à une fille, on ne la traite pas comme ça. Elle n'a jamais été monogame. C'est bon pour les moches, ça.

Anaïs s'est assise. Elle est abattue. Toute velléité de simuler la bonne humeur l'a abandonnée. Gaëlle ne peut retenir un geste de compassion, les victimes l'attendrissent :

— Elle a toujours été ignoble. C'est un genre qu'elle se donne. Ne le prends pas personnellement.

— Tu parles de qui ?

— La Hyène, de qui tu veux que je te parle ? T'es blanche comme un linge. Je te commande un whisky ?

— On se connaît à peine elle et moi… Je suis tombée sur elle par hasard. Si je suis blanche, ça doit être une baisse de glucose… oui je veux bien prendre un verre, en fait.

— Chérie, j'ai l'œil, c'est ta maîtresse et elle s'est mal comportée. Il ne faut pas lui en vouloir, elle est complètement dingue. C'était quoi ton boulot ?

— J'étais talent scout dans une boîte de prod.

— Ça te plaisait ?

— Pas tant que ça, non.

— Peut-être que ce n'est pas une si mauvaise journée, alors.

Anaïs est au bord des larmes, elle sourit comme elle peut :

— Excuse-moi. Jusque-là j'allais bien, mais je crois que c'est le fait de parler, je suis en train de réaliser… pardon, mais…

Gaëlle commande, rien ne l'attire autant qu'une femme éplorée. Sauf, peut-être, la copine d'une autre. Elle n'y peut rien, c'est dans sa nature. Elle est scorpion. On ne peut pas lutter contre l'astrologie. Anaïs descend son whisky avec un certain panache, puis elle soupire profondément. Gaëlle demande :

— Ça va mieux ?

— Je me requinque. Tu la connais bien, toi, la Hyène ?

— On a fait le Vietnam ensemble, enfin façon de parler… Mais ça ne me dit pas ce qu'une fille comme toi lui veut.

— Une fille comme moi ?

— Tu vois très bien ce que je veux dire. C'est ta première copine ou ça fait longtemps que tu es bi ?

Ce n'est pas la peine de prendre trop de gants, sans quoi ses chances de l'embobiner avant la fin de la journée vont être minces. Elle doit essayer d'amener la conversation sur Anaïs, et de zapper la Hyène. Mais Anaïs est plus solide qu'elle n'en a l'air au premier coup d'œil. Elle ne se démonte pas. Elle répète « je ne vois pas de quoi tu parles » et commence à expliquer en quoi consistait son travail, là où elle vient d'être virée. Gaëlle se fatigue vite des conversations de boulot. Lui vient l'idée de l'emmener au Rosa Bonheur. Comme ça, si elle voit qu'elle n'arrive à rien avec elle, il sera toujours temps de prendre l'apéro avec des copines.

Elles traversent la place de la République, en travaux, et descendent dans le métro pour prendre la ligne 11. La meuf tient le crachoir jusqu'à Pyrénées. Gaëlle l'écoute distraitement. Elle n'est plus sûre d'avoir envie de l'attraper, elle a besoin d'un autre verre pour faire le point sur la question. Il y a des travaux au coin de l'avenue Simon-Bolivar. S'ils n'ouvrent pas une banque ce sera une boutique de lunettes, ou une agence immobilière. Ça fait longtemps qu'on n'ouvre plus rien d'autre. Les arbres poussent protégés par des corsets en métal, cigarettes écrasées et merdes séchées tapissent l'espace autour de leurs troncs. Les trottoirs sont jonchés de gravats, il y a une baignoire renversée, quelqu'un l'a attaquée au marteau pour arracher la tuyauterie, des cendres blanches et des éclats de porcelaine sont éparpillés sur plusieurs mètres.

Les travaux se poursuivent jusque dans le parc, certaines allées sont bloquées par d'énormes machines jaunes, qui paraissent échouées dans la boue. La pluie reprend avant qu'elles n'atteignent le Rosa. La petite Céleste tient le bar, elle est en pleine discussion avec sa copine Aïcha. Gaëlle attend qu'elle ait fini en se promettant de lui parler de son projet de tatouage, elle veut un Loas d'Erzulie Dantor, sur l'avant-bras. Elle a vu ça sur Internet. Un cœur quadrillé, traversé d'un poignard. Elle a lu que c'était la déesse des lesbiennes et des putes et l'idée lui a plu, mais c'est un truc vaudou, et bien qu'elle ne croie en rien, elle se demande si c'est une bonne idée. Céleste pique bien. Elle est mignonne, en plus. Gaëlle aime bien l'idée d'être enfermée seule avec elle dans son studio de tatouage.

Anaïs revient des toilettes, il faut croire qu'un seul whisky a réussi à la bourrer, ou alors c'est sa façon à elle de conjurer l'angoisse de la scène avec la Hyène : elle n'arrête plus de parler. Elle tape un solo de cinq minutes sur le sèche-mains Dyson qu'elle « adore » parce qu'il sèche trop bien les mains, et elle « adore » la sensation de l'air chaud qui comprime ses paumes. Gaëlle a horreur de ce genre de réflexion, c'est comme les gens qui parlent de la température du lait dans leurs céréales en ayant l'impression d'être des hipsters, ça la soûle.

Céleste tarde à prendre les commandes. Gaëlle lui donne cinq minutes. Si elle doit se lever pour quémander son Jack, elle fonde le projet d'être vraiment désagréable. Les gamines, il faut tout leur expliquer, et notamment que si elles sont payées, c'est pour bosser.

Mais Céleste change soudain d'expression. Ses yeux expriment d'abord une sorte de terreur. Aïcha, qui tournait le dos à la porte d'entrée, se retourne pour suivre son regard et elle se tend aussitôt, mais sans passer par la case terreur, direct à la colère noire. C'est un petit mec qui les met toutes les deux dans cet état. Plus quelconque, il faudrait être un verre d'eau tiède pour y arriver. Il est trempé et paraît bêtement content de les voir : il bondit dans leur direction, plein d'enthousiasme. Aïcha le stoppe net dans son élan : « Qu'est-ce que tu fous là, toi ? » sur un ton rogue et menaçant. Anaïs intervient sans hésiter, comme s'il était de son devoir de le protéger :

— Vous vous souvenez de moi ? On s'est croisés au bureau tout à l'heure ?

— Je vous ai suivie. Je n'ai pas osé vous aborder. Je suis le fils de Laurent Dopalet. J'étais écœuré de le voir vous traiter comme ça.

— Vous m'avez suivie depuis le bureau ?

— Il fallait que je vous parle. C'était trop violent d'être témoin de cette scène.

Sans prendre la peine de développer davantage, il pose la main sur l'avant-bras d'Anaïs, lui faisant signe de patienter, et se tourne vers Céleste, qu'il rassure :

— Je ne m'attendais pas à vous trouver ici, soyez tranquille, je ne dirai rien à personne.

Ce à quoi Aïcha répond, sans hésiter :

— Toi je vais te péter ta gueule, de façon préventive, tu verras que t'auras envie de rien dire à personne, après la raclée que je vais te mettre.

A tout hasard, Gaëlle fait le tour du comptoir et appelle la Hyène du téléphone fixe – « T'es partie avec mon briquet. Je suis au Rosa. Il faudrait qu'on se voie tout de suite. » Elle a la sensation que c'est exactement ce genre de scène qui intéressait sa vieille copine, quand elle demandait, l'air de rien, « si elle n'entendait pas des trucs sur Vernon, au Rosa ».

— Il ne fallait pas toucher à ma mère. Même si c'est une pute.

— Vous avez imaginé que vous pouviez la tuer en toute impunité ?

— Non, il ne l'a pas imaginé, il savait qu'il pouvait.

Laurent Dopalet ne comprend pas comment elles ont obtenu le code de l'ascenseur qui monte directement chez lui. Il ne le donne à personne – normalement on sonne et il vérifie par le visiophone avant de laisser entrer. Il se méfie même des coursiers, il préfère descendre que les laisser monter. Elles n'ont pas non plus cherché à savoir s'il était seul dans l'appartement, comme si elles le savaient.

Quand il avait entendu appeler une première fois à la porte, Dopalet qui n'attendait personne avait décidé de ne pas répondre. Mais à la deuxième tentative, il s'était dit j'ai l'air con si c'est le mec d'à côté qui veut me prévenir d'un truc. Alors il avait regardé qui c'était et la petite rouquine mignonne l'avait supplié de la laisser monter parce qu'elle était de la famille des voisins mais s'était enfermée dehors et elle n'avait plus de batterie dans son portable, est-ce qu'elle pouvait appeler de chez lui ? Il s'était dit quelle emmerdeuse mais l'avait crue et laissée monter. Sa première réflexion, en la voyant entrer, était qu'elle était bien roulée, et c'est alors que le mastodonte muslim qui l'accompagnait l'avait poussé sans ménagement, dans son propre appartement.

La situation est tellement violente qu'il ne comprend pas sur quelle planète il a été subitement projeté. Son esprit refuse d'admettre que les deux filles ont refermé la porte derrière elles et empoché la clef. La plus brute, la voilée, le tient par l'arrière du cou, sa force est phénoménale. L'autre le fixe haineusement, se tenant si près de lui qu'il reconnaît son parfum – Chance, de Chanel, celui que porte sa propre fille, depuis qu'elle a vingt ans. Il pense toujours à lui en acheter un flacon dans les duty free des aéroports.

Il a si peur qu'il est paralysé. Il avait ce pressentiment depuis longtemps, et chaque fois qu'il tirait les cartes sur Bleach ça se répétait : l'effondrement. Il est sûr que tout est parti de là. Il savait qu'il devait récupérer ces cassettes. Il en a eu le pressentiment dès qu'il a entendu parler de ce « testament ». Cet imbécile de chanteur, ce nuisible infect, l'aura accusé avant de se foutre en l'air… La fille voilée tire son menton vers l'arrière, elle recommence :

— Et elle est où ta putain d'impunité de gros bourge, maintenant ?

Définitivement, l'option d'un braquage classique, tel qu'il l'avait imaginé quand elles l'avaient projeté en arrière, était à écarter. Il serait déplacé de proposer de l'argent pour qu'elles l'épargnent. On a beau dire « tout le monde est à vendre, il suffit d'y mettre le prix »... Il voit bien qu'il y a une limite à toutes les certitudes. Il est épouvanté, mais son cerveau continue de fonctionner comme si rien d'horrible n'était en train de se dérouler. Une part de lui reste étrangère à la situation. Lui reviennent des images que cette inutile d'Anaïs lui avait montrées, de documentaires sur des filles violentes en banlieue. Elle pensait que ça pourrait l'intéresser. Mais les gamines étaient moches, ça ne l'avait pas excité. C'était une conne, cette assistante. Elle l'avait entortillé. Voilà, il en a chez lui, maintenant, des filles violentes. La musulmane à tête de patate va l'étrangler si elle continue comme ça. Elle le dévisage avec une joie méchante qui ne présage rien de bon et il a beau demander « Mais de quoi me parlez-vous ? » en essayant de se montrer le plus respectueux possible, elle ne répond rien et répète, comme une dangereuse débile :

— Je sais ce que tu as fait.

Voilà. On avance. Dopalet est concentré sur son souffle, il perçoit les mouvements que fait l'autre, à l'arrière, qui tourne dans le salon en admirant les meubles. Il se fait implorant. Il sait que la pitié désarme, autant qu'elle écœure. Il bredouille :

— Mais je ne sais même pas de quoi vous me parlez.

— Je te parle de ma maman. Vodka Satana.

Il a envie de dire « je n'y peux rien, ma pauvre, si ta mère était une pute ». Il comprend bien que ça doit être difficile à vivre. Mais comme on dit : il ne peut pas prendre toute la misère du monde sur ses épaules. Il demande, d'une voix douce :

— Satana était votre maman ?

Si elle décline son identité et vient chez lui à visage découvert, c'est qu'elles ont l'intention de le tuer. Il imagine sa note nécrologique : « sauvagement abattu à son domicile par deux djihadistes » et cette idée est si absurde qu'il sent l'énergie du désespoir lui secouer la carcasse. Il doit sauver sa peau. Rassembler ses esprits. Ne pas se laisser dominer par la peur. Il dit :

— Je ne comprends pas. Je l'ai bien connue. J'ai toujours essayé de l'aider. Nous étions amis. Qu'est-ce que vous me voulez ?

La terreur le rend convaincant. Ce n'est pas difficile d'avoir l'air sincère. Il ne l'a pas tuée. C'est bien plus compliqué que ça. On peut dire que Satana l'avait sacrément fait chier. Il était furieux contre elle. Elle l'avait insulté, menacé. Pourtant, ça s'était bien passé, au début. Elle avait un charme stupéfiant, un corps de rêve et elle adorait faire la fête. Dopalet est dominant et elle appréciait des hommes qu'ils sachent la prendre avec un peu de poigne. Ils sortaient souvent ensemble. Pendant des mois, il l'appelait dès qu'il en avait l'occasion. Il l'avait même emmenée à Cannes, une année. Il était fier d'être vu avec elle, surtout dans des ambiances un peu libertines. Il aimait être ce genre d'homme, qui a pour partenaire ce genre de fille. Et qui peut, s'il le veut, la partager. Elle était toujours partante. Elle aimait le sexe, sans tabou. Mais elle avait pris le mauvais virage de ceux qui ne savent pas gérer leur consommation de drogue. De récréatif, son usage de la défonce était devenu embarrassant. Il avait espacé ses appels. Elle avait été blessée. Elle était sans doute tombée amoureuse de lui. Elle n'avait pas supporté qu'il mette des distances. Elle était devenue ingérable. Elle n'avait plus toute sa tête. Au début, il la dépannait d'un gramme et, pour ne pas être trop mufle, lui faisait trois cochonneries avant de lui demander de partir. Mais elle s'était raconté qu'il l'avait forcée à faire des choses contre sa volonté, qu'elle allait le dénoncer. Il était trop gentleman pour lui dire je me souviens de toi qui vidais les couilles de tout ce qui bandait aux Chandelles, tu y mettais trop d'enthousiasme pour qu'on puisse croire que tu étais forcée. A l'époque, la meuf était insatiable, partout où ça pouvait entrer, elle prenait. Mais une fois que Satana avait pété les plombs, plus rien n'avait pu la convaincre de revenir en arrière. Elle le harcelait. Elle s'était mis en tête de prévenir un ami à elle, dans la presse, et de lui donner la liste des gens avec qui elle avait couché, assortie de détails croustillants. C'était il y a dix ans, des années avant Strauss-Kahn, on était moins sur la défensive, mais quand même. Il avait été forcé de prévenir quelques partenaires libertins de ce qu'elle n'arrêtait pas de dire qu'elle allait parler. Pour certains d'entre eux, un scandale comme celui-ci devait à tout prix être évité. Il était fou de rage. Il lui avait fait confiance, il lui avait présenté des gens importants, elle en avait profité. Et voilà qu'elle se retournait contre eux en inventant des histoires dégueulasses. Elle déconnait, à plein tube.

Elle ne se rendait pas compte de la gravité des menaces qu'elle proférait. Il y a des cas de force majeure : certains parcours, exceptionnels, ne peuvent être interrompus pour de bêtes histoires de fesses. Il l'avait mise en garde. Elle s'entêtait. Elle ne lui laissait aucune marge de manœuvre : il fallait qu'il mette ses amis au courant. Mais, sincèrement, il n'avait pas compris, quand un second couteau avait déclaré « Très bien. Elle ne nous laisse plus le choix ». Il avait pressenti, peut-être, que ça allait trop loin. Il s'était dit qu'ils allaient demander à un Chinois de lui casser une jambe, tant pis, elle danserait moins bien. Mais il fallait bien lui faire entendre raison : elle devait les laisser tranquilles. Quand on lui a demandé de donner rendez-vous à Vodka Satana, il l'a fait, et quand il a vu le sublime play-boy qu'ils avaient dépêché pour lui faire du gringue et l'attirer dans une autre soirée, il avait été rassuré : tu parles d'une punition… Elle a été retrouvée morte, le lendemain. Elle s'était suicidée, ou elle avait overdosé. On ne s'est pas trop posé la question. Rien ne prouvait qu'il ne s'agissait pas d'une mauvaise coïncidence. Il avait revu certains amis concernés, en Normandie, peu de temps après, ils n'avaient pas évoqué son décès. Il n'avait rien à voir avec ça. Pauvre gosse, quand on y pense… était arrivé ce qui devait arriver, de toute façon. Si quelqu'un l'a aidée à trouver une dope frelatée, c'est dégueulasse. Mais elle allait dans le mur, ce n'était qu'une question de calendrier. Il n'a rien fait.

Sa fille est de religion musulmane. Dans d'autres circonstances il trouverait que ça ne manque pas de piquant. Mais pour l'instant elle claque des dents à quelques millimètres de sa bouche en répétant compulsivement « je vais t'arracher la langue » et de toute urgence, il doit trouver comment se faire entendre : il n'y est pour rien.

Quand même, Satana l'aura fait chier jusqu'au bout. Il aurait mieux fait d'aller se faire prescrire du bromure le jour où il a succombé à ses charmes. Parce qu'après qu'elle est morte, il s'est tapé ce connard de Bleach, en prime. Ça a duré des années, son cirque. Dopalet changeait de numéro, de mail, de fax, mais l'autre petit con finissait toujours par trouver comment le contacter. Et ça recommençait. Les mêmes menaces, les mêmes conneries. Il devenait fou, à force.

Des images de Vodka Satana lui reviennent en mémoire, par flash. Il ne l'a pas tuée. Mais ça l'excitait qu'elle s'avilisse. Il est un homme. Est-ce un crime ? Ça lui plaisait qu'elle joue les saintes nitouches effarouchée et de devoir la convaincre de montrer ses seins aux invités à la fin du dîner. Ça faisait partie du jeu, la pousser à faire des choses et sentir qu'elle cédait. Qu'une fille aussi belle qu'elle obéisse à un mec comme lui, ça le faisait se sentir puissant. Il y a une part d'ombre, là-dedans. Comme toujours, avec le sexe. Il articule, sur un ton suppliant :

— Comment pouvez-vous imaginer que je l'ai tuée ? Laissez-moi une chance de vous parler… Nous étions amis, pourquoi je m'en serais pris à elle ? C'est vous qui me persécutez depuis des semaines ? Il y a méprise, je vous assure… je n'y suis pour rien. J'ai adoré votre mère. Je ne comprends pas ce que vous me voulez…

Alex Bleach. Ce connard. Pas assez intègre pour prendre la parole, ni assez intelligent pour tirer parti de ce qu'il croyait savoir. En la jouant fine, le mec aurait pu accepter le premier rôle bien rémunéré d'une comédie romantique, comme on le lui proposait, avec l'actrice de son choix, à poil une scène sur deux. Tout le monde était tombé d'accord là-dessus, dans l'entourage de Dopalet : faire taire un chanteur populaire demande du doigté. Ils étaient prêts à s'arranger, c'était tacite : Dopalet lui avait proposé de se calmer, et le cachet qu'il lui offrait incitait à la réflexion. Mais l'autre petit con n'avait ni jugeote, ni éducation – il l'avait copieusement insulté, en se foutant de sa gueule, en plus. Le producteur avait ricané en l'écoutant délirer sur la taille de sa bite, qui selon les allégations de Vodka Satana aurait été bien en dessous de la moyenne. Si ce négro de merde croyait qu'il l'avait attendu pour savoir qu'il était monté comme un écureuil… Mais, au fond, il n'avait pas apprécié. Il n'avait rien fait de mal, merde, il n'y avait aucune raison pour qu'il se laisse humilier par un trou du cul de son espèce. Et Bleach avait continué de le harceler. On ne se rend pas compte, tant qu'on ne l'a pas vécu, de la torture que c'est. Ne pas pouvoir prendre son téléphone sans se tendre, ouvrir ses mails en craignant de tomber sur une saloperie, toujours jeter un œil angoissé autour de soi en sortant, le matin, parce que parfois ce connard de Bleach l'attendait, bras croisés, devant la porte de son taxi. Ses amis, dès lors qu'ils avaient compris que le chanteur ne les mettait pas en cause et n'en voulait qu'à Dopalet, l'avaient laissé se débrouiller seul. Il s'était vengé. Il avait rencontré la Hyène et elle lui avait coûté un bras, mais sur Google on ne pouvait plus taper le nom du chanteur sans tomber sur une calomnie. Ça lui avait fait un bien fou. Il n'avait pas eu besoin d'en faire plus, Bleach s'était tué. Ce con. Quel kif le jour de l'annonce de sa mort. Quel soulagement. Il n'avait pas pu s'en empêcher : il avait passé deux jours, Kleenex au poing, à en parler à tout le monde. Chaque fois qu'il disait « quelle tristesse », des feux de joie s'allumaient dans sa poitrine. Débarrassé de cette vermine. Enfin libre. Alors, quelques mois plus tard, en trouvant sa façade recouverte d'injures, il avait juste pété les plombs. Ça recommençait.

Il sent que les filles ont une faille. Elles ne peuvent pas être sûres. Elles ne savent rien de ce qui s'est passé. Il est innocent. Pas blanc comme neige, mais innocent de ce qu'elles lui reprochent. Il faut qu'elles s'en rendent compte. La petite voilée le saisit aux aisselles, le force à se lever et l'écrase contre le mur. Il se sent chétif et faible, un poussin entre les pattes d'un ours polaire. Il perd le cours de ses sensations. Il fait un court malaise. Un voile noir recouvre la scène. Elles s'en foutent.

— Je parie que vous n'avez pas souvent pensé à ma mère, depuis que vous l'avez tuée. Mais vous allez penser à elle tous les jours, à partir de maintenant.

— Expliquez-moi au moins qu'est-ce qui a bien pu vous mettre en tête une idée pareille ? Par pitié ! j'aimerais comprendre.

Quel âge pouvait-elle avoir, quand c'est arrivé ? Satana ne lui avait jamais dit qu'elle avait une fille. Ou alors, il n'avait pas fait attention. Elle n'en avait pas la garde, ça c'est sûr. Elle n'avait pas vraiment de maison. C'était une paumée. Une vraie loque, sur la fin. Une belle fille comme ça, si ce n'est pas malheureux… Il joue le tout pour le tout :

— Vous faites fausse route. Elle n'allait pas bien. Mais je n'y étais pour rien. Elle a rencontré ce foutu chanteur, Alex Bleach, et il l'a complètement détruite. J'ai essayé tellement de fois de la convaincre de le quitter. Il la dénigrait, il la frappait, il la droguait, il la traitait comme une moins-que-rien…

Elle a légèrement relâché la pression de son bras, une fraction de seconde. Elle doute. Il insiste :

— Bleach était une ordure. Il me détestait de chercher à éloigner Satana de lui. J'étais le seul à ne pas l'avoir laissée tomber. Elle était sous son emprise. Il l'a détruite. Elle me passait des coups de fil tragiques, il la menaçait d'un couteau et lui cassait des côtes mais elle refusait de porter plainte. Je l'ai hébergée, plusieurs fois, dans la chambre d'ami, mais elle repartait toujours chez lui. Il l'a mise à l'héro. C'est lui qui a préparé la dose fatale. Je suis désolé d'avoir à vous dire tout ça. Allez demander les résultats de l'autopsie. Moi, je l'ai fait. C'est une overdose. Quand elle est morte, entre ses bras, il n'a pas appelé les secours.

Il a paniqué. Il l'a laissée sur place, dans l'hôtel où ils étaient et plusieurs heures se sont écoulées avant qu'un appel anonyme ne prévienne les pompiers. Il ne se l'est jamais pardonné. Est-ce qu'on lui aurait sauvé la vie s'il avait prévenu les secours à temps ? Mais il a préféré penser aux conséquences que ça aurait sur sa carrière…

— Comment vous sauriez ça ? Personne n'a jamais dit qu'elle prenait de l'héroïne…

— Parce qu'il me l'a raconté. J'ai passé des heures à parler avec lui. Au début. Mais on ne parle pas avec les fous. Il m'a mené une vie d'enfer. Il m'a torturé sans relâche, pendant des années.

— Pourquoi c'est tombé sur vous ?

— Parce que j'étais celui qui avait voulu la sauver. Celui qui avait fait ce qu'il avait été incapable de faire.

Il est toujours dans la même position, le bras pris en clef dans le dos, écrasé contre le mur. Mais les filles l'écoutent. Il y a bien quelques petits mensonges dans ce qu'il raconte, faciles à démonter. Mais il leur faudrait un peu de temps pour vérifier. Sur Internet, elles ne trouveront pas de version très différente. Si elles utilisent Google, il est tranquille, elles tomberont sur ce qu'il a répandu, via la Hyène : tentatives de viol, harcèlement, mec violent, misogyne, homophobe, dangereux. Il enfonce le clou :

— La culpabilité le dévorait. Ça s'est retourné contre moi. Je suis devenu sa bête noire.

— Je ne crois pas un mot de ce que vous dites.

— C'est la vérité, pourtant.

— Je vais quand même faire confiance à mon instinct : il me dit que vous êtes un menteur.

Il entend, dans son dos, que l'autre fille ouvre son sac et sort quelque chose. Il est sûr qu'il peut les convaincre de le laisser tranquille. Elles ne font pas plus confiance à Bleach qu'à lui : elles n'ont pas prononcé un mot pour le défendre.

— Je fais un bon bouc émissaire ? Je suis pratique ? Et comme je suis riche, par essence, je ne peux pas être innocent – donc on peut détruire ma vie sans se poser de questions ? On peut entrer chez moi, tout casser, me torturer, m'insulter… Ce n'est pas grave, je suis riche, je paie pour tous les gens qui le sont aussi, nous sommes interchangeables, c'est ça ?

— Non, non. C'est que ma mère est morte. Je choisis de croire que pour elle, ça aurait pu se passer autrement. Que j'aurais pu la connaître.

Elle l'empoigne et l'entraîne vers une chaise de la cuisine, l'oblige à s'asseoir à califourchon, face au dossier. L'autre attend, des cordes dans la main. Elles immobilisent ses mains derrière son dos. Elles ont une poigne ferme, et un sacré sens pratique pour lui entraver les chevilles, les genoux, la taille, et les bras. Il est pris comme dans une camisole. Les doigts de la fille de Satana ruissellent de sang, elle s'est écorchée à force de tirer sur les nœuds, et cette vision la galvanise, elle redouble d'intensité. Il croit lire, dans les yeux de la plus mignonne, un peu de compassion. Il la supplie, avec toute l'intensité dont il est encore capable :

— Vous savez que je suis innocent, n'est-ce pas ?

Et la voilée lui met une chiquenaude sur la tête :

— Tu vas nous casser les couilles combien de temps avec ça ? Ne me dis pas qu'à ton âge tu crois encore qu'il y a une justice, que les coupables payent et les innocents sont graciés… En ce bas monde, ça marche pas comme ça. Tu es attaché, et nous sommes libres de nos mouvements. C'est pas compliqué à comprendre : tu as le dessous.

La plus jolie pose sa main sur l'épaule de sa complice, comme pour l'apaiser :

— Laisse-lui une chance, quand même.

Et se tournant vers lui, elle demande, sur un ton presque aimable, qui déclenche en Dopalet une grande envie de pleurer :

— Parlez-lui de sa mère. Comment vous étiez des copains et tout ça. Racontez. Qu'est-ce que vous faisiez ensemble ?

— Elle aimait beaucoup la musique. Elle avait une culture musicale impressionnante.

— Vous écoutiez des disques, tous les deux ?

— Par exemple.

— C'est sympa. Par exemple elle venait chez vous, là, dans votre salon, et elle passait la soirée à vous impressionner par sa culture musicale ?

— Non, pas chez moi. Je ne reçois personne chez moi. Ici, c'est la famille.

— La famille ?

— Ma femme, ses enfants… je sépare la vie privée de la vie professionnelle.

— Sa mère et vous, c'était professionnel ?

— Non. Mais par exemple on écoutait souvent de la musique dans la voiture.

— Dans la voiture ?

— Oui. Elle chantait à tue-tête, elle dansait, tout le monde nous regardait aux feux rouges, ça l'amusait beaucoup.

— Mais vous alliez où en voiture ?

— Dîner, ou au cinéma, ou en soirée…

La voilée aboie :

— Tu dînais où avec ma mère ?

— Je ne me souviens pas exactement… au Costes, par exemple… ou ailleurs, partout…

— Tu passais la prendre en bas de chez elle ?

— Parfois.

— Elle vivait où ?

— Je ne sais plus.

— Ou peut-être qu'elle venait te voir au bureau et tu la bouillavais et ensuite effectivement elle montait dans ta voiture pour que t'ailles la faire tourner ailleurs.

— Puisque je vous dis que je ne bouillave personne !

— Vous étiez potes. D'accord. Quelle musique elle aimait, ma mère ?

— Le rap.

— Négatif. Elle écoutait que de la musique de Blanc. Tu sais même pas ça. Genre, du rock ou de la techno. T'as aucune idée. Parce que pour faire ce que vous faisiez ensemble, la musique comptait assez peu.

Ça devait être ça, l'Inquisition. Des tortionnaires débiles qui n'écoutaient pas ce qu'on leur répondait.

Dans son dos, il entend que la petite sort encore des choses de son sac. Il ne comprend pas ce qu'elle fait, mais ça lui prend du temps. Il sent la sueur dégouliner contre sa poitrine. Il s'aperçoit qu'il transpire comme au sauna. Puis il sent qu'on découpe sa chemise au couteau, dans son dos. Le contact du métal contre sa peau le plonge dans un état de terreur absolue. Il ne peut pas bouger. Ça ne sert à rien de hurler. Tout est insonorisé. Cela date de l'époque où il aimait faire la fête et en avait marre qu'on l'emmerde avec le tapage nocturne. Il va crever comme ça. Torturé par ces deux petites ordures. Un fait divers. Le traverse l'image de Satana qui avance à quatre pattes avec la petite culotte au milieu des cuisses, le cul bien ouvert, dans le salon d'un ami, ils étaient plusieurs, assis dans des fauteuils en cuir blanc. Tout ça pour ça. C'est absurde. Il s'en est toujours voulu d'être un homme qui ne contrôle pas sa braguette. Il savait que ça le perdrait. Mais comment expliquer à ces deux arriérées que c'était une relation consentie, entre adultes, qu'il y a toujours une part d'irrésolu dans les choses du sexe. Satana savait ça.

Dans l'angle gauche de sa vision, il voit passer la fille plus jolie, elle enfile des gants noirs. Il va s'évanouir. Puis on lui couvre les yeux, il entend un bruit de moteur dans son dos et une panique glacée l'envahit.

Sur son scooter, Loïc écoute le *Modern World* des Jam. La circulation est fluide. Il y a du soleil mais il a gardé ses gants. On annonce de la pluie à partir de midi. Cette année, aux casiers, avant de commencer la journée, les gars ne parlent que de ça. La météo, pour des coursiers, ce n'est pas juste savoir si on met ses petites chaussures neuves ou pas. On dit qu'il faut remonter à 1988 pour retrouver autant de froid et de pluie en été. Il ne se souvient pas de la météo de l'époque. Il avait vingt-quatre ans – le temps qu'il faisait était le cadet de ses soucis. Il vivait à Montpellier. 1988. L'élection de Mitterrand. Il n'était pas allé voter. Il savait déjà qu'on se foutait de sa gueule. Il écoutait les Shériff. « A coups de batte de base-ball. » Il a toujours aimé les crétins. Il a les cervicales bloquées depuis quelques jours. Le médecin dit qu'il n'y a rien à faire, sauf se détendre. Ça ne va pas avec son boulot : coursier, il faut que ça speede. La tension fait partie du boulot, si tu n'es pas sur le qui-vive n'importe quelle caisse peut te renverser, et si tu n'es pas le plus rapide, ton contrat ne sera pas renouvelé. Il est le plus vieux de l'équipe. Il n'est plus le meilleur. Les petits jeunes sont plus doués. Et plus inconscients.

Le feu passe au rouge, en bas de l'avenue Marceau. Les gars de chez Virgin coupent la circulation. Pas longtemps. Ils sont une cinquantaine. Ils ont appelé au rassemblement, Loïc les a entendus à la radio, ce matin. Il n'y a que quelques salariés. Quand il s'est agi de faire la queue devant la porte le jour de la fermeture, là il y avait du monde. Les clients avaient mis leurs montres à l'heure pour ne pas rater la braderie. C'était une vraie scène d'émeute. Mais ce matin, pour défendre l'emploi, ils sont à peine plus nombreux qu'une bande de potes rassemblés pour un enterrement de vie de garçon. Loïc a de la peine pour eux. Les bâtiments sont devenus plus importants que ceux qui travaillent à l'intérieur. C'était un bel immeuble, Virgin, il faut dire. Il a porté le gilet rouge. Il avait fait six mois à l'accueil du magasin. Si les gens avaient quelque chose à demander, c'est à lui qu'ils s'adressaient. Ça va faire drôle, les Champs-Elysées sans Virgin. Ce n'est pas avec ce qu'il gagne qu'il risquait d'aller acheter quoi que ce soit là-bas, mais c'était là, quoi.

De toute façon, il déteste Paris. Il y travaille depuis plus de quinze ans. Il n'a jamais aimé cette putain de ville. Il traverse la place Vendôme sous le soleil, déserte à cette heure-ci, puis remonte les quais de Seine, il dépasse des taxis, croise les ponts, le musée d'Orsay, avec ses bus de touristes garés devant, l'eau de la Seine est très haute, boueuse, presque jaune. Il rejoint les jardineries du quai en quelques minutes. Des chimpanzés en plâtre collés à des alligators en plastique, ensuite viennent les faux palmiers et les nains de jardin.

La différence entre un chagrin d'amitié et un chagrin d'amour, c'est le temps de cicatrisation. Sur le coup, le chagrin d'amour est plus douloureux, une part d'irrationalité entre en jeu, c'est vite obsessionnel, ces conneries-là. Insoutenable. Mais ça passe vite, et ne laisse aucune trace. Une meuf, ça se remplace. Ce n'est pas trop compliqué d'avoir envie de coucher avec une fille. Elles ont toutes plus ou moins quelque chose qui justifie qu'on s'intéresse à leur cas. Si on veut se mettre en couple, l'important c'est d'être réaliste. Une fille mettable, qui fait à bouffer, qui n'a aucune habitude dégoûtante et te supporte tel que tu es, sans chercher à te mettre au pas et te faire aimer les légumes verts, on ne peut pas en demander beaucoup plus à l'amour. A quelques détails près, c'est toujours la même histoire qu'on se raconte. L'important, c'est de ne pas s'acharner à chercher dans la vie de couple des choses qu'on n'y trouvera jamais. Pour être heureux en amour, Loïc a compris depuis longtemps qu'il s'agit avant tout de se contenter de ce qu'on trouve sur la table.

L'amitié, elle, ne supporte aucun arrangement. Elle réclame l'entière sincérité des deux parties. Prendre une bière et faire trois blagues, on est toujours sûr d'y arriver. Mais rencontrer un interlocuteur avec qui on puisse vraiment discuter est quelque chose de rare. Loïc a un chagrin d'amitié. Il se sent trahi. Et seul. Il traverse des moments de colère, de dépit, d'abattement. Mais le plus difficile, c'est le manque. Il regarde la télé, le soir, chez lui, à Garges-lès-Gonesse – à Londres un jeune Black est filmé, les mains pleines de sang, machette à la main, son jean large glisse sur ses hanches, à l'arrière-plan on voit le corps du soldat qu'il vient d'assassiner, et le jeune

Black s'exprime, tranquille, face caméra. Loïc pense spontanément au texto qu'il voudrait envoyer à Noël. Il n'arrive pas encore à prendre en compte leur rupture. Il n'a plus personne avec qui échanger ses impressions. Il a perdu son pote. Ils rigolaient des mêmes choses, ils avaient leur code. Ils citaient Maradona toutes les deux phrases – ils cherchaient ses citations sur Internet en espagnol et faisaient Google traduction et le mec ne les décevait jamais. Ils connaissaient par cœur toutes ses déclarations contre Pelé. Ils regardaient les buts de Ronaldinho. Le coup franc Brésil 2011. Il sait que la ligne de défense va sauter. Il la fait passer en dessous, directe. Sans chercher la lucarne. Droite. Contre-intuitive. Ils pouvaient se le regarder cent fois. Quelle intelligence. Ils n'avaient pas envie d'aimer Messi, mais ils regardaient les buts comparés et c'était l'héritier du chef. La même remontée du milieu du terrain, cinq joueurs dans le vent, et là encore, l'art de mettre la balle là où le goal ne l'attend pas.

Bien sûr il y a Pénélope, le soir, à côté de lui, sur le canapé. Mais c'est une meuf. Donc elle prend tout au premier degré. S'il a le malheur de faire une vanne, elle part en live, obligé. On dirait qu'elle est payée par la police de la bonne morale pour surveiller qu'on ne rigole pas.

Avec Noël, il passait du bon temps. Loïc restait souvent dormir sur son canapé, ça lui évitait le RER le soir et le matin, il gagnait deux heures sur sa journée, ce qui était appréciable. Les chagrins d'amitié sont les plus douloureux. Loïc sait qu'un bon pote, ça n'arrive que quelques fois dans une vie. L'amitié ne se provoque pas. D'habitude, ce sont les filles qui séparent les bons amis. Un mec rencontre une coquine et elle met le zem. En désespoir de cause, le mec préfère demander une pause à son pote. Il dépose les armes. La meuf a gagné. Une amitié s'éteint.

Eux, ironie du sort, c'est un petit bourge qui les a séparés. Loïc n'a rien vu venir. Il n'avait pas imaginé que Noël se laisserait faire. Les bourges, tu cherches tous les exemples que tu veux, il faut toujours qu'ils fassent chier. Il peut casser les couilles à tout le monde avec le lobby juif, le petit Julien – il est peut-être pas circoncis, lui, mais ça l'empêche pas d'être propriétaire d'un bel appartement, et rue de Bretagne, s'il vous plaît. Et ça fraye avec les fils de prolos et ça leur dit comment se tenir. Julien parle des vrais Français, tout le temps, mais ceux d'en bas, il n'en connaît ni les usages ni les quartiers. Ce crétin engraine tout le monde à distribuer des couvertures aux SDF, ça ne risque pas de lui arriver, à lui, de se retrouver dehors. Qu'est-ce qu'il fait chier le monde, ce con ?

Loïc, avec les bourges, ça n'a jamais collé. Même quand il était gosse et qu'il se mélangeait, les parents riches demandaient à leurs enfants de ne plus l'inviter à la maison. Il était bien élevé, pourtant, mais les parents ne l'aimaient pas. Il avait trop l'air d'être ce qu'il était : une salope de pauvre. Sa mère à lui faisait cent trente kilos. On l'insultait, dans la rue, des voitures. Grosse vache. Elle tenait son fils par la main, il était assez grand pour comprendre ce qui se passait, mais trop petit pour courir jusqu'au prochain feu éclater la gueule des connards au volant. Il entend encore le souffle de sa mère, dans les escaliers. Ils habitaient au sixième. Les ascenseurs étaient en panne une semaine par mois. Il avait peur qu'elle crève en montant chez eux. Elle se tournait vers Julien qui restait derrière elle, terrorisé à l'idée de la voir s'effondrer, et enragé de la voir en chier comme ça. Pour lui, c'est ça, le son de sa culture prolo. Sa mère qui s'arrête au troisième et qui ne réussit plus à récupérer. Avec son problème de poids, elle s'estimait heureuse qu'on la laisse bosser. Ça lui bouffait la peau mais elle trimait quand même. Elle était shampouineuse, dans un salon de la galerie commerciale d'un Carrefour. Elle avait déclaré une allergie aux produits. Même avec des gants, ça la démangeait. Ça remontait en plaques rouges et lui dévorait le torse et le cou.

Le petit Julien, il a beau mettre la « volonté du peuple » à toutes les sauces, il ne comprendra jamais de quoi ça parle, savoir quand t'as six ans que ta mère vend sa santé pour ne même pas gagner de quoi te payer un vélo. Julien ne sait pas ce que c'est, mais il ouvre sa gueule quand même. Ils ont les mêmes, à gauche.

Il les a pratiqués aussi, en face. Avec le rock, quand il était minot, il s'est laissé embrigader. Le truc était tenu par des trotskards, des maoïstes, des autonomes, des libertaires. Beaucoup d'entre eux méprisaient la musique mais voyaient là un vivier de jeunes cerveaux à façonner. Lui, il aimait bien les Redskins. Et tous les trucs de raïa, les Béru de *Concerto*, la Souris d'*Une cause à rallier*, les kids united de Sham 69. Au début, il s'est laissé endoctriner. Il a pris des leçons de radicalité avec des mecs qu'il a recroisés cinq ans plus tard, installés dans un appartement payé par leurs parents. Jamais ces mecs ne commençaient leur sermon par « je suis fils de propriétaire et j'ai grandi dans l'opulence ». Ça l'a vacciné. Quand tu me parles, tu me dis d'abord où t'as grandi.

A droite, c'est les mêmes clowns qu'à gauche. Mais on peut leur reconnaître une chose : ils sont plus sincères. Les humains sont des merdes. Tout ce qu'ils aiment, c'est se faire diriger. Punir, récompenser, guider. La nature de l'homme, c'est de tuer son prochain. C'est à ça qu'on reconnaît la supériorité d'une civilisation sur une autre : qui a la plus grosse arme. Si tu mets dans une ville trois familles de religions différentes et que tu laisses faire comme ça vient, tu leur laisses une génération, et ils commencent à s'entre-tuer. Les ego fonctionnent comme des bites : aucune conscience ne peut empêcher que ça se tende. C'est pas la peine de faire comme si on n'était pas une engeance de merde. La seule chose qui peut empêcher que les humains ne s'entre-tuent, c'est de les tenir. Il faut un chef. C'est ce que réclame le peuple. Le chef est celui qui dit : lui, on le tue ; lui, on le récompense. Et alors tout le monde est content. Au final, que le leader se réclame de telle obédience ou d'une autre, on s'en fout. Ce qui fait kiffer le mâle alpha, c'est le pouvoir. Il peut l'appuyer sur le livre de son choix, au final c'est toujours le même bazar.

Il s'en fout. Lui, ce qui l'intéresse, c'est avec qui je traîne, qui m'éclate. Et à partir de là : il est fidèle. Si Noël croyait que l'Oeuvre française, c'était la panacée, ils n'allaient pas passer la nuit à discuter alors qu'ils pouvaient s'éclater à parler de foot. Va pour les Jeunesses nationalistes. Loïc n'adhère à aucun parti, il n'achète aucune idéologie. C'est une question d'âge – un jour Noël se rendra compte que là comme ailleurs on se fout de sa gueule. Il n'y a rien à attendre de gens qui font de la politique. Quand bien même ils seraient des individus corrects, au départ, le parti en fera des connards. Tu finis par choper une ivresse de la discipline : une fois que tu es prêt à trahir tes convictions, tu es bon pour trahir tes potes. Et alors t'es un mec fini. Ça le fait chier que Noël se soit laissé engrainer.

Droite, gauche, il s'en fout. C'est la même merde. Hors de question de se laisser couper les couilles en jurant allégeance aux uns, ou aux autres. Avec Facebook la surveillance a monté d'un cran – j'ai vu que t'avais liké Untel, pourquoi t'as relayé le texte de Machin. Il fait ce qu'il veut. Personne ne lui paye son loyer, alors personne n'a d'autorité sur lui. Ça ne l'ennuie pas de s'embrouiller avec des cons. Au contraire, c'est toujours un plaisir. A gauche, ils ont tous le mot « dérapage » à la bouche. Lui ne dérape pas : quand il fait un pas de côté, c'est parce qu'il a l'intention de chier dans les plates-bandes. Pareil en face, avec leurs tapineries de « moi je suis politiquement incorrect ». Un troupeau d'ânes. Tout ce qu'ils cherchent, c'est l'assentiment du plus fort. Le mantra national, d'un côté comme de l'autre, c'est « je ne veux surtout pas d'emmerdes ». Lui il les cherche. Depuis toujours.

Mais il faut bien avouer que Loïc déteste encore plus les connards de gauche. Ils se sont servis des gens comme lui, ils ont grimpé sur leurs dos pour se hisser au pouvoir, et une fois tout en haut, ils leur ont pissé à la gueule en leur demandant de dire merci. Quand ils embauchent, les chefs de gauche te font signer les mêmes contrats, trimer dans les mêmes conditions, mais en prime ils te demandent de les admirer et s'offusquent si tu leur parles d'heures sup. Quand il y a un bon poste à pourvoir, ils font comme les autres : ils placent leur gosse, leur maîtresse ou leur neveu. Ils t'emploient au SMIC et ils te pressent comme un citron, mais le matin il faudrait que tu sois content parce qu'ils t'appellent par ton prénom. Il s'en fout qu'on lui dise bonjour correctement, lui il vient pour la fiche de paie. Si le chiffre en bas de la tienne est dix fois supérieur au mien, tu peux te la garder, ton amabilité.

Ils l'ont dégoûté, à gauche. Tous ces médaillés d'or de la rébellion. Champions autoproclamés de la vérité. Aucune victoire à leur actif. C'est pas grave : ils n'en sont que plus légitimes. Sa mère a voté communiste toute sa vie. Il a entendu parler de « l'ouvrier et son usine ». Sur tous les tons. Comme si c'était un couple qui vaille la peine qu'on se batte pour lui. C'est comme « la coiffeuse et son eczéma ». Elle votait. Maintenant, elle non plus n'y va plus. Elle a compris.

Noël, c'est une autre génération. Il n'a pas connu la gauche triomphante. Il se fait avoir par d'autres conneries. Il n'y a pas de miracle : c'est les mêmes baltringues qu'il y a vingt ans, on n'a pas renouvelé le stock. Simplement, la gamelle change de main, les clébards s'orientent à l'odeur de la bouffe. Noël s'en rendra compte, à son rythme. Même l'appartement de son pote lui manque. Ils regardaient des films avec des dinosaures. Noël aimait ça. S'ils tombaient sur un documentaire avec un diplodocus quelque part, c'était impossible de le faire zapper. Ces derniers temps, Loïc débarquait chez lui avec deux pots de Ben & Jerry's Peanut Butter Cup. Ça coûte une blinde, ces conneries-là. Ils s'en prenaient un chacun sur les genoux et on ne les entendait plus jusqu'à ce que la petite cuillère racle le fond du pot. Avant ça, ils avaient eu leur phase cappuccino. Ils mettaient tellement de poudre dans la tasse que la petite cuillère tenait toute seule.

Honnêtement, ça fait un moment que son humour mettait Noël mal à l'aise. Loïc s'en rendait compte. Julien, en bon manipulateur, a foutu la merde entre eux. Il a convaincu Noël que Loïc était jaloux de leur amitié. Il les a séparés, comme une meuf l'aurait fait. Depuis quelques semaines, ça couvait. Il y avait des sous-entendus, des gênes. Des trucs qui n'existaient pas entre eux, avant.

C'est parti sur une connerie. Loïc aurait pu fermer sa gueule. Ils regardaient sur Internet les images de dix pingouins qui faisaient le salut nazi, sur le quai d'une gare, pour bloquer Caroline Fourest. Julien était obsédé par cette gouine. Et Loïc l'avait vanné. Il n'avait pas pu s'empêcher. Ça commençait à le courir, cette fixation sur le IIIe Reich. Il n'est pas antinazi primaire, mais il avait envie d'en découdre. « Ça me fait rigoler, des petits Français qui font le salut nazi. Quand t'aimes ton pays, qu'est-ce que tu fais ? Tu copies l'envahisseur ? Beau souvenir, pour la France – les Allemands sur les Champs-Elysées. Je dis pas que les Américains nous ont beaucoup plus respectés, mais faut arrêter de croire que les Boches nous avaient à la bonne. Je suis Français. J'aime pas le salut nazi. J'aime pas l'Allemagne. Je ne flatte pas l'ennemi sous prétexte que j'ai perdu la guerre. »

C'était un prétexte, une coquetterie de joute verbale. Il en avait marre, aussi, de leurs conneries. Ces débiles ultranationalistes, pour la plupart d'entre eux infoutus d'écrire trois lignes de commentaire Internet sans faire quarante fautes d'orthographe. T'aimes ton pays, t'apprends sa langue, ou alors tu fais profil bas. Il aurait dû se taire. Mais il avait envie de se la prendre, de face, depuis trop longtemps, cette petite fiotte de Julien, avec ses airs de curé de village. Monsieur plus. Plus malin, plus éclairé, plus provocateur. Loïc avait envie de montrer à Noël qu'il n'avait pas peur. Il a toujours été comme ça. Il abhorre l'arrogance des petits chefs. Il aime penser le contraire de ce qu'on exige de lui. Mettre la balle là où le goal ne l'attend pas. C'est son geste.

Ce qu'il n'avait pas anticipé, c'est que Noël allait se lever, lentement, les lèvres serrées de rage, et lui montrer la porte de l'index. Il avait juste dit « dégage ». Il n'avait pas trop bu, il n'était pas hors de lui. C'était une amitié de cinq ans. Loïc avait encaissé le choc avec dignité. Il avait fait une belle sortie. Dans le silence général. Il s'était calé sur la gueule un petit rictus amusé, genre j'en ai tellement rien à foutre et vous êtes tellement tous des cons. Mais une fois dehors, il avait dû se tenir aux murs tellement le coup était violent. Devant tout le monde, Noël l'avait humilié. Puis il s'était remis. Il s'était dit que le regret serait partagé, et qu'au prochain match du PSG ils s'enverraient, comme si de rien n'était, quelques textos de commentaires acerbes. C'est un autre avantage de l'amitié sur le couple – pas de discussions psychologisantes, pas de mises au point. L'amitié supporte aussi les périodes d'éloignement, de silence, sans se rompre.

Mais Noël l'avait supprimé de ses amis Facebook et Instagram, bloqué sur Twitter, le tout sans un mot d'explication. Ça allait jusque-là. C'était sérieux. Et il n'y avait pas eu de retour en arrière possible. Au bout de quelques semaines, il s'était dit foutu pour foutu, je vais leur montrer de quel bois je me chauffe. Il les avait pourris, sur Internet, partout où il pouvait. Il n'avait pas changé son pseudo. La guerre ouverte. Il connaît Julien. C'est un leader en plastique. Il ne supporte pas le clash. Mais cette vengeance est une faible consolation comparée à la tristesse qui l'accable. L'amitié de Noël lui manque, constamment.

Il y a Xavier… Loïc s'estime heureux de l'avoir rencontré. Le mec est fiable. Ça lui fait quelqu'un avec qui parler. Quand Loïc avait appris, quelques jours après l'avoir mis K.O., l'identité de sa victime, ça l'avait travaillé. Xavier Fardin avait écrit, dans les années 80, le scénario d'un petit chef-d'œuvre, *Ma seule étoile*, un des rares films français que Loïc qualifie de « culte ». Ça tombait mal… Mais le plus troublant avait été d'apprendre que le clodo à cause de qui tout avait commencé était Vernon Subutex, le disquaire de Revolver. Loïc ne l'avait pas reconnu. Sinon il aurait dit aux autres on va zoner ailleurs, lui on le laisse tranquille. Il se souvenait bien du magasin. Quand il était arrivé à Paris, au début des années 90, il y allait souvent. Il y avait croisé Rico Maldoror, Patrick Eudeline, Géant Vert, Roland et Schultz Parabellum, Alain Picon, Thaï Luc, François Molodoï et tant d'autres… Subutex était un gars réglo. Ouvert d'esprit. Les filles l'aimaient bien, il y en avait dans sa boutique. Il a même vu Laurence Romance, là-bas. Loïc se souvient aussi d'une petite mod, Cécile, carré court, trench kaki, qui revendait des amphétamines qu'elle volait au boulot. Elle préparait les commandes pour les pharmacies. Il avait passé une nuit avec elle, à marcher dans Paris, cette nuit-là un brouillard épais empêchait de voir à deux mètres. La fille se tapait des délires – imagine qu'on est à Londres en 1965, le brouillard dure depuis une semaine entière, et nous on s'apprête à aller voir les Byrds et le Spencer Davis Group au 100 Club… On faisait de bonnes rencontres, à Revolver. Mais à l'époque, Loïc avait pris le virage hip hop, comme beaucoup de gars de banlieue qui avaient commencé par le rock. Il était plutôt Fnac Montparnasse.

Un soir, Loïc avait décidé d'assumer. Tant pis pour les conséquences. Il était un hooligan, un mauvais garçon, mais il n'était ni un salaud ni un traître. Il avait retrouvé Xavier, sur Facebook, et lui avait envoyé un mot. Comme toujours sur Internet : avec son vrai blaze. Il n'y a que les bourreaux et les donneuses qui ont besoin de cacher leur identité. Il avait écrit à Xavier – c'est moi qui t'ai mis dans le coma, je ne savais pas qui tu étais, ça me fait chier d'avoir fait ça. Ses excuses, comme un vrai bonhomme. Il était bourré quand il avait écrit ça. A jeun il n'aurait pas fait une connerie pareille – imagine que le mec soit une brêle et qu'il aille au commissariat, la merde dans laquelle il se mettait… C'est quand même un mec du ciné, Xavier. Il demandait aussi si on savait ce qu'était devenu Vernon Subutex. Il ne voulait pas le laisser dehors. Evidemment, le ramener à Garches chez Pénélope n'était pas la chose la plus facile à envisager. Comme la plupart des meufs, elle est pointilleuse sur la sauvegarde de son confort bourgeois. Pénélope aime que tout soit rangé, ses produits de beauté, ses casseroles et ses magazines. Elle a ses habitudes, elle n'aime pas qu'on la bouscule, et elle ne croit pas en l'amitié. La convaincre d'installer un inconnu dans le canapé n'aurait pas été une mince affaire. Mais ça l'accablait trop d'imaginer que Subutex avait été lâché par tout le monde. Quelle ville de merde, Paris. C'est pas en province qu'on laisserait faire une chose pareille.

Xavier avait attendu deux jours pour lui répondre. « Prends tes excuses et enfonce-les dans ton cul. Tu crois que je vais discuter avec un mec qui traîne en bande pour défoncer des SDF ? » C'était un beau premier message, incisif et concis. Mais une heure plus tard, il n'avait pu s'empêcher de gâcher son effet en rajoutant : « On se recroisera. T'en fais pas. » Loïc avait envie de lui répondre : cocotte, je t'ai mis au tapis une fois, je te mettrai au tapis deux fois. Mais il n'avait pas envoyé ses excuses pour chercher la bagarre tout de suite après.

Ce qu'il appréciait, c'était que les deux réponses soient courtes. Sur Internet, au-delà de trois lignes, t'encules les mouches. C'est ce qu'il y a de bien avec Twitter. Il avait laissé macérer, et puis il avait envoyé un mot : « Reçu. Mérité. Mais si on se croise, je te paye une bière. » Xavier avait attendu toute une semaine avant d'accepter. « OK. J'astique ma batte de base-ball. »

Ils s'étaient retrouvés devant le Mistral, place du Châtelet. Loïc ne savait pas à quoi s'attendre. Ils auraient pu commencer par se la donner sur les berges, un peu plus loin, loyalement. Mais ils étaient trop vieux pour ça. Xavier avait baragouiné trois conneries, il avait botté en touche et ils s'étaient mis au comptoir. Loïc avait bien tenté un petit « la pelota no se mancha » mais l'autre n'avait pas relevé. Il s'était expliqué : les délires de Julien sur prendre le pouvoir en attaquant le pays par le trou de son cul : les plus pauvres. Comment il entraînait les autres. Et comment il s'était retrouvé, avec les potes, à s'embrouiller avec une folle qui dort dehors. Xavier avait rigolé, « avec Olga, vous étiez mal tombés, faut dire. La meuf n'a peur de rien, je te jure ». A la troisième bière, la glace était rompue. Xavier lui racontait comment écrire un deuxième film avait été impossible. Trop burné pour le cinéma français. Loïc souriait – il disait tu m'apprends rien, gars, dès qu'il y a une Renault dans un film, on sait déjà qu'on va se faire chier. Ils se comprenaient, sur certains points, sans avoir besoin de trop déballer. Des danseurs gitans qui venaient de donner une représentation au Théâtre de la Ville étaient arrivés pour manger quelque chose au bar. Ils ont dansé le flamenco avec les serveurs rebeus, derrière son comptoir le patron français avait souri pour la première fois de la soirée et l'ambiance était partie en live. Bon enfant, mais électrique. Loïc s'était rendu compte qu'il était soulagé de traîner avec quelqu'un qui supporte de voir deux bougnoules et trois Roms s'éclater dans un bar sans remonter direct à Saint Louis. Xavier n'avait rien à prouver. Ils étaient pareils, là-dessus : s'ils avaient envie de dire quelque chose sur les juifs ou les bougnoules, ils ne se gênaient pas pour le faire. Mais ce n'était pas une obligation : on pouvait, aussi, parler un peu d'autre chose. Et ça faisait du bien. Ils avaient fini à quatre heures du matin, accoudés au sphinx de la fontaine, à la 8.6. Ils savaient que la gueule de bois serait rude, mais ils étaient partis dans une discussion intense dont ils garderaient peu de souvenirs nets, le lendemain, sinon une vague et persistante sensation d'avoir été d'accord, d'avoir été compris. Loïc avait tout déballé sur la trahison de Noël. Xavier lui avait parlé de son coma.

« J'ai failli clamser. Quand je suis revenu à moi, j'ai réalisé que si on m'annonce que j'en ai pour six jours, je ne sais pas ce que je veux faire. Je veux être avec ma fille, d'accord. Mais qu'est-ce que je veux faire avec elle ? Qu'est-ce qui est important ? Je n'en ai pas la moindre idée. Ça m'a déstabilisé. C'est essentiel de comprendre ça, non ? »

Depuis, les jours où Loïc finit assez tôt, il monte au parc prendre une bière avec Xavier. Il traîne toujours là-haut. Il ne s'est pas remis du coup que lui a mis Loïc. Il ne se plaint pas. Mais il a un petit pète au casque. Il s'accroche à Vernon Subutex. C'est bizarre de les voir, tous ensemble. Flower Power à plein régime. Ils écoutent de la musique zarma avec des casques hors de prix, des fois Loïc arrive, il a l'impression que c'est un gag. Ça le met mal à l'aise. En général, avec Xavier, ils vont se prendre un demi au bar de la place de la mairie. Quand il lui demande ce qu'il fout avec ces putains de babas cool, Xavier hausse les épaules. « J'étais au fond du trou. On répète tous "je m'en fous du jugement des autres" mais il est intégré, le jugement, ce qui est difficile, c'est de le décoller dans ta propre poitrine. Et de voir Vernon réussir à le faire, ça m'a affranchi. J'ai arrêté de me raconter des histoires où je devais être un héros. J'ai abandonné l'idée de la victoire. Ça ne me torture plus. J'ai vraiment changé, je crois. » Du coup, Loïc lui parle d'autre chose. Ils ont découvert qu'ils aimaient tous les deux Vince Taylor. Ça ne vaut pas Maradona, mais ça ouvre quelques perspectives.

Fin de la journée, il prend son planning de la semaine et va directement chez Xavier, qui lui a proposé de passer la soirée chez lui, profitant de ce que sa meuf s'est absentée. Loïc ne la connaît pas, la Marie-Ange, mais de ce qu'il en entend, elle paraît particulièrement chiante. Il ne supporterait pas une meuf comme ça.

Pénélope est une bonne petite. Il n'a pas à se plaindre. Mais ce n'est pas une beauté. Tu ne sors pas avec elle en bombant le torse. Elle ne fait pas beaucoup d'efforts pour lui plaire. Elle ne lui fait pas honte, non plus. Mais ce n'est pas la meuf soignée, qui se met du rouge à ongles, se pomponne et passe des journées entières chez Zara à chercher des petits accessoires qui vont bien, ou à faire des trucs avec ses cheveux pour dire qu'elle est très féminine. Elle n'est pas girly, elle s'en fout. C'est de la zouze de banlieue, elle est capable de se saper comme un mec et ne pas comprendre que ça le mette en rogne. Elle est mince, c'est déjà ça. Et ne dit jamais de conneries en public, ne raconte pas sa life à n'importe qui et a un humour potable. Elle aime bien qu'il reste sur Paris, certains soirs. Quand elle a l'appartement pour elle toute seule, elle organise des soirées pyjama avec ses copines.

Dans la cuisine, flanqué de son chien ridicule, Xavier essaye de mettre en marche sa nouvelle machine à café, qu'il ne maîtrise pas bien, il dit :

— L'ancienne était parfaite. Elle avait huit ans, elle marchait impeccable. C'est moi qui la nettoyais, calcaire, tout, je la bichonnais. Elle a juste eu un court-circuit au niveau du bouton de démarrage, donc on la laissait tout le temps allumée et ça allait bien. Et puis, il y a eu une coupure de courant, j'ai un peu forcé pour la remettre en marche, j'ai enfoncé le bouton, il est

327

resté coincé. Impossible de la réparer. Tu le crois, ça ? J'ai fait le tour des petits réparateurs, autour de chez nous : 50 euros, minimum. Neuve, elle coûte 70. La mère de Marie-Ange nous en a racheté une, direct. Ça m'angoisse, de jeter les choses qui pourraient marcher. Ça rend fou. On ne peut pas vivre dans un monde où les objets sont conçus pour être remplacés le plus vite possible.

— Faut boire du café soluble. Résiste.

— Ça te fait chier si on va au Rosa, plus tard ? Subutex passe de la musique. Pamela Kant sera là.

— J'allais te dire franchement, oui, ça m'ennuie mais si Pamela Kant y est, habille-toi et on bouge.

Jusque-là, il n'a pas eu de chance : elle n'était jamais là quand il passait au parc. Comment ça le gave de ne pas pouvoir envoyer un texto à Noël pour lui dire qu'il va prendre un verre avec elle. C'est une de leurs grandes égéries. A cause de la longueur des jambes, et de sa façon de vraiment faire semblant qu'elle aime ça. Oh putain, Noël serait comme un dingue, s'il savait…

Xavier rigole :

— Je savais que l'argument serait décisif. Mais je te le répète : hors plateau, c'est tout sauf une chienne.

— On ne sait jamais. Imagine, un coup de folie et c'est le jour où elle décide de faire des petites pipes à tout le monde.

Au loin résonnent les youyous et les klaxons d'un mariage à la mairie. Pour accéder aux voies, il faut dévaler la pente la plus abrupte, en se retenant aux blocs de pierre qui la parsèment. La pelouse est pelée, c'est le coin du parc le moins fréquenté. Quelqu'un a tagué son nom à la bombe sur l'écorce d'un tronc d'arbre. Arrivée en bas, la Hyène longe les planches, matelas, grillages, chaises et jouets désossés. Elle trouve Vernon vautré sur un clic-clac bordeaux enfoncé dans les gravats. En la voyant s'approcher, il désigne du menton un petit rongeur blanc, qui ressemble à un rat mais doté d'une queue d'écureuil aussi blanche que le reste de son corps.

— Tu crois que c'est quoi, ce truc ?

— Ça a l'air d'être deux animaux qui n'étaient pas faits pour se rencontrer mais qui ont fait des trucs ensemble.

— Il est bizarre. Il est là depuis ce matin.

Vernon essaie de raccorder une batterie de voiture à un ampli qu'il a récupéré sur un trottoir. Il sourit benoîtement. Il court-circuite toujours autant. On dirait qu'il fait des crises d'épilepsie, qui le déconnecteraient avec douceur, au ralenti. A sa façon, il perd connaissance mais au lieu de convulser et de souffrir, il est radieux.

Puis il revient à lui, et il ne paraît pas inquiet. Ses fringues sont crades, mais son odeur reste agréable. Il porte une barbe de trois jours qui fait ressortir le gris de ses yeux. Le mec est habité, il attire la compagnie, comme un aimant. Il dit :

— Il s'est passé quelque chose, hier soir ?

— Tu es au courant ?

— Charles m'a dit qu'il avait vu des gens courir. Aïcha, Céleste, et d'autres qu'on ne connaît pas… et Olga t'a vue passer, mais tu n'es pas venue nous voir… Tout va bien ?

— Tu fais DJ, ce soir, au Rosa ?

— Oui.

— Ce sera sans doute la dernière fois qu'on se voit là-bas. Il y a eu du grabuge…

— On ne peut pas empêcher les gens de faire ce qu'ils ont à faire.

— On dirait que c'est la fin des vacances… Si les gens arrêtaient de venir au parc, tu ferais quoi ?

— Je verrais. J'ai du mal à anticiper.

— J'ai remarqué. Tu veux qu'on te case chez quelqu'un qui s'occuperait bien de toi ?

— Je ne veux surtout pas qu'on me case. Tu veux me parler de ce que vous me cachez depuis des semaines ?

— On ne cachait rien. On restait discrètes.

Pamela et Daniel avaient eu l'idée. Ça leur venait des Boliviennes, qui étaient restées dix jours à Paris. Ils avaient rassemblé cinq filles, qui avaient toutes connu Satana, et avaient demandé à Aïcha si elle voulait faire partie du truc. La gamine avait menacé de tout plaquer en comprenant qu'elle était entourée de putes mais de savoir qu'elles étaient toutes prêtes à se mettre en danger pour venger sa mère l'avait incitée à plus de pragmatisme. Elle s'était résignée. La Hyène était devenue leur conseillère en clandestinité. Elles excellaient à respecter les consignes. Elles retenaient les trajectoires au mètre près, pour éviter les caméras, elles changeaient de vêtements au signal, enfilaient leurs cagoules comme si elles avaient répété ces gestes toute leur vie. La Hyène leur avait conseillé de s'entraîner à courir, pour se disperser rapidement, et elles étaient au parc, tous les matins, depuis. Elles se faisaient coacher par une petite meuf qu'elles avaient dégotée vers Stalingrad, au corps recouvert de tatouages bouddhistes mais plutôt douée pour les arts martiaux, et très portée sur les pompes. L'équipe était géniale à manager. La Hyène ne s'était jamais sentie l'âme d'une chef d'équipe, mais ça valait le coup de s'adapter : pas une bavure, pas un mot sur les faits dans la journée, pas une question qui casse les couilles, et, plus rare encore, pas un ego qui gonfle et déséquilibre le groupe. Que des belles meufs qui veulent de l'action. Elle avait pris son rôle au sérieux. Elle avait vu Aïcha s'accrocher à l'adrénaline. Ça ne l'étonnait pas qu'elle ait eu besoin d'en faire plus. Elle aurait pu prévoir la suite.

Après qu'Anaïs était venue lui dire qu'elle était virée, la Hyène avait filé direct voir Dopalet, pour vérifier qu'il n'avait rien appris de nouveau. Elle avait toute sa confiance. Il l'avait reçue avec son empressement coutumier. Il ne savait rien. Quand elle l'avait laissé, elle était rassurée : il ne faisait toujours aucun lien entre elle et Anaïs, et n'avait aucun soupçon concernant la Hyène. C'est alors que Gaëlle lui avait passé ce coup de fil, depuis le Rosa Bonheur, et la Hyène avait compris qu'elle avait manqué de réflexe : elle n'aurait pas dû laisser Anaïs seule avec une emmerdeuse comme Gaëlle.

D'après ce qu'elle avait reconstitué, Antoine avait fait son entrée au Rosa, avait insisté pour parler en tête à tête avec Aïcha et Anaïs était sortie fumer une clope en l'attendant. Elle regardait le lac, d'en haut, et avait vu, au loin, deux silhouettes s'affronter. Antoine parlait en écartant les bras, il expliquait quelque chose avec véhémence et Aïcha l'avait subitement empoigné par le cou. Il se débattait comme un pauvre diable et Anaïs s'était mise à courir en hurlant aux passants qu'elle avait besoin d'aide, mais personne n'avait répondu. Le temps qu'elle parvienne sur le pont, Aïcha cherchait à faire basculer Antoine dans le vide, il se cramponnait aux barres en métal. Céleste tentait de le secourir, mais neutraliser la petite brute n'était pas une mince affaire. Anaïs s'était lancée dans la mêlée, un désordre grotesque de tee-shirt arraché et de coups maladroits. Finalement, elle avait mordu l'épaule d'Aïcha, et enfoncé ses dents jusqu'à entendre un cri de douleur. Antoine avait enfin pu se dégager de l'étreinte, il était au milieu du pont, il hurlait :

— Vous auriez pu me tuer ! Puisque je vous dis que je ne veux absolument pas vous nuire…

— Mais dégage ! Je ne veux pas de toi de mon côté. Je veux que tu crèves, je ne veux pas que tu me soutiennes. Ça fait une heure qu'il m'emmerde avec ça, ce con. Je vais le tuer.

Céleste avait explosé :

— Tu le balances du haut de la passerelle, et ensuite quoi ? T'as avancé de combien de cases une fois que t'as fait ta connerie ?

— C'est tout ce que Dopalet mérite. Voir la gueule de son fils fracassée au sol.

— Tu crois qu'il souffrirait parce que son fils est mort ? Tu rêves. Il mettrait un beau costume, il pleurerait pour les photos, il en profiterait pour faire sa victime et c'est tout. Réfléchis, un peu.

Anaïs avait réussi à entraîner Aïcha à l'écart. La gamine était encore tétanisée de rage. Resté sur le pont, Antoine parlait avec animation à Céleste, et il avait fallu leur faire signe pour que la tatouée s'occupe de sa copine. « Il faut que tu l'emmènes d'urgence à l'hôpital. Elle doit voir un médecin. Il ne faut pas la laisser repartir comme ça » et la jolie brune avait promis. Anaïs était partie avec le fils Dopalet. Il se remettait plutôt bien de ce qui venait de lui arriver. Il est plus coriace qu'il n'en a l'air, le petit. Il ne voulait pas porter plainte. Il voulait boire une bière.

La Hyène les avait vus entrer dans le Rosa Bonheur. Elle avait attendu qu'Antoine aille aux toilettes pour faire signe à Anaïs. Elle l'avait entraînée dehors et lui avait demandé ce qui venait de se passer, puis elle avait juste dit – « on ne se verra pas pendant un moment. »

Elle avait à peine prononcé ces mots que l'autre lui avait tourné le dos. La Hyène avait pensé – dans quelques mois, peut-être. Mais la situation était en train de se compliquer, et le mieux pour Anaïs était encore de passer à autre chose. Et elle était repartie chez Dopalet. Il ne répondait pas à ses textos. Ça ne lui ressemblait pas. Devant sa porte, elle n'avait pas le code pour prendre le deuxième ascenseur. On lui avait toujours ouvert de l'intérieur. Elle avait marché un moment avant de trouver une cabine téléphonique. Elle voulait joindre Aïcha. Elle ne croyait pas une seconde que Céleste l'ait accompagnée voir un médecin pour la calmer. Ce n'était pas le genre des deux pimprenelles. Mais elle ne s'attendait pas à ce que les petites soient allées, direct, chez le producteur. Elle avait laissé sonner trois fois, puis raccroché, puis recommencé, et encore une fois. Aïcha avait répondu. Au ton, immédiatement, la Hyène avait deviné. « T'es chez lui ? » Derrière, le bruit d'un moteur léger. Est-ce que cette conne était en train de le tondre ? « Je suis en bas. Je monte. Je ne veux pas sonner. Reste à côté du visiophone. Tu peux ? Tu ne dis pas un mot quand j'entre. » Aïcha au bout du fil était étrangement calme, presque comme quelqu'un qui s'ennuie.

Elle l'avait fait monter. Derrière elle, dans la cuisine, ligoté face au dossier d'une chaise, Dopalet avait le dos en sang. Il avait les yeux bandés. Elle avait d'abord pensé qu'elles l'avaient fouetté. Puis elle avait compris. L'autre zouave était en train de le tatouer. Les connes. Elle avait failli éclater de rire. « VIOLEUR. » Céleste s'appliquait pour le deuxième mot, « ASSASSIN », il lui restait quatre lettres à faire. La Hyène avait entraîné Aïcha dans une chambre et lui avait indiqué, à voix basse, « Je vais redescendre. Je ne veux pas qu'il sache que je suis là. Je vais sonner, vous allez paniquer et partir en courant. Je vous retrouve en bas. » Et Aïcha avait l'air d'accord sur le fond, mais pas sur le timing : « Laisse-nous bien trente minutes, il faut que Céleste lui tatoue "tu vas payer" sur les reins. » Elles s'étaient regardées, en silence, et la petite avait négocié « Laisse-lui dix minutes, qu'elle puisse terminer "ASSASSIN" ».

Les deux gamines l'avaient rejointe, à mériter des baffes ou toute sa considération tant elles semblaient contentes et détendues.

— Antoine nous a donné tous les codes, et on est venues tout de suite. Il fallait que je fasse quelque chose.

— Mon père est flic. Je sais que c'est grave, ce qu'on a fait.

La Hyène avait senti dans sa poitrine une légère déflagration, qui lui était familière : le déclic discret, comme un fil sur lequel on tirerait, et à partir duquel tout va se débiner. Elle était désolée pour les deux gamines, trop jeunes pour se rendre compte qu'elles venaient de changer le cours de leurs vies, et de tous ceux qui les entouraient. Ou, plus exactement : trop inexpérimentées pour savoir qu'elles le regretteraient.

Elle ne savait pas encore comment il s'y prendrait, mais elle était sûre que Dopalet ne se laisserait pas agresser sans se venger. Et de toutes les ressources dont il disposait, l'arsenal judiciaire n'était pas le plus inquiétant. Aïcha avait dit :

— Ne faites pas comme si c'était de ma faute. Je me trouve modérée dans mes réactions.

— Mesdemoiselles, vous allez préparer votre sac tout de suite, on vous met au vert dans la nuit…

— Antoine ne dira rien.

— Et alors ? Tu crois que Dopalet va te laisser tranquille ? On se retrouve à Nation dans deux heures.

Puis le producteur l'avait appelée à l'aide. Il était au bord de l'évanouissement. Elle l'avait aidé à se désinfecter. Il s'accrochait à elle. Il était désorienté. La Hyène l'avait défoncé au Lexomil : comme de juste pour un mec qui prend beaucoup de coke, son armoire à pharmacie en était pleine. Elle avait le temps de faire sortir les deux petites du territoire. Ensuite il lui restait quelques jours, facile une semaine, avant qu'il ne se rende compte qu'elle l'avait doublé. Elle ne s'était pas assez couverte pour qu'il ne l'apprenne pas. Le fils ne parlerait pas tout de suite. Anaïs n'irait pas le voir. Elle énumérait tous les paramètres, tandis qu'elle appliquait sur le tatouage en sang un film transparent, pour éviter l'infection, en lui prodiguant des mots de réconfort et des promesses de vengeance.

Les gamines sont parties comme prévu, dans la nuit. Aucune des deux n'avait pleuré. Elles étaient

dures et résolues. Sélim, c'était plus difficile pour lui.
Il avait dévisagé sa fille, sans rien dire. Il essayait de
comprendre comment ça avait pu arriver. Il pensait
que ça aurait pu être pire. Ça ne le consolait pas beaucoup.

Elle raconte tout ça à Vernon, tandis qu'ils rejoignent
les autres, du côté du ruisseau. C'est un jour sans pluie,
un jour de vrai soleil. Sur la pelouse, Daniel joue au
foot avec Joyeux le caniche. Une fille lui crie « gainée, la cuisse, gainée, et tu frappes avec la hanche, pas
le genou » puis elle hoche la tête, dépitée, « mais t'as
jamais joué au foot quand t'étais petit ? » Olga propose
des chips au vinaigre à Sylvie, qui refuse. « Les Sex
Pistols, c'est un groupe féministe. Ecoute les paroles
de *Bodies*. » Xavier est sûr de son coup. Laurent est
allongé dans l'herbe, sur le dos, il écoute les ondes
alpha d'Alex, au casque. La quête du son parfait est
devenue l'obsession de Sylvie. Elle ramène un modèle
différent tous les cinq jours. Plus léger, plus puissant,
plus précis dans les infrabasses. Charles la regarde faire
son cirque, goguenard mais hautement séduit. Patrice
s'est installé à côté de la glacière de bières. Il s'est
trouvé une petite chaise pliante comme celles qu'on
utilise à la plage. Emilie lui raconte qu'il faut prendre
de la mélatonine, quand on fume de l'herbe, et de la
vitamine C. Il l'écoute sans paraître convaincu. Sylvie
se mêle à la conversation : « La défonce est un sport
de jeune. Tout est dans la récupération. C'est pour
ça que les jeunes peuvent se permettre de prendre ce

qu'ils veulent. Ils se refont dans la nuit et sont créatifs dès le lendemain. A notre âge, il faut un intervalle plus long. » Pamela acquiesce, « à votre âge, tout devient difficile », Patrice éclate de rire, « prépare-toi, t'as bientôt le même ».

— Gouine, d'accord. Mais qu'est-ce qui les empêche de sourire ? Elles sont exclues de la communauté si elles sont sympathiques ? Elle est où, la serveuse mignonne ?

— Céleste ? Il paraît qu'elle a démissionné, du jour au lendemain. Gaëlle est cool, mais il faut la comprendre. Elle a les boules de faire serveuse, à son âge.

— Tu me promets qu'on va voir Pamela Kant et je me fais snober par une camionneuse. Ça me déçoit.

— Détends-toi, elle va arriver. Si tu nous avais pas fait courir, aussi, on serait pas arrivés les premiers.

Loïc est un taré de porno. S'il est sincère, il préfère tirer sa crampe devant son écran qu'avec sa meuf. Et là, ce n'est pas de la faute de Pénélope : ça lui fait ça avec toutes les filles. Elles ne sont jamais aussi excitantes que celles qu'il voit dans les films de boule. Pendant qu'il le fait, en vrai, il n'arrête pas de penser aux pornos qu'il a vus. Le stimulus est trop efficace, c'est impossible de rivaliser. Elles sont chiennes, elles ont un beau cul, on voit tout, il n'y a pas d'odeur. Il connaît tellement bien la filmographie de Pamela Kant, il est comme un gosse à l'idée de la rencontrer.

Le bar se remplit. Loïc reconnaît beaucoup de visages. Mais personne ne lui dit bonjour. Il est étiqueté. Le facho qui a mis le coup de poing à Xavier.

Il fait profil bas. Mais de toute façon, il ne les aime pas. Une brochette de grosses larves qui se rassemblent autour d'un SDF, pour s'extasier sur son mix. Ça le soûle.

Xavier discute avec Emilie, en aparté. Elle évite Loïc. Connasse de gauche. Une conne frustrée qui le prend de haut. Loïc regrette que le chien ne soit pas venu, s'en occuper lui aurait donné une contenance. Mais il pleuvait trop pour qu'il les accompagne. Ils ne voulaient pas prendre de parapluies, pour ne pas avoir l'air trop con. Ils ont couru tout le long du trajet, en tenant leurs capuches sur la tête. Physiquement, Xavier a bien récupéré. Il a fallu s'accrocher pour le suivre. Orgueil de mec, il n'y en avait pas un pour ralentir. Ils ont failli y laisser leur peau.

Le demi est hors de prix, il ne recommande pas trop rapidement. Xavier s'en fout, sa meuf est pleine aux as. Loïc ment à Pénélope sur la thune qu'il claque, quand il sort. Au prix de la bibine dans ce bar, il pourrait vite lui offrir l'iPad dont elle parle tout le temps, parce que toutes ses copines en ont un et qu'elles jouent à des jeux en ligne, qui ne marchent pas sur son vieux téléphone. Il regrette d'être venu. Il pensait passer la soirée en tête à tête avec Xavier, à la maison, il avait amené son pack de bières. Et il se retrouve dans ce bar sinistre, à guetter la porte parce qu'on lui a dit que Pamela Kant venait mais en fait c'étaient des conneries. Qu'est-ce qu'elle ferait avec ces losers ?

Il ne se sent pas à sa place. La compagnie de Noël lui manque. Les autres aussi. Ils doivent préparer la manif. Ça va barder. Il n'en sera pas. Encore un groupe avec lequel il s'est fâché. Il est une tête de con. Quand quelque chose lui convient, il faut toujours qu'il s'arrange pour s'en exclure. Il se saborde. Ça a toujours été comme ça. C'est plus fort que lui. Il imagine la tête que ferait Noël s'il le voyait, avec son petit verre vide, dans ce bar de pédés bobos, avec cette musique techno pourrie. Il faut qu'il ferme les yeux sur bien des choses, ici, pour ne pas devenir agressif. Il est une merde. Il cherche la compagnie des gens comme un clébard cherche une caresse. A n'importe quel prix. Voilà ce qu'il est devenu. Et voilà que ça le reprend. Son meilleur pote lui manque.

C'est alors que Pamela fait son entrée. Loïc remarque à peine Subutex, à son bras. Tout avance en même temps, c'est un sacré chambardement. Et les seins et le cul et les hanches et les chevilles et les cheveux et les yeux et même ses épaules sont bandantes – on ne sait plus comment la regarder, il n'y a rien en elle qui ne soit pas sexuellement bouleversant. Xavier le surveille, sourire en coin. Loïc garde contenance. Il est heureux que le bar soit plongé dans la pénombre. Il a les joues en feu.

Elle porte un pull noir fluide assez décolleté pour exposer ses clavicules, qui sont saillantes et qui le troublent. Elle est possiblement la plus belle femme qu'il ait jamais vue de près. Il y a un petit mec qui trottine derrière elle, encore une pédale, sans doute, il a les traits fins, il est très beau. Loïc a l'impression de l'avoir déjà vu. Il ne parvient pas à se souvenir où. Loïc n'aime pas les pédés, il remarque rarement la beauté chez les hommes, mais celui-là le sidère.

Pamela Kant porte un jean noir tellement serré que c'est pire que si elle était nue, bottes à petit talon, coupées au-dessus des chevilles. Ses cuisses sont à la fois fines et puissantes, elles donnent le vertige. Ses cheveux ne sont pas attachés. Dans les films, elle est trop maquillée, et jamais aussi chaudement vêtue. Or, ça lui va bien. Ce qu'il donnerait pour avoir une meuf comme ça... Une fois. Une seule. Dans son lit. Même pas la montrer aux copains. Juste pour lui. Là, ouais, il n'aurait pas besoin de convoquer les scènes du film de boule de la veille. Le film de cul, ce serait la vraie vie.

Il n'a jamais eu de problème pour avoir des filles, mais c'est qu'il tape dans sa catégorie. Les moyennes. Comment ça s'aborde, une dame comme ça ? Qu'est-ce qu'on fait, quand ça se dessape ? Comment on oublie sa propre nullité, en face d'un machin pareil ?

Comment ça se fait qu'elle traîne avec Subutex ? Elle couche avec ? Le gars a les yeux clairs. Il est grand. Mais à part ça... C'est pas pour l'argent qu'elle est gentille avec lui. Le truc, il dort dehors... Pourquoi elle vient l'écouter mettre des disques ?

Subutex, justement, le reconnaît et le dévisage avec intensité, comme il sait si bien le faire depuis qu'il est consacré mini-gourou du XIX$^e$. Ce soir, il est plus propre qu'à son habitude, et il a changé de coupe de cheveux. Il fait un peu moins crasseux que les autres jours. Mais Loïc ne se sent pas d'humeur à se coltiner ses déclarations d'illuminé. Chaque fois qu'il te parle, on dirait qu'il va t'embrasser. C'est flippant. Il dit « Ça va, Loïc ? » en le dévisageant genre je vois jusqu'au fond de ton cœur et je souffre pour toi.

— Ça va, ça va. Je bois un demi, tranquille. Je viens t'écouter. Il paraît que tu mixes, ce soir ?

Il a envie de lui dire si tu veux me faire plaisir, présente ta copine, et dis-lui d'être gentille avec moi. Voilà qui me remonterait le moral. Mais Subutex s'assoit à côté de lui. Un tout petit peu trop près, au goût de Loïc. Alors, ce qu'il n'espérait pas se produit : Pamela Kant fonce droit sur leur table, lui fait un beau sourire, naturel, à la j'ignore tout de l'effet que je fais aux garçons et elle demande « vous buvez quoi ? » comme s'ils se connaissaient depuis longtemps. Elle repart en ondulant comme une déesse et Loïc a envie de serrer son nouveau pote dans ses bras. Finalement, il comprend pourquoi tout le monde l'a à la bonne, le Subutex. Il demande, souriant :

— Et toi, Vernon ? Ça va ?

Mais l'autre, au lieu de répondre un truc normal, le saisit par la nuque. Le geste est doux, lent, Loïc se raidit mais n'ose se dégager brusquement. Merde, juste quand il allait se détendre. Vernon approche son front du sien, il ferme les yeux. Ça ne dure pas assez longtemps pour que Loïc prenne la mouche, mais le grotesque de la situation le mortifie. Puis le débile s'écarte, et le regarde d'un air triste et aimant. Ça va, autour, ils ont l'habitude que le mec fasse des trucs bizarres, personne ne les calcule. Pamela revient, elle tient les trois bières entre ses mains, il se lève pour l'aider. Et là, pour le remercier, elle lui décoche un clin d'œil. Il s'entend dire :

— Bonsoir, moi c'est Loïc.

C'est sorti tout seul, sans son aval. Comme un con. Il s'est présenté comme un neuneu.

— Je sais, j'ai déjà entendu parler de toi.

— Je ne dois pas avoir bonne réputation, ici.

Chaque fois qu'il ouvre la bouche c'est pour dire une ânerie, et avec la voix qui tremblote, en plus. L'éclairage baisse d'un cran. La soirée va commencer. Pamela se penche vers lui, comme si l'obscurité l'obligeait à parler plus bas, il déglutit et reste planté comme un piquet. Elle dit :

— J'ai des fiches sur tout le monde. Le jour où j'ouvre un donjon, je t'enverrai une convocation. Je te ferai un tarif, je te mettrai la grosse fessée que tu mérites pour toutes les mauvaises pensées qui t'habitent.

Elle est folle de lui parler comme ça. Même sur le ton de l'humour. Elle le drague. Xavier prétend que d'habitude, elle ne parle que de trucs chiants. Et lui, direct, elle le chauffe. Il pense à Lino Ventura, très fort, il l'imagine dans cette situation et l'imite. Il s'efforce de sourire, mais ça doit se voir qu'il est tellement crispé que ça lui fait mal aux joues.

— Je ne prends pas les fessées, je les donne.

Il a réussi à répondre ça, presque du tac au tac, sur ce ton dégagé, à Pamela Kant. Il se contient, mais à l'intérieur de lui-même un mini-lui exulte et danse en se tapant la poitrine. Elle sourit en répondant :

— Alors je me trompe. Ou tu te connais mal.

La pute. Il est content de ne pas avoir besoin de se lever. Elle agite la main, en précisant que dans la fessée, tout est question de frappé. Il n'ose pas dire comment je vais te démonter, ma belle, tu ne viendras plus me parler de fessée, après ça. Il n'arrive pas à croire qu'il parle de cul avec Pamela Kant. Et que Noël ne saura jamais ça.

Subutex met *Magic Bus*, des Who, et Loïc sent une balle de chaleur qui lui réchauffe la gorge. Il adore ce morceau. Il n'aurait pas osé imaginer qu'il commencerait sa playlist de la sorte. Génial. Il n'est pas un loser de merde qui passe une soirée pathétique avec des potes au rabais – il est le mec qui fait rire Pamela Kant, dans un bar où on passe de la bonne musique, à un niveau correct, et il s'aperçoit qu'autour de lui plusieurs personnes fument. Il s'allume une clope. Le bien que ça fait, de fumer dans un bar. Première bonne soirée depuis des lustres. Quand Subutex enchaîne avec Eddie Cochran, il se dit « si tu continues comme ça, tu vas voir, c'est moi qui vais venir t'embrasser ». Comme s'il choisissait ses disques pour lui, sur mesure.

Ensuite il danse. Les vrais mecs ne dansent pas, à commencer par lui. Il est incapable de se donner en spectacle. Quand il était jeune, et qu'il était seul, parfois il sautillait nerveusement sur place, en écoutant les Meteors, ou les Vibes. Mais en concert, il est toujours resté droit et immobile. Digne, quoi. Les Noirs dansent, à la limite, ça c'est normal. Mais pas lui. Entre le mouvement et son corps, il y a comme

un tabou infranchissable. Mais cette nuit, il danse.
L'obscurité aide. Ils ont coupé presque toutes les
lumières, maintenant. Il danse sur du Bowie. *We could
be heroes, just for one day*. Il n'arrive pas à le croire. Et
il danse avec Pamela Kant. Ce n'était pas prémédité, il
n'a pas eu le temps de se demander comment il allait
s'y prendre. Elle bouge lentement, comme si elle était
sous l'eau. Elle lève les yeux et balance son bassin en
le regardant. Et lui, au lieu de tomber à la renverse
ou de se précipiter sur elle et la prendre, il danse. Elle
a peut-être mis quelque chose dans sa bière. Elle a
bien fait. Le petit pédé très beau est sur la piste. Ils se
connaissent. Il en est sûr. Il ondule comme un dieu.
Comme une meuf. Et Loïc se fout de sentir qu'il aime
le regarder danser. La gouine qui servait et qui faisait
la gueule est montée sur une table. Ça ne l'énerve
même pas. Elle a raison de se donner en spectacle.
C'est un plaisir de la voir s'éclater comme ça. James
Brown. *The Payback*. Et il reste au milieu des autres.
Il danse. Il n'a jamais fait ça. Pourtant qu'est-ce qu'il
en a mangé, de la funk, à l'époque où tout le monde
lisait *Get Busy*. Xavier aussi se trémousse. Il n'a pas
l'habitude de cette musique-là, ça se voit. Mais il est
connecté. La musique est entrée dans leurs os, elle
soulève les coudes, actionne les hanches. Son corps
suit. Depuis des heures. Vernon est dans son coin,
éclairé par une lueur verte, il les regarde, les yeux
mi-clos, un petit sourire scotché sur les lèvres. Il est
devenu un sphinx.

Il est très tard quand Xavier vient lui dire « je dois rentrer, je ne veux pas laisser le chien seul toute la nuit. Tu restes et tu m'appelles quand t'es en bas ? » « On y va ensemble. » D'une certaine façon, il est soulagé qu'on l'arrache à ce délire. Il commence à avoir mal aux jambes. Demain, il ne sera que courbatures. La journée va être longue.

Les grilles du parc sont fermées, ils passent par une petite porte et se pressent, sous la pluie. Loïc aime les rues vides, l'odeur du bitume mouillé, les lumières orange. Il rigole de ce qui lui est arrivé, « je te jure que je danse pas. Je suis pas un mec comme ça » et Xavier lui répond « moi non plus » et ils continuent leur route, sans chercher à se parler.

Puis ils ouvrent une dernière bière, avant de se coucher. Loïc met le nez dans la collection de CD. Il devient DJ, à son tour, Gorilla Biscuits, Agnostic Front, Sick of It All. Ça aussi, ça faisait longtemps. Il prend Joyeux par le cou, il est bourré, d'habitude il ne touche pas trop les animaux, mais à cette heure tardive, il trouve le caniche trop sympa. De toute façon c'est une nuit où il fait des trucs qu'il ne fait pas, normalement. Il plonge dans la musique. Il suffit de lâcher quelque chose. C'est une sensation étrange, c'est comme s'il avait un organe interne qu'il ignorait auparavant et cet organe est un clapet, qui vient de s'ouvrir. Alors il plonge dans la musique.

Le jour se lève et Loïc réalise qu'il est en larmes. Il a trop bu. Il ne se souvient pas s'être mis à pleurer mais quand il reprend ses esprits, il sanglote. Xavier le relève et le prend dans ses bras, gauchement. Loïc n'a pas pleuré depuis qu'il était enfant, il ne se souvient même pas de la dernière fois que ça lui est arrivé. Ça ne le choque pas que Xavier le serre contre lui. Il n'éprouve aucune gêne. Normalement, il n'aime pas ça, le contact. Un des trucs qu'il apprécie, chez Pénélope, c'est qu'elle n'est pas tactile.

Loïc et Xavier restent debout, l'un contre l'autre, immobiles. Et Loïc serre Noël, en pensée, contre lui, parce que quoi qu'il se soit passé, rien n'effacera les années d'amitié qu'ils ont partagées. Le gars fait partie de sa vie, de ce qui lui a plu dans sa vie, et on ne reviendra jamais là-dessus. En même temps, si Noël le voyait, présentement, ça le dégoûterait ou ça le ferait rire, mais ça ne lui plairait pas des masses. Il n'aime pas le laisser-aller…

Pamela Kant a mis quelque chose dans son verre. Mais Loïc n'arrive pas à se dire que c'était pour le ridiculiser. Elle a trop dansé avec lui pour ça. C'était plutôt pour l'inclure. Si la facture c'est cette descente un peu brutale, pendant laquelle il chiale comme une gonzesse, ça valait le coup quand même. Il est ridicule, mais il avait besoin de vider son sac.

Il fait jour, c'est l'heure d'aller travailler. Deuxième café de la nouvelle machine qui énerve Xavier. Loïc sera en retard, il envoie un texto – problème de RER. Ça pourrait être vrai.

Ils descendent ensemble jusqu'à la station de métro. De toute façon, il faut sortir le chien le matin. Ça caille comme si c'était février. Ils se séparent en haut des marches, « Bon courage » et Xavier s'éloigne, avec son chien stupide en laisse. Loïc emprunte le couloir de la ligne 11 en pensant qu'il n'est pas si crevé que ça, il se sent capable de faire la journée. Il ne sera pas au top de sa forme, mais il faudra bien tenir.

Ça le change d'être à vingt minutes du boulot. A Châtelet, il prend le couloir pour sa correspondance. Il déteste cette station. L'ambiance gare de triage. L'impression d'être un rat dressé à courir vers son laboratoire d'embauche.

Il reconnaît les trois silhouettes, au virage. Elles disparaissent aussitôt. La fatigue et la drôle d'humeur se dispersent aussitôt. Il sait qu'il n'a pas rêvé. Il a reconnu Julien, Noël et Clovis. Il ralentit. Danger. Ils l'attendent. Embuscade. Il n'est plus à une bizarrerie près, de toute façon. Il fait demi-tour. Il hâte le pas en hésitant : sortir ou prendre le premier métro qui passe ?

Il a un pressentiment, il jette un œil au-dessus de son épaule. Ils sont derrière lui. Il court. A trois contre un, il ne cherche pas à comprendre. Il fuit. Son corps envoie d'abord tout le jus dont il a besoin, il est électrique, puis la peur échoue à le porter, il sent qu'il ralentit. Il a dansé toute la nuit, il n'a plus l'énergie.

Le premier coup le prend entre les épaules. Il trébuche vers l'avant, se retourne. Ils ont couvert leurs visages. Mais il les reconnaît. Il a le temps de se dire mais vous êtes des caves il y a des caméras partout ici on saura très bien qui vous êtes il a le temps de penser au soldat massacré et le Black qui disait vous ne serez jamais en sécurité chez vous et il a le temps de reconnaître lequel est Noël, de se tourner vers lui et de chercher à capter son regard, derrière la visière de la casquette qu'il a enfoncée jusqu'aux oreilles. Le second coup le prend à la tempe, il a le temps de penser que c'est un coup qu'on donne quand on cherche à tuer.

Il écoute la musique au casque, allongé sur le dos. Link Wray, *Rumble*. Lourd, poisseux, ça sent la migraine. Vernon dort chez Charles depuis trois jours. Il fait chaud dans le salon, mais rien ne dissipe la sensation de froid, accrochée sous les os. Une grippe tenace lui secoue la carcasse, ses oreilles sont bouchées, il est coincé dans une capsule de fièvre. Sous ses paupières, il y a la silhouette de Loïc qui danse avec les autres, au Rosa Bonheur. Vernon dans son délire ne distingue pas ses traits, uniquement les contours de son corps, et des couleurs autour. Son épiderme s'élargit, par moments, il prend contact avec le monde, un trou de la taille d'un poing ouvre sa poitrine – et plus rien ne lui est externe. Il est habitué, maintenant. Ce qui lui ferait bizarre, ce serait de passer une journée entière sans délirer. Il dort dans ce canapé défoncé depuis qu'il a chopé cette crève. La maison est un taudis improbable. La vieille Véro ne veut rien jeter. Elle empile sur toutes les surfaces libres des boîtes, des papiers, des objets qu'elle récupère on ne sait où. Elle est une infirmière zélée. Elle a gavé Vernon de pilules. Elle retournait les boîtes pour vérifier la date de péremption et haussait les épaules, « ils mettent 2004, mais ça ne peut pas perdre ses vertus, un médicament ». Elle l'a soigné. Il est encore dans le gaz, mais il est capable de se lever.

Il s'extirpe de sa couche et cogne contre la porte de la chambre de Charles. Lui et la Véro ne dorment pas ensemble. Elle ronfle trop, dit-il. Le vieux connaissait à peine Loïc, mais il tient à venir à l'enterrement. Il bougonne, crache, tousse, puis émerge, tout habillé, de sa chambre. Charles ne rate aucune occasion de voir Sylvie. Ce n'est pas qu'elle est à son goût, c'est au-delà de l'attraction physique, dès qu'elle ouvre la bouche, il est suspendu à ses lèvres. Quand elle s'énerve, il lève les yeux au ciel en balbutiant mais c'est pas Dieu possible, ce n'est pas Dieu possible, enchanté de la voir si vulgaire.

Vernon est fatigué d'avoir des gens autour de lui, sans cesse. Leurs désirs sont têtus et contradictoires, et il a pris une importance grotesque, dans ce groupe. Mais quand il pense à prendre la tangente, quelque chose le retient. Il en a parlé à Charles et le vieux a haussé les épaules, t'en fais pas, ils ne vont pas s'occuper de toi toute leur vie, non plus. Estime-toi heureux qu'il se passe quelque chose.

Ils attendent devant les grilles en fumant leur clope. Olga et Laurent se faufilent par un bout de clôture endommagée pour sortir. Il ne fait pas encore jour, les rues sont désertes. Ils ne connaissaient pas non plus Loïc, qui ne venait pas souvent au parc. Ils veulent faire partie du cortège. On attend une foule au cimetière de Garges-lès-Gonesse. La dépouille de Loïc, assassiné sauvagement dans les couloirs du métro, appartient à tout le monde. Olga et Laurent flairent le bon plan : il y aura beaucoup à manger. Mais Vernon sait qu'au fond, ils ont l'impression que c'est la dernière fois qu'ils se voient, tous ensemble.

Ils rejoignent la gare du Nord à pied. Olga craint le métro. La géante rousse marche collée à Vernon. Elle cherche son contact, par l'épaule. Elle lui en veut, beaucoup, de ne pas l'avoir davantage traitée en première dame. C'est elle qui dort en bas avec lui, pas les autres. Ces inconnus qui passent toujours avant elle. Ça l'énerve. Il se laisse monter la tête, à cause de tous ces compliments qu'on lui fait. Quand tous ces bouffons en auront marre de jouer aux gentils, il faut que Vernon comprenne que la seule qui restera à ses côtés, c'est elle. Les autres, ils sont sympas, mais ils sont venus en touristes. Elle en a quand même profité, c'est sûr. Elle leur dit la veille pour le lendemain ce dont elle a envie, et les potes de Vernon reviennent avec le Côte d'Or noir à la noix de coco, le pot de Nutella ou les serviettes hygiéniques. Elle ne boit plus que du whisky. Elle s'est constitué un petit stock, bien caché dans un recoin éloigné des voies, peu de chance qu'on mette la main dessus en son absence. Terminé, le pinard qui lui déboîtait l'œsophage, maintenant madame met du whisky dans son Pepsi Max. Les gens sont heureux de lui rendre service. Mais Vernon passe son temps à s'assurer que tout le monde profite. La plupart du temps il sourit comme un con en regardant les branches des arbres, et d'un coup il arrive et il faut partager son paquet d'amandes grillées avec Zaïa, la schizophrène

353

qui se pisse dessus. Elle est tout le temps à rôder autour d'eux, elle a compris qu'il y avait des trucs à grappiller. Elle refuse de prendre ses médicaments, elle est complètement schlass, à quoi ça sert de partager avec elle ? Elle parle toute seule toute la journée et des fois on la voit qui hurle « don't worry be happy » aux horodateurs. Olga croit en la solidarité de classe, mais ça l'a contrariée qu'on l'oblige à laisser son paquet d'amandes à une fille qui s'en fout. Vernon a pris des habitudes de chef. Et avant-hier, Emilie et Lydia sont venues vider son coin, sous prétexte qu'il dormait chez Charles quelques nuits. Olga a paniqué. Elle a compris qu'il ne reviendrait pas. Elle a insulté les filles. Elle disait qu'elle voulait son duvet. Il n'avait même pas donné l'ordre que ce soit Olga qui s'occupe de la répartition de ses affaires. Après tout ce qu'elle a fait pour lui. Conclusion, la petite Hongroise mignonne qui transite par Paris pour descendre rejoindre des amis à Séville a mis le grappin sur le sac de couchage. C'est pas parce qu'elle a un gros cul qu'elle a moins froid qu'une autre, Olga. Elle en veut à Vernon de ne pas mieux la traiter, mais surtout elle a peur qu'il disparaisse. Les amitiés ne durent pas longtemps, dehors.

Le lendemain de la mort de Loïc, les keufs ont ramassé et interrogé tous les zonards du parc, un par un. Quelques sans-papiers ont réussi à s'éclipser, mais ça leur faisait quand même du monde, au commissariat. Olga se demandait, à voix haute, combien ça coûte à l'Etat, de les faire chier comme ça. Ils n'auraient pas plus vite fait de les loger quelque part ? Elle était calme, au début de la garde à vue, mais elle a fini par craquer et hurler en les insultant. Ils ont gueulé qu'elle était folle, n'empêche qu'elle était dans les premiers libérés. C'est toujours payant, la démence. La police savait que personne là-dedans n'avait de rapport avec le meurtre – la scène avait été filmée. Le coup de filet avait une autre ambition : leur dire que c'était terminé, la tolérance aux Buttes-Chaumont. Un mec se fait tuer à Châtelet par ses anciens amis et c'est encore les SDF qui doivent changer de campement. C'est une règle : on ne laisse pas les précaires se rassembler au même endroit trop longtemps. On a trop la trouille que ces cons se trouvent une grande gueule pour les diriger vers le supermarché le plus proche – pillages, manifestations. Le jour où les démunis se mettront à attaquer les commerces, l'armée n'aura plus qu'à sortir les chars. Ils sont tellement nombreux, à mendier. Alors on évite les rassemblements.

Laurent aurait préféré prendre le métro jusqu'à la gare. C'est la grosse Olga qui voulait marcher. Elle est claustrophobe. Elle flippe de devoir monter dans le RER, elle en a parlé toute la journée d'hier, à se demander si elle allait ou pas à l'enterrement, elle a soûlé Laurent avec ça jusqu'à ce qu'il l'envoie chier. « Ecoute, Garges-lès-Gonesse, on ne va pas y aller à pied donc soit tu prends le train soit tu restes ici mais t'arrêtes de m'en parler. » La grosse ne descend jamais dans les couloirs du métro, même en hiver, même quand il pleut. Pourvu qu'elle ne parte pas en vrille dans le RER. Quand elle s'y met, impossible de la maîtriser. Ce n'est pas le jour. Ce type, Loïc, le regardait toujours de haut. Laurent ne l'aimait pas. Mais quand même, il est mort au champ d'honneur, le pauvre. Un mec jeune, avec une meuf, un taf. Quelle connerie. Pourvu qu'Olga n'aille pas pourrir son enterrement. Elle fait moins chier, ces derniers temps. Elle est amoureuse de Vernon. Elle n'a aucune chance : il y a tout le temps des minettes autour de Subutex, de la petite chatte fraîche qui ne demande qu'à le désaltérer. Alors même en pleine nuit bourré à ne plus savoir ce qu'il fabrique – aucune chance pour qu'il atterrisse entre les cuisses de la grosse Olga. Et maintenant, il va les laisser. Elle a les boules. Et pas qu'un peu. Laurent aussi est triste. Parfois, Vernon l'agace, il se prend pour le nombril du parc et se donne des allures de poète inspiré. Mais ils ont bien rigolé, avec lui. Il n'avait jamais vu ça : des gens, tous les jours, qui livrent à domicile. Plus besoin de taper la manche. Grosses pièces et petits billets jaillissaient des portefeuilles, et des tickets-restau comme si on les imprimait à la maison… De la générosité, à la limite de la diarrhée. Tant de gentillesse et d'attentions, au début Laurent se méfiait mais il s'était vite habitué à ce confort bourgeois. Sauf que la sensation d'être un truc folklorique lui restait en travers de la gorge. Il avait toujours été convaincu d'avoir un bon feeling avec les gens normaux. Il croyait que la seule différence entre eux et lui, c'était que lui était trop sauvage pour supporter la laisse. Le contact répété avec les inclus lui a fait prendre conscience de ce qu'il n'inspire plus que la pitié. Plus personne ne se rend compte qu'il est beau gosse. Il y a encore cinq ans de ça, il aurait emballé quelques petites, dans le lot de celles qui papillonnaient autour de Vernon. Ses dents sont trop pourries, maintenant. Sa gueule a changé. Et même ses blagues ne font plus le même effet. Les gens font l'effort de l'écouter. Il n'est pas débile. Ils le supportent davantage qu'ils ne cherchent sa compagnie. Il est toléré. Même Olga est plus populaire que lui. Sylvie s'est souvenue du jour de son anniversaire et lui a fait un gâteau aux trois chocolats. Personne ne s'est demandé quand il était né, lui. Le soir même, il a été méchant avec Olga, il l'a vue tellement heureuse que ça l'a énervé. « Tu crois que quand l'hiver viendra elle te proposera un petit coin de son feu, la bourgeoise ? Moi je crois que non, t'es trop grosse et t'es trop moche, t'irais pas avec ses rideaux. » Ça a été un été pluvieux et froid. Il a le moral dans les chaussettes. Il va descendre dans le Sud. Ça fait longtemps qu'il a ça en tête, et qu'il reporte. Paris, il connaît comme sa poche et il y a ses habitudes. Maison ou pas maison, son quartier, c'est ici. Mais c'est décidé. Il va changer d'air et chercher le soleil. Il en parlera aux autres, après l'enterrement. Ces braves gens vont bien faire l'effort de se cotiser pour lui payer un billet. Parce que le train, de nos jours, ne pas le payer, on dirait que c'est devenu plus grave qu'entrer dans une crèche pour enculer les nourrissons. C'est quand même marrant, quand on y pense, que lui et Olga prennent le RER pour assister à l'enterrement d'un mec qu'ils ne connaissent pas, alors que tant d'amis à eux sont morts sans même qu'ils se renseignent sur le jour de la mise en terre.

Sur le parvis de la gare du Nord, Pamela Kant allume sa troisième cigarette de la journée. Elle est en tailleur et talons aiguilles. Les hommes qui l'insultent ne la reconnaissent pas. Ce n'est pas la hardeuse qui les dérange. C'est la silhouette, trop sexuelle. Il est sept heures trente du matin. Ils sont déjà énervés. Ils ont changé, les hommes. Il n'y a pas si longtemps ça les rendait aimables, voir des jambes et du décolleté. Aujourd'hui ça les exaspère. Pourtant elle s'est trouvée élégante, ce matin, dans le miroir de l'ascenseur. Mais ils en mangent trop, de la meuf qui fait envie. Ils ne retiennent que la frustration de ne pas y avoir accès. Ils savent qu'ils n'auront rien alors ils préfèrent qu'elles se promènent en moon boots et en anorak, tant qu'à faire. Mais elle aime les enterrements. Elle ne raterait pour rien au monde l'occasion de sortir sa tenue de veuve corse. Ça lui va trop bien. Elle ne connaissait pas bien Loïc, mais elle considère que si une femme a frotté son pubis avec lascivité contre le sexe en érection d'un homme la veille de son décès, l'usage veut qu'elle assiste aux funérailles, et qu'elle soigne, autant que possible, sa tenue. Il y avait quelque chose qui lui plaisait, chez lui. Il paraît que c'était un con de faf. Encore pire que Xavier. Ça devait être quelque chose, parce que Xavier, quand il s'y met… Il vaut mieux être de bonne humeur. Mais elle n'a pas discuté avec Loïc. Elle a dansé. Il y avait une certaine retenue dans ses gestes. Elle pense qu'il serait content de voir qu'elle a fait un effort pour lui. Mais au trentième débile qui lui parle mal, elle a juste envie de poser une bombe dans la gare et rentrer chez elle. Ça lui apprendra à être ponctuelle. Elle est arrivée première au rendez-vous. Elle bombe le torse et se tient droite, affiche un petit sourire tranquille. Tant qu'à faire chier le monde, autant le faire avec élégance. Elle est la seule à savoir qu'elle a les mains qui tremblent.

Daniel la rejoint. Personne ne l'emmerde, lui. Il dit à peine bonjour, déclare « ça me soûle d'être là ». Il ne voit pas ce qu'il vient foutre à l'enterrement de Loïc. Il dit « ce sera blindé de fachos, je parie, on va encore avoir des emmerdes ». Au fond, ce qui le tracasse, c'est que le jour de la mort de Loïc, la Hyène est passée les voir, un par un, et leur a expliqué qu'Anaïs et Céleste y étaient allées un peu fort, à visage découvert, elles allaient se mettre au vert, et que les autres devaient arrêter toutes leurs actions et moins aller au parc, autant que possible. Il a kiffé cette histoire de graffitis, c'était une sacrée revanche. Les commandos, la nuit, les précautions dans la journée quand il fallait aller acheter les bombes de peinture et tout le matériel, toujours payer en cash, pas trop d'un coup, les petits messages pour les réunions clandestines, parfois elles se déroulaient dans les catacombes et c'était excitant, cette double vie. Ça n'avait aucun sens, mais ça mettait une ambiance film, truc de groupe et retour à l'envoyeur. « Comme un acte de psychomagie », disait Lydia, et elle avait raison là-dessus. Les rush d'adrénaline, au moment de la dispersion. Chaque lendemain matin, pouvoir se dire : « à ton tour de manger ta merde ». Et, où qu'elle soit, Vodka Satana pouvait voir : les vivants ne l'ont pas oubliée.

Sylvie paye le chauffeur de taxi, un homme à qui elle donnerait plus de soixante-dix ans, moustache blanche, bien taillée, à l'ancienne, les yeux vert émeraude. Elle n'avait pas remarqué ses yeux jusqu'à les croiser, dans le rétroviseur. Elle ne voulait pas venir. Loïc était un gros con. Mort ou vif, ça ne change rien à ce qu'elle pense de lui. Ça ne lui arrache aucune larme. Quand il a tapé sur Xavier, il ne s'est pas demandé s'il le laissait mort sur le trottoir. Pas de pardon pour ce genre d'individu. Il faut être bête comme un trou du cul bouché de merde séchée pour frayer avec l'extrême droite, quand on est un prolo, comme lui. Elle ne risque pas de le plaindre. Les gens comme elle, oui, elle peut comprendre qu'ils trouvent leur intérêt dans la poussée de l'extrême droite. Beaucoup se placent à des postes mirifiques, qu'il leur aurait fallu attendre des années sans cette opportunité. Ils devraient réussir à s'exonérer d'impôts plus confortablement, le jour où on pourra fusiller les responsables syndicaux en les accusant de terrorisme. Mais un minable comme Loïc, il attendait quoi ? Une place dans la milice ? Pourquoi serait-elle attendrie ? Parce qu'il est mort ? Elle enfile ses gants noirs. Elle est venue parce que tout le monde y allait. Et qu'elle sent qu'on lui cache quelque chose, qu'elle aimerait bien tirer au clair. Où sont passées Céleste et Aïcha, par exemple, et pourquoi Sélim est aussi abattu ? Elle s'entend bien avec lui.

Elle rejoint Pamela et Daniel. Elle ne se fera jamais à l'idée que ce dernier n'a pas toujours été un garçon. Ça n'existait pas, quand elle était jeune, la testostérone.

C'est fou, dans ce sens-là, ce que ça a l'air facile. Sylvie pense à des copines à elle, qui avaient des têtes pas possibles et qui en ont chié avec les mecs toute leur vie, alors qu'aujourd'hui hop, un petit coup d'hormones, et elles auraient pu devenir des mecs potables. C'est moins grave, quand c'est moche, un homme. Elle prend Pamela par le bras. Pour une fois, elle est bien habillée. Ça change tout. Belle plante, rien à redire. Dommage qu'elle ait pris ce sac noir miteux, on voit bien que c'est du plastique. C'est une bonne gosse, à l'usage. Elle est à la ramasse, mais elle a bon fond. Par contre, il ne faut pas compter sur elle pour aider Vernon à ne pas sombrer dans la folie. S'il lui dit « je crois que je me connecte aux arbres », la môme répond, du tac au tac « il y a des tribus qui pensent que les pierres ont une âme ». Rien ne l'étonne. Les gens de son âge sont comme ça. Illuminati, complots, sorcellerie – à base de « on nous cache tout on nous dit rien », on peut leur faire avaler n'importe quoi. Vernon a besoin d'aide. Il n'est plus le même homme. Mais Pamela ne comprend pas ça. Elle a l'impression qu'il voyage. Ça rappelle à Sylvie le tube des années 80 « il est libre, Max, il y en a même qui disent qu'ils l'ont vu voler ». C'est vrai que c'est difficile de s'en faire pour Subutex. Il a l'air tellement apaisé… Sylvie le voit justement qui s'approche, flanqué de Charles, Olga et Laurent. La dream team Buttes-Chaumont. Elle leur fait un signe de la main. Ça l'étonne toujours d'être contente de les voir.

Garges-lès-Gonesse n'a rien de riant, surtout si on arrive sous la pluie. En fond de paysage, des barres d'immeubles, et le centre-ville ressemble à la province : des maisons basses, toits de tuile rouge, sans aucune prétention esthétique. On voit tout de suite que ça n'a jamais été une ville bourgeoise, personne là-dedans ne s'est dit je vais me faire construire un petit truc chouette. Le trajet en RER était court, c'est la correspondance en bus qui leur a donné l'impression de faire un long voyage.

Arrivée devant l'église, Gaëlle dit « pas question que je rentre là-dedans, après ce que les cathos nous ont fait, je n'y foutrai plus jamais les pieds. Pendant les manifs, ils déposaient leurs tracts homophobes juste à côté des bénitiers et les curés fermaient les yeux. Je vous attends devant ». Pamela ouvre de grands yeux perplexes, habituée à se sentir chez elle là où on pense qu'elle ne devrait pas exister, « Si tu crois que ça va empêcher le Christ de t'accompagner… » Daniel demande, en léchant le collant de son papier à cigarette, « Depuis quand il t'accompagne, toi, le Christ ? » Pamela arrange sa voilette dans le rétroviseur latéral d'un véhicule utilitaire, « Il est mort pour moi aussi, qu'est-ce que tu crois ? Que moi mes péchés je les garde pour moi sous prétexte que je suis une déesse de la pipe ? »

Gaëlle porte un pantalon de cuir noir extrêmement serré, qui la fait paraître encore plus mince et fragile. Une tête de mort orne la boucle de sa ceinture. Ses yeux sont cernés et elle a pris une averse sur la tête. Ses cheveux sont trempés. Vernon se dit que ça lui va bien, le côté petit rat crevé. Elle a passé une bonne partie de la nuit à danser avec Loïc, l'autre soir. Elle a encaissé le coup, en apprenant son décès. Elle a la mâchoire crispée et ajoute, sur la défensive : « De plus, d'un point de vue strictement esthétique, je désapprouve ce genre d'architecture. C'est une église, ou c'est une usine ? On n'y comprend plus rien. » Elle masque, depuis qu'ils ont dépassé la Courneuve : elle ne s'était jamais aventurée si loin de ce côté du périphérique – l'expérience ne lui a pas semblé épanouissante. Sylvie porte une robe noire sublime, elle tend son grand parapluie gris au-dessus de la tête de Gaëlle et lui dit « J'attends dehors avec toi, j'aime pas les églises non plus. Je ne suis pas baptisée, et je déteste tout ce qui touche aux religions. On ferait mieux de faire des piscines, là-dedans. On en manque tellement, dans Paris. » L'édifice se remplit lentement. Laurent et Olga échangent un regard et haussent les épaules, eux ils veulent assister à la messe, « on se retrouve à la sortie, de toute façon on va au même endroit, après ». Daniel se poste à côté de Xavier, qui n'a pas dit un mot de tout le trajet en RER. Il est le seul à avoir les yeux rouges. Lydia s'insurge, elle non plus n'a pas envie d'aller à la messe, mais alors pourquoi on s'est donné rendez-vous si tôt, on aurait pu aller directement à l'enterrement, on aurait gagné deux heures de sommeil. Vernon tire sur le pétard qu'elle lui tend. Charles ressort, leur dit que c'est bondé là-dedans et qu'ils vont se faire chier, il fait froid, le curé a l'air d'un sinistre crétin, il apprend que Sylvie n'assiste pas à la cérémonie et il se frotte les mains, « je n'osais pas en parler mais j'ai salement envie d'une petite bière ».

Patrice vient les saluer. Il est arrivé plus tôt que les autres. En bomber noir, affairé, il n'arrête pas de faire des allers et retours dans l'église. On dirait qu'il fait le service d'ordre. Il a réservé des places assises à l'intérieur, il les montre à Olga et Laurent et ressort demander aux autres : « Qu'est-ce que vous foutez dehors ? Comment ça vous ne voulez plus rentrer ? » Il tire la gueule : « Vous avez pensé à la veuve ? » Mais les arguments de Gaëlle lui paraissent aussitôt recevables. « Vous n'allez pas attendre devant, alors. Il y a un bar, un peu plus loin. » Pamela attend qu'il disparaisse pour soulever un sourcil, dubitative. « Je suis prude ou il a un rapport bizarre avec la meuf de Loïc ? » Et Vernon acquiesce, lui aussi il a remarqué : Patrice s'est super investi dans toute cette histoire d'enterrement.

Pour commencer, personne n'a bien compris qu'il se sente obligé de l'appeler pour présenter ses condoléances. Ils n'étaient pas amis. Mais il est devenu tellement protecteur vis-à-vis de Xavier, que d'une certaine façon il prenait en charge ce que son ami aurait dû faire. Il a demandé à Pénélope, la veuve, si elle avait besoin de quoi que ce soit, et est tombé sur une meuf dépassée par ce qui lui arrivait. Elle recevait même des demandes d'interview, en plus des condoléances d'inconnus et des messages d'insultes anonymes. Patrice s'était bombardé chevalier servant.

Emilie écrase sa clope avant d'entrer dans l'église, elle dit en dépassant ceux qui traînent encore devant « Il faudra que quelqu'un se dévoue pour prévenir l'ex de Loïc qu'elle s'embarque avec un mec violent » et Vernon se demande comment elle est au courant. Et pourquoi elle n'en a jamais parlé. Tout ce temps qu'ils ont passé, sur les pelouses, elle n'a jamais cherché à aborder le sujet. Xavier et Lydia pénètrent dans le grand bâtiment moderne avant que les portes se referment. Charles demande « il est où, ce rade ? » et Vernon les suit. Ils croisent Sélim, sur le trottoir d'en face. Il ne devait pas venir. « Tu vas rater la messe, dépêche-toi. » « Je ne vais pas à la messe. Je n'avais pas envie de rester seul, aujourd'hui. » Vernon ralentit pour se retrouver un peu en arrière, avec lui. « Tu as de ses nouvelles ? » « Pas directement, non. Mais il paraît qu'elle va bien. Qu'est-ce que je peux faire d'autre que le croire ? J'attends. Je pense à tout ce que je n'ai pas encore eu l'occasion de lui dire. Ce n'était pas à elle de venger sa mère, c'était à moi de le faire. Mais je n'y crois pas, moi, à la vengeance. Je ne crois qu'au pardon. » Il a changé de visage, la tristesse le dévitalise. Il retient Vernon, par la manche, au moment d'entrer dans le bar. Il a besoin de parler encore un peu avant de faire semblant que tout va bien, devant les autres. « Si la police vient chez moi pour la chercher, je dirai qu'on s'est disputés et qu'elle est partie. Elle est majeure, elle a le droit. Je dirai que j'ai dit au nom de la laïcité je veux voir tes cheveux tous les jours ou bien sors de chez moi, infâme soumise. Qu'est-ce qu'on peut me reprocher ? D'être un bon républicain ? Mais si la police vient chez moi, je ne pense pas que j'aurai le cynisme de dire ça. J'ai peur de la trahir une deuxième fois, en mentant mal. » Vernon répond « La Hyène dit que Dopalet ne porte pas plainte. La brigade anti-terroriste ne va pas te visiter tout de suite… » et Sélim hausse les épaules. « Il faut bien que j'attende quelque chose, tu comprends ? » Alors ils poussent la porte du bar, en silence.

Ni vieux rade de quartier, ni endroit fraîchement rénové, le bar relèverait plutôt de l'esthétique des petites villes du bloc de l'Est avant la chute du Mur. Une honnête odeur d'eau de Javel indispose et rassure Vernon – c'est l'odeur de la netteté de son enfance, l'odeur de sa mère qui tient la maison. Le patron a une soixantaine d'années. Il ne paraît pas commode. Moustachu, les yeux pochés, il a le teint rougeaud des grands buveurs, mais on ne trouve chez lui nulle trace de l'entrain qui accompagne parfois l'alcoolisme. Il les regarde s'engouffrer dans son repère d'un œil noir, comme si servir des cafés et de la bière ne faisait pas du tout partie du programme qu'il s'était fixé en ouvrant ce matin. L'homme prend les commandes avec mauvaise humeur, les sert en évitant leur regard, puis se tient penché au-dessus de son évier, méfiant et prêt à les sortir à coups de pied au cul si leur attitude laisse à désirer.

Sylvie leur parle à mi-voix de choses entendues à la radio le matin même, de la Syrie, du plan d'austérité en Grèce et des tonnes d'eau radioactive qui s'écoulent encore de Fukushima, des mois après le séisme. Laurent et Olga les rejoignent, salués par les hurlements hilares de Charles, qui en est déjà à son deuxième demi. Ils rapprochent deux tables dans le bar vide sous le regard réprobateur du tenancier. Lydia arrive, les cheveux mouillés « Je vous appelle depuis l'église, vous pouviez pas m'attendre ? Qu'est-ce qu'on se les caille, là-bas… Je ne suis pas restée. J'étais pas allée à l'église depuis ma petite communion, je peux déjà vous dire que je ne m'y marierai jamais. Au bout de cinq minutes tu t'emmerdes, là-dedans. » Olga rugit qu'elle n'avait jamais vu autant de têtes de cons dans un si petit espace. Des sales gueules comme ça, merci bien, dire qu'elle a pris le train de banlieue pour ça. Sylvie éclate de rire, ravie d'imaginer Olga fulminer dans l'église. « Et toi, Laurent, pourquoi t'es sorti ? » « J'avais trop soif » et Olga dit « Champagne ! » Sylvie la regarde, interloquée, puis elle se frappe le front, d'un geste précis et comique, « Mais t'as raison, c'est ça qu'il nous faut » et elle se tourne vers le patron « Chef, vous avez du champagne ? »

Il est en train de poser les coupes sur la table quand Pamela et Daniel font leur entrée, ils escortent Xavier qui n'a pas l'air dans son assiette. « Vous êtes au champagne ? » mais il accepte la coupe qu'on lui tend et Vernon lève son verre « A Loïc » et Laurent entonne avec assurance, d'une voix de stentor, que personne n'attendait si juste : « Mais déconne pas Manu va pas te trancher les veines une gonzesse de perdue c'est dix copains qui reviennent. » Xavier le dévisage, incrédule. Sa première impulsion serait de lui dire mais ta gueule, qu'est-ce qui te prend, et puis quelque chose le séduit, là-dedans. Il chante à son tour. Sa voix est moins claire, mais l'intention est là. C'est juste après que l'ambiance bascule. Il serait difficile de déterminer avec exactitude ce qui la renverse. Peut-être quand le patron accepte la coupe que Lydia lui tend, de la troisième bouteille, et qu'il lui dit d'un ton bourru qu'elle peut mettre de la musique, il y a un branchement USB. La voix de Nick Cave s'élève, *You've got to just, keep on pushing, keep on pushing, push the sky away.* Sylvie dit « C'est lugubre, ça, qu'est-ce que c'est ? » tandis que Lydia ferme les yeux, « J'adore cette chanson ». Vernon sent que la tristesse de la matinée se dissipe. Il se lève et danse, doucement, son verre à la main, devant le comptoir. Il imagine être un palmier qu'un léger vent bouscule. Olga, qui ne s'est jamais jointe à eux pendant les soirées au Rosa Bonheur, parce que danser, elle n'aime pas ça, vient se poster à côté de lui, demeure immobile, timide, puis se lance et déploie son grand corps, exécute une étrange chorégraphie lente, mi-apache, mi-grunge. Ceux qui sont restés assis à la table ont un moment d'hésitation : ça y est, le patron va péter un câble. Mais cette femme préhistorique qui se déhanche devant son comptoir résolument à contre-rythme le propulse, au contraire, dans un état d'euphorie inattendu. Il brandit une nouvelle bouteille en annonçant « celle-là, c'est la mienne » et quand il a rempli les verres, alors que

Big Mama Thornton fait rouler les premières notes de sa version de « *you ain't nothing but a hound dog* », il s'invite à la gauche d'Olga et se déhanche, les genoux bizarrement pliés, il lance les bras en l'air et, d'une certaine façon, ils twistent.

Une radio résonne dans la cour, au loin. Une chanson d'Alex Bleach. *Si je suis dans tes bras, c'est qu'une autre que toi, n'a pas voulu de moi.* Marie-Ange chantonne en vidant le lave-vaisselle, dans cuisine. Elle fait attention à ses ongles. La manucure date de la veille, elle ne veut pas l'abîmer. La fille qui lui a posé le vernis semi-permanent a bien insisté sur sa résistance. Ça paraît vrai. C'est génial, le semi-permanent : plus besoin d'attendre vingt minutes que ça sèche. Elle a passé ses mains dix secondes dans une espèce de mini-séchoir et elle a pu sortir, fouiller dans son sac pour chercher ses clefs, la laque n'a pas bougé. Elle aime que le soleil cogne, par la fenêtre, et le sentir chauffer son épaule. Une alarme de voiture se déclenche, dans la rue. Marie-Ange est habituée à faire le moins de bruit possible, le matin. Xavier dort plus longtemps qu'elle. En moyenne deux heures chaque jour. Quatorze heures par semaine. Soixante heures sur le mois. Deux jours et demi à se reposer, pendant qu'elle est debout et range la maison. Ensuite elle se prépare et part bosser, et lui il reste en jogging. Elle sait qu'il passe ses journées à ne rien faire. Mais le soir, quand elle rentre, il s'invente des activités.

Quand elle a compris qu'elle s'occuperait seule de tout le ménage, elle a essayé d'en parler avec lui. La première fois, il l'a fait rire, il a pris sa tête de bouffon pour déclarer, catégorique, « Je ne peux pas passer l'aspirateur. Ça fait pousser les seins. » C'était complètement con, mais il l'avait dit d'une façon qui lui avait plu. A l'époque, il la prenait souvent au dépourvu. Il faisait le crétin, elle riait, il la désarmait. Elle s'était dit on ne va pas se prendre la tête sur les tâches ménagères, ce serait médiocre, avec le temps il allait comprendre que ça ne pouvait pas marcher comme ça – elle qui bosse à plein temps et paye toutes les factures, et lui qui reste à la maison à ne rien foutre. Mais voyant que ça ne lui venait toujours pas à l'esprit de prendre une éponge et laver un évier, ou plier un drap sec, ou changer les draps du lit de temps à autre, elle lui avait exposé son point de vue en prenant soin de ne pas le blesser – c'est-à-dire en évitant de mentionner qu'il ne ramenait pas d'argent. Elle avait évoqué le respect, l'affection, non pas l'égalité, mais l'entraide, son droit à elle aussi de se vautrer dans le sofa quand la journée avait été dure… Xavier avait fait celui qui comprend. Mais ça s'était arrêté là. Elle avait essayé d'être pédagogue : sur le frigo elle avait accroché la liste de toutes les tâches régulières : vaisselle, poubelles, lessives, ranger le linge, nettoyer les WC, la baignoire, faire les sols, les fenêtres, ranger la chambre de la petite, la poussière, le frigidaire, la salle de bains… Ça avait marché : il descendait les poubelles. Chaque fois qu'il le faisait, il fallait qu'il annonce avec fierté : « Je te descends les poubelles. » Le « te » de la phrase avait le don de la mettre dans des états de rage pas possible. Elle avait envie de l'attraper par le col et le secouer, « trouve un boulot, au moins, qu'on puisse prendre une femme de ménage ». Parce que là, juste sa paie, ça fait court. Ses blagues de petit garçon qui ne prend rien au sérieux ne l'émeuvent plus. Elle se sent trahie : tout ce qui est difficile à gérer relève de sa seule responsabilité. Il n'a pas l'air de s'en rendre compte. Quand elle parle d'argent et qu'elle dit qu'ils vont avoir du mal à partir en vacances, elle a toujours l'impression qu'il la regarde en se disant qu'elle se plaint pour rien.

Xavier gagne à peine de quoi se payer le dentiste, un coup au bar de temps en temps et ses tickets de métro quand par miracle il a encore un rendez-vous de boulot. Le sujet est devenu à ce point tabou, entre eux, qu'il interdit nombre de discussions. Il sort de ses gonds quand elle parle de demander un poste en province. Il dit qu'elle ne respecte pas son job. Ils s'en sortiraient quand même mieux, avec un seul salaire, en quittant Paris. En revendant l'appartement, ils pourraient s'acheter une petite maison correcte, avec jardin. Xavier a Stéphane Plaza en horreur, parce qu'à chaque fois qu'elle tombe sur son programme, elle reparle de déménager.

Au début, Marie-Ange le soutenait – il lui paraissait normal, dans une carrière d'artiste, de connaître une traversée du désert. Elle l'écoutait avec complicité s'emporter contre les tarlouzes du milieu. Il était trop franc, ses idées tranchaient sur la tiédeur ambiante, il aimait un cinéma qui n'était pas respecté en France, il ne venait pas d'un milieu favorisé, il y avait plein de choses qui jouaient en sa défaveur. Elle était restée solidaire quand elle avait compris qu'il était blacklisté – quand bien même son nom était cité de temps à autre par un réalisateur fidèle à sa filmographie adolescente, les producteurs l'écartaient d'un geste agacé. Pas question. Pas lui. Trop caractériel. Il était grillé, et pas exactement pour les raisons qu'il évoquait. Son analyse de la situation était faussée, ce qui l'empêchait de corriger le tir. Mais elle gagnait de quoi les faire vivre tous les trois, elle était convaincue qu'il avait du talent, et qu'elle serait fière d'être restée à ses côtés lorsque ça ne marchait pas pour lui. Avec les années, cependant, sa patience s'était émoussée. Elle ne croit plus que son jour viendra. Sa grandeur était derrière lui.

Marie-Ange part chaque matin à sept heures trente, elle rejoint en métro les bureaux d'Ipsos où elle est chargée d'études. Elle se tape une journée de plateaux, de panels et d'emmerdes, et Xavier reste à la maison, il crée. Elle ne bronche pas. Mais elle commence à l'avoir saumâtre. La vie d'artiste, elle en a marre. Elle ne se sent pas faite pour être la muse d'un loser. La dernière fois qu'il a imprimé, et relié, son dernier scénario, et le lui a remis comme un cadeau précieux : elle était sa première lectrice, elle s'est rendu compte qu'il ne l'amusait plus. Plus d'un an qu'il était sur ce projet. 90 pages de dialogues. Dix-huit mois, à plein temps. D'accord, il s'agissait de création. Mais il prenait son temps, l'enculé. Elle s'était sentie obligée de commencer à lire le soir même, elle était crevée et aurait préféré attendre le dimanche mais il était comme un gosse qui trépignait, tellement anxieux qu'elle s'était dit le sommeil attendra et elle avait lu les quarante premières pages. Elle l'avait embrassé, avant d'éteindre la lumière, elle avait fait semblant : « Je garde la deuxième moitié pour demain. Mais c'est génial, bravo mon Vévé. » C'est comme ça qu'elle l'appelait, dans l'intimité – mon Vévé. Son texte était mauvais. Ses projets précédents n'étaient guère meilleurs, à présent qu'elle s'autorisait la franchise, elle s'apercevait qu'elle le savait. Mais jusque-là, ses scénarios avaient été drôles. Elle avait toujours souri, puis ri, en lisant ce qu'il écrivait. Il avait une fantaisie, qu'il avait perdue en chemin. Et il ne restait pas grand-chose, à la place. Elle n'avait pas trouvé l'énergie pour se mentir. Son mec était un auteur médiocre. Il alignait des clichés en croyant inventer l'eau chaude, son intrigue était faible, bâclée, le tout mal dialogué, les personnages sans consistance… Elle n'avait pas besoin d'être une lectrice professionnelle pour le voir – regarder des films et des séries de temps à autre lui suffisait. Ce qui l'avait choquée, cette nuit-là, recroquevillée à l'extrémité du matelas, alors qu'elle ne parvenait pas à trouver le sommeil, n'était pas de découvrir qu'elle ne croyait pas en lui comme scénariste mais d'admettre qu'elle manquait de courage pour affronter la suite : il allait envoyer son scénario à tous les gens qu'il connaissait, il allait attendre des réponses qui ne viendraient pas, parce qu'on serait gêné de lui expliquer que c'était sans intérêt et qu'on préférerait le zapper. Et il allait se lamenter, se braquer, et elle allait devoir prétendre qu'elle était de tout cœur avec lui, et passer des soirées à le consoler alors qu'elle rentrait vannée de sa journée de boulot. Et qui la soutenait, elle ? Xavier méprise son travail, il est incapable de s'y intéresser. Il dit le contraire, mais elle sent, quand elle lui parle de ses problèmes de manager, que son esprit vagabonde. Elle l'ennuie.

Son père l'avait prévenue. A vingt ans, elle ne l'avait pas écouté parce qu'elle était convaincue que le pauvre vieux ne comprenait rien à l'intensité de l'amour qu'elle découvrait. Mais il l'avait mise en garde. « Rien ne peut arriver de pire à une femme que de mettre dans son lit un homme qui lui est inférieur. » Elle en avait conclu que ses parents ne se faisaient aucune idée du monde dans lequel elle vivait, elle, ce monde où Xavier était un grand fauve de l'asphalte, d'une insolence sexy, qui allait bouleverser le septième art. Ils avaient tort de le sous-estimer. Aujourd'hui elle réalise que c'est elle qui manquait de jugeote. Elle a misé sur un cheval défectueux. Le système aurait pu lui être favorable, si elle avait fait les bons choix. Mais dans tous les domaines, avec un soin sinistre et méticuleux, elle s'était trompée. Elle avait un Deug en poche quand elle avait décidé, toujours contre l'avis de ses parents, d'entrer en CDI chez Ipsos. Elle avait fait son chemin, certes. Et pas dans le secteur le plus menacé par la crise. Mais il aurait été plus facile de pousser trois ans d'études supplémentaires, d'apprendre une langue étrangère et de laisser son père la guider.

Les mauvais choix… Elle a fait ce qu'elle a pu avec ce qui se présentait, aussi. Elle n'avait aucune prédisposition pour faire de grandes études – comme on disait pudiquement, chez elle, « son intelligence n'était pas scolaire »... Elle n'avait pas non plus éconduit pléthore de prétendants, plus prestigieux que celui qui était devenu son époux. Elle était tombée amoureuse de Xavier parce que c'était le premier mec un peu excitant qui la voyait comme une princesse. Il était sûr de lui, à l'époque. C'était juste après le petit succès de son premier film, dans les milieux branchés on parlait de lui comme d'un Renoir de la zone. Il ne pouvait pas se douter que le réalisateur, un ami d'enfance, préférerait écrire tout seul son deuxième film. Xavier est un grand naïf, à sa façon. Il imagine que tout le monde a son esprit chevaleresque. Mais autour de lui les gens ont mûri, ils sont pragmatiques : un scénariste, ça coûte cher. Alors ils s'en passent. Ça s'emboîtait bien, à l'époque, entre elle et lui. C'était la première fois que Marie-Ange avait ce qu'elle voulait d'un garçon. Il la dominait, c'était lui le mec, mais il lui mangeait dans la main, il était fou d'elle. Jusqu'alors, elle avait dû se contenter de baver d'envie en voyant les autres filles s'amuser avec des mecs qui, de loin, paraissaient merveilleux. Son tour était venu. Cette brute épaisse devenait tendre dès qu'elle se lovait contre lui. Ils se réussissaient. Il lui inventait des compliments sur mesure, remarquait des choses de sa personnalité qu'il érigeait en qualités uniques. Il lui avait donné beaucoup de confiance en elle. C'était la belle époque. Elle aurait dû tiquer, pourtant. Tout agressait Xavier. Dîner en ville, entrer dans un musée, l'accompagner chez ses parents – il critiquait, se braquait pour un rien, il était susceptible jusqu'à la mettre mal à l'aise. Elle aurait dû s'apercevoir qu'il s'entêtait, même quand il avait le vent en poupe et aurait pu se faire un réseau, à fréquenter ce qu'il appelait « son bar », un couloir miteux et enfumé planqué au fond du XVIII$^e$. On y riait gras, entre deux parties de cartes, en plongeant de grosses mains dans les coupelles de cacahuètes, et les gens qu'il trouvait « pittoresques » étaient juste des alcooliques qui le faisaient se sentir comme un dieu en le traitant comme un « monsieur » du cinéma. Il aimait s'entourer d'amis qui n'avaient pas son niveau, car il avait sans cesse besoin d'être rassuré. Mais ses potes de bistrot le tiraient vers le bas, quand il avait besoin, au contraire, d'évoluer. Marie-Ange n'a jamais été fascinée par ceux qu'on appelle « les vraies gens ». Elle se fout de savoir comment ils vivent – ça ne l'intéresse pas, le quotidien d'une maîtresse d'école ou d'une infirmière, pas plus que de savoir ce que ces braves gens lisent ou aiment au cinéma. C'était sa première grande histoire. Elle respectait Xavier. Et pendant plusieurs années, c'est vrai, il l'avait stabilisée. Il lui avait permis, enfin, de penser à autre chose que – je ne serai jamais mariée personne ne voudra jamais de moi. Et quand son père essayait de la prévenir en lui parlant de « mettre un homme en dessous de soi dans son lit », elle ne pouvait lui dire avec sincérité ce que ça lui évoquait : au lit, dans un premier temps, avec Xavier, ça avait été somptueux. Et ça comptait beaucoup pour elle qui n'avait, de ce côté-là, aucune expérience d'effervescence. Les garçons et elle, ça ne collait pas très bien. C'était inexplicable. Elle était une jolie fille, et elle le savait. Une blonde châtain aux traits fins, sans embonpoint. Ses jambes était un peu courtes, la taille peu marquée, les seins étaient menus. Mais elle avait de grands yeux, une ossature fine, une belle peau. Les hommes ne la fuyaient pas. Mais elle ne leur inspirait aucune passion érotique. Xavier avait été le premier à la faire se sentir femme – c'est-à-dire désirée. Tout, en elle, l'excitait. C'était divin de découvrir ça – quand elle se déshabillait devant lui, elle était une révélation du ciel.

Elle a été heureuse. Longtemps. Ça ne l'avait pas inquiétée qu'au bout d'un an, au lit, elle doive simuler. Elle avait pensé que ça reviendrait. Quand elle serait moins fatiguée, moins préoccupée. Mais au contraire, ça n'avait fait qu'empirer. Elle devait se forcer et c'était de plus en plus pénible. Elle n'en avait pas parlé, autour d'elle. Les hommes viennent de Mars et les femmes de Vénus, ils aiment le sexe et elles s'en passeraient bien. Elle lui devait bien ça. Elle n'avait pas envie qu'il aille voir ailleurs. Ce n'est qu'après la césarienne, qu'elle avait rendu les armes. Elle n'avait plus envie de faire semblant.

Etre enceinte n'avait pas été une révélation mystique, pour elle. Les derniers mois avaient été pénibles. Elle n'avait pas connu la fameuse montée d'hormones, qui lui aurait permis de trouver ça formidable, être invalide. Et elle n'était pas non plus à son aise, juste après la naissance de Clara. Elle comprenait bien qu'elle était la maman de ce petit être, mais tout ce que ça lui inspirait, c'était de la panique. Elle avait quitté la maternité catastrophée qu'on ne s'alarme pas de ce qu'elle n'était pas formée pour s'occuper d'un bébé. Et ce n'est pas sa propre mère, barrée aux Caraïbes trois jours après l'accouchement, qui risquait de l'affranchir. Là, Xavier avait été incroyable. Il avait réponse à tout. Il avait trouvé un forum de jeunes papas sur Internet et de la température du biberon à la meilleure marque de couches, il était au fait de tous les aspects de l'affaire. Sa fille l'émerveillait. Il avait aussitôt bricolé une façon d'être heureux, à trois. Les grasses matinées à embrasser les pieds minuscules, les danses apaches pour la faire rire, les heures dans les librairies spécialisées à chercher les livres de contes, la bonne humeur à chaque fois qu'elle faisait caca, « somptueuses, ces selles sont somptueuses ». Et en quelque sorte Marie-Ange n'avait eu qu'à monter dans la vie de famille qu'il avait imaginée. Elle s'était détendue. Elle aimait le père qu'il était devenu. Elle n'aimait plus l'homme qui la désirait encore.

D'un point de vue social, en revanche, la maternité avait été source de déception. Toutes les mères de sa connaissance ont des enfants de compétition. Les premières années, Marie-Ange était innocente, elle imaginait qu'à partir du moment où elle avait enfanté, elle allait rejoindre de facto le cénacle des jeunes mamans, et sortir à son tour son iPhone pour exhiber ses photos de gosse. Mais ça n'est pas si simple. Les autres mères la démoralisent. « La mienne a marché à six mois, on est restés bouche bée quand on l'a vue traverser le salon. » « La mienne parlait deux langues à deux ans. » « Le mien a appris à lire tout seul à trois ans. » « Le mien a été repéré en grande section de maternelle pour ses qualités de footballeur. » « J'ai ouvert un compte épargne pour la mienne, on m'a demandé si elle ne voulait pas poser pour une série de mode, moi je n'y tenais pas mais la petite adore ça, et depuis on la demande partout. » Et que je te dégaine le film de ma progéniture en train de faire la roue sur une poutre, de remonter un ordinateur les yeux bandés ou de reprendre un air d'opéra… Clara est un ange, mais pour frimer, elle ne sert à rien. Elle tient ça de sa mère, sans doute. Elle n'a pas la moindre prédisposition qui mérite d'être remarquée. Quand elle danse sur Maître Gims, on dirait Goldorak qui se chauffe. Marie-Ange adore sa fille. Mais jamais la maîtresse d'école ne l'a retenue après les cours pour lui faire part de sa surprise – votre fille est tellement douée. Jamais. Pour mardi gras, cette année, son père lui a offert la robe d'Elsa de *La Reine des neiges*. Une tenue de princesse sublime, dans l'emballage. Mais une fois dedans, la gosse ressemblait plus à Shrek qu'à autre chose. Marie-Ange a pris des photos, elle ne veut pas que sa fille se sente dénigrée. Mais elle ne les met pas sur Facebook. Elle est lucide. La seule fois où la petite a connu un certain succès, au bureau, c'était pour la zombie walk. Elle portait une perruque orange et des collants rayés noir et blanc, à la Emily Strange. Un ami de Xavier qui travaille dans les effets spéciaux s'était déplacé pour lui poser une fausse balafre énorme, qui lui ouvrait toute la joue sur les dents… Clara s'est éclatée, toute la journée, à ramper place de la République en bavant. C'était la première fois de sa vie que des étrangers la prenaient en photo. Et Marie-Ange voit bien qu'elle n'est pas invitée aux anniversaires des autres. Elle n'est pas populaire. Son père aboie quand elle lui en parle. « Ce n'est pas toi qui vas la chercher à l'école, tu ne te rends pas compte qu'il n'y a que des cons dans sa classe. »

Un deuxième. Elle y pense souvent. C'est triste pour la petite de grandir seule. Et puis c'est bizarre, un couple qui n'en fait qu'un. Ça dit quelque chose que Marie-Ange n'aime pas. Déjà qu'elle ne se sent pas satisfaite de sa vie, elle n'a pas besoin, en prime, de crier sur tous les toits : on n'a fait qu'un gamin parce qu'on n'est pas un couple qui marche très bien. Ça ne regarde personne. Elle parle de plus en plus souvent à Xavier de mettre en route le deuxième. Il n'a pas l'air pressé. Pourtant, il n'a rien d'autre dans sa vie que l'éducation de sa fille. Il ne risque pas le burn out parce qu'ils feraient un petit frère…

Marie-Ange se donne encore un peu de temps. La césarienne lui a laissé un sale souvenir. Ils sont gentils, les mecs, quand ils te prennent de haut : « Ne me dis pas que tu as peur de déformer ton corps ? » Va te faire découper les abdos à la tenaille, pour qu'on t'ouvre l'utérus en deux – et on rediscutera des bonnes femmes qui sont tellement superficielles qu'elles y réfléchissent à deux fois avant de remettre ça. La cicatrisation – bonjour. Elle a marché un mois pliée en deux. Les abdos, on s'en sert pour tout, c'est là que tu en prends conscience. Un accouchement normal, avant de reprendre le sport, c'est un mois. Une césarienne, il faut en compter six. Elle ressemblait à un sac de patates quand elle a pu retourner à ses cours de Pilates. Et elle n'avait plus rien – aucune sangle abdominale –, un an d'acharnement avant de se tenir à nouveau droite. C'est du travail, avant de pouvoir se remettre en maillot de bain. Ça aussi, elle l'ignorait – mais chez les mères de compétition, la césarienne, c'est l'accouchement des nulles. La maternité, ce n'est pas ce qu'elle imaginait : elle croyait que les mamans se tenaient les coudes, une solidarité des vraies femmes. Mais accoucher, c'est juste prendre ton billet pour pouvoir entrer sur la pelouse. Ça ne te garantit pas la médaille.

Elle s'en fout, en même temps. Clara ne lui permet pas de briller en société, mais jamais son besoin de tendresse n'a été si bien assouvi, et elle ne voit pas quel sens aurait sa vie, sans la petite. Xavier est un père exceptionnel. Elle lui reproche un tas de choses, mais en ce qui concerne Clara, elle n'a rien à redire. Il est patient, il est ferme, il fait le pitre, il est attentif, il est exigeant, il pense à la complimenter. Marie-Ange n'a qu'à régler son pas sur le sien pour qu'avec la petite ça se passe bien. Il est dingue de sa fille mais c'est un amour qui n'exclut jamais la mère. Et ça marque des points, dans le monde des mamans. Au début, elle évitait de dire « il va la chercher tous les jours à la crèche », elle pensait que les filles comprendraient tout de suite qu'elle était maquée avec un genre de chômeur. Elle avait tort. Elle en a pris conscience avec le temps. « Il a regardé soixante-trois fois *Les Aristochats* avec elle, c'était son film préféré quand il était petit et Clara en est dingue » ou « Il joue à tous les jeux vidéo avec elle, il veut être sûr qu'elle ne voit rien qu'elle ne puisse pas comprendre toute seule », c'est comme « il lui a trouvé une petite basse, il lui montre comment jouer ». Tu scores. En fait les filles ne se disent pas – « Ok ton mec n'a jamais rangé sa manette Nintendo, et il a encore sa basse, dans son étui, au placard » ni « c'est une meuf, quoi, t'as épousé une meuf ». Non. Elles pensent mec créatif, viril mais moderne, et elles disent des trucs comme « c'est telle-ment important pour une petite fille, le regard de son père. S'il est valorisant, tu te rends compte, ça change toute sa conception de sa féminité et des hommes ». Marie-Ange sait que c'est faux : son père aussi était très bien. Ça ne l'a pas empêchée d'être une gourde. Mais puisqu'elles sont convaincues du contraire, elle raconte volontiers aux copines combien Xavier assure.

Une raison de plus pour ne pas le quitter. On sait ce qu'on perd, on ne sait pas ce qu'on gagne. Si l'un des mecs avec qui elle couche de temps en temps lui faisait tout un cinéma pour qu'elle quitte Xavier, et qu'il ait un bon poste, elle n'hésiterait pas, elle le sait. Mais ses amants n'ont jamais cherché à la faire abandonner son foyer. Pas plus qu'ils n'ont envisagé de briser leur propre couple. Alors elle reste. Si c'est pour vivre seule et ne plus jamais connaître la vie à deux, elle préfère encore être avec le père de sa fille. Certains matins, quand elle se réveille, elle a directement la haine contre lui. Elle range la maison en ressassant tous les argu-ments qui font qu'il la bloque, l'étouffe, l'ennuie. Mais elle ne lui parle pas de tout ça. Et elle n'est pas sûre qu'elle se sentirait aussi bien avec Clara, si elles étaient en tête à tête. Elle aime sa fille aussi à travers ses yeux à lui. Il est tellement fier d'être leur bonhomme.

Il faut se méfier des prières exaucées. Elle a si souvent souhaité, en rentrant chez elle le soir, « faites qu'il me surprenne ». Elle n'en pouvait plus de trouver Xavier à la maison. Content de la voir rentrer. Si amoureux, si dépendant, trop affectueux… Elle devait réprimer un mouvement de recul. Il ne se rendait pas compte qu'une femme est vite asphyxiée. Parfois quand il l'enlaçait elle avait envie de le repousser – fais-moi rêver, fais-moi peur, mais fais-moi me sentir vivante, merde. Elle a prié pour qu'il la surprenne. Mais elle ne voyait pas ça comme ça. Ça a fini par arriver, la surprise… Il n'y en a plus que pour « les autres ». La bande à Subutex. Elle n'est plus le centre du monde de son mari. Elle aurait juré le contraire, mais ça lui manque. Ça s'est mis en route à partir du coma. Les médecins sont des ânes. Ils ne voient rien aux examens. Elle a envie de leur taper sur la tête avec un chandelier : les examens, peut-être, mais à l'œil nu on voit bien que le mec a perdu des neurones. Et personne ne l'a aidé. Vernon Subutex est devenu l'idole de son mari. Joli spécimen de tocard, celui-là. Mais attirant. Elle en aurait bien fait son affaire, quand elle l'a vu dans son salon, le week-end où il est venu garder leur bouledogue. Il y a des mecs, comme ça – on ne sait pas à quoi ça tient. Ils puent le sexe.

Son sex friend du moment, Dimitri, c'est exactement ça. Une bombe. Très jeune. Il s'épile les épaules et le torse, et se rase les couilles avant de la voir. C'est le mec qui fait les vitres dans son entreprise. Ils se sont croisés plusieurs fois, avant de se remarquer. Quand elle a découvert qu'il s'épilait, elle a eu de la peine pour lui. Il paraît qu'ils le font tous, à son âge. Mais qu'est-ce qu'ils vont faire dans cette galère, les malheureux… comme si les femmes avaient besoin de ça pour les trouver séduisants ! Elle s'est souvent demandé si Xavier la trompait. Avec tout ce temps libre, ce ne serait pas étonnant… Elle exige juste de ne pas être au courant. Elle s'est posé la question, quand il a pris l'habitude d'aller au parc tous les jours. Elle était jalouse. Il disait « nous » en parlant de ses amis, et il avait l'air tellement content. Elle a posé des jours de congé et elle l'a surveillé. Elle était sûre qu'il y avait une maîtresse là-dessous. Elle l'a suivi. Il passait ses journées au parc à fumer des pétards dans l'herbe. Avec sa fameuse bande. Quand elle les regarde elle pense à des histoires qu'elle a lues sur le Moyen Age, des villages entiers pris de folie. Il s'éclate. Ce n'est pas avec elle que ça se passe. Il lui propose souvent de venir, il veut même embarquer Clara, mais Marie-Ange s'y oppose. Elle n'a pas envie de le suivre dans cette galère grotesque. Il change. Il est plus content. C'est ce qui la dérange le plus. Elle se sent nulle, à côté. Rien ne lui est arrivé, même de complètement con, qui ferait qu'elle se sente mieux. Elle ne comprend pas ce qu'il trouve de si formidable dans la compagnie de cette brochette de tâcherons. Mais il s'épanouit, il se renouvelle. Il lui échappe. Régulièrement elle a envie de lui poser un ultimatum : c'est eux ou moi. Ce serait ridicule. Mais elle a besoin de se rassurer, qu'il lui redise qu'il est prêt à tout pour elle. Ce dont elle s'est plainte pendant des années, cet amour constant et obsessionnel, lui manque, à présent. Et elle ne comprend rien à ce qu'il devient. Elle n'a pas envie de le perdre. Elle ne l'aime plus, mais elle ne supporterait pas qu'il ne soit plus à ses côtés.

Joyeux, le chien, sort le premier de la chambre de la petite. Ça veut dire qu'elle est réveillée. Il vient laper sa gamelle puis réclame des caresses en cognant doucement avec le dessus de la tête contre la cuisse de Marie-Ange. Au début, elle ne pouvait pas le saquer. Il lui rappelait Xavier. Un gros truc con qui sert à rien. C'est fou. Ce qu'elle a aimé cet homme, ce qu'elle l'a admiré. Et maintenant, si elle voit un vieux caniche qui pue sur son canapé, elle pense à son homme. Ils s'aimaient, au début. C'est qu'on ne dit pas la vérité là-dessus. C'est tout. Tout le monde s'emmerde, après quelques années. Elle voit bien, autour d'elle – on s'évertue à donner le change quand on se croise, mais tout le monde s'emmerde, en couple. La grande variable, c'est l'effort de mise en scène, pour la galerie. Il y a des couples qui sont restés amoureux de l'effet qu'ils produisent, en société. Tant qu'il y a un public, ils continuent de faire semblant. Mais une fois dans la chambre à coucher, ils s'emmerdent.

Clara déboule, pieds nus sur le plancher, Marie-Ange gueule « tes pantoufles ! » et s'en veut de commencer la journée en la rabrouant. Elle a tendance à lui parler sur un ton sec. Quand Xavier est là, elle fait plus attention. La gamine revient, ses charentaises à carreaux rouges aux pieds, sa petite bouille ébouriffée et ses yeux bouffis de sommeil, on dirait un ange. Ses bras se nouent autour du cou de sa mère. Elle sent bon, le matin. « Je peux avoir mon Nesquik ? » « Je te le prépare, ma belle. Tu veux un grand bol de Cheerios ou un petit ? » Quand Xavier n'est pas là, c'est un secret entre elles, elle lui fait des céréales sucrées le matin. C'est mauvais pour tout mais Clara adore ça.

« Maman je peux regarder un film pendant que je prends mon petit déjeuner ? » Marie-Ange soupire. Quand son père est là, jamais elle ne demande si elle peut regarder la télé le matin… La mère colle volontiers la petite devant la télé, pour faire un peu de ménage ou du courrier, tranquille. C'est mal, tous les parents le savent. Elle devrait l'habiller tout de suite et lui proposer une activité. Seulement c'est tellement pratique. Elle dit « D'accord mais alors pas plus d'un film, je te préviens » et se sent coupable, parce que ça l'arrange.

Xavier est chié de la laisser tomber juste pour un long week-end. Ils auraient pu partir tous les trois quelque part. Il aurait pu y penser. Ou se dire « tiens je vais m'occuper de la petite pour que Marie-Ange se repose un peu ». C'est la troisième fois qu'il part « les voir ». De mieux en mieux. Déjà, au parc, elle trouvait ça limite, mais maintenant, il faut prendre le train. Et il ne dit pas où il va. Il a plutôt intérêt à redescendre, elle ne va pas supporter ça longtemps, non plus. Elle ne sait pas où il est. Il est injoignable. Ah, pour la surprendre, il la surprend. Mais pas dans le sens qu'elle attendait.

Clara met le DVD de *La Reine des neiges*. Marie-Ange ne peut réprimer un frisson de haine en entendant les chants qui ouvrent le film. Elle n'en peut plus de cet air… La petite est comme ça, depuis toujours, une fois qu'elle aime un dessin animé il faut se le coltiner, en boucle, jusqu'à la nausée. Clara est lovée entre les pattes du chien. Marie-Ange s'assoit deux minutes, elle caresse la cheville de sa fille en regardant les deux sœurs qui jouent ensemble, sur l'écran, l'une d'entre elles a le pouvoir de faire jaillir la glace de sa main et la plus petite joue sur des montagnes de poudreuse que la plus grande crée pour elle dans le salon… Elle se blesse, la plus grande est inconsolable, elle ne doit plus utiliser son don. Elle s'assoupit. Une pensée la réveille. Comment a-t-elle pu voir cette histoire autant de fois, sans jamais comprendre que c'était aussi celle de Xavier ? Elle ne voyait pas ce qu'il trouvait à cette putain d'histoire, mais ça crève les yeux. Deux enfants séparés par la poudre. Qui pleurent chacun de leur côté de la porte leur connivence perdue. C'est lui et son frère. Pourquoi se sent-elle agacée quand il évoque ce vide en lui, ne pas avoir su protéger son frère ? Tout ce qui le touche la tend, elle passe sur la défensive. Qu'est devenue la tendresse qu'il y avait entre eux ? Elle regarde d'un œil neuf Elsa, la jeune reine, qui dresse un mur de glace entre elle et le monde. Est-ce qu'elle lui ressemble ? Qui peut encore l'approcher, sans qu'elle cherche à se défendre ? Elle prend conscience de la colère qui a gonflé dans sa poitrine, toute la matinée. Qu'est-ce que son mari lui a fait de si terrible, pour qu'elle lui en veuille à ce point ? Que fait-on quand le couple s'est converti en usine à frustrations ? Xavier change. Il a pris un coup sur la tête et il n'est plus le même. Et alors ? Elle se plaignait qu'il n'évolue pas, juste avant. Elle ne veut pas le quitter, elle ne veut pas qu'il reste – c'est insoluble. Elle a peur. Mais de quoi ?

Marie-Ange se penche pour embrasser l'os de la cheville de sa fille, celui qui est rond et saillant. Elle n'aimera plus jamais son père. Elle ne le désirera plus, physiquement. C'est réservé à d'autres. Il ne la fera plus rêver. Elle ne croit pas aux histoires d'anciens volcans qu'on croyait trop vieux, etc. Mais tant de distance et de rage, est-ce bien nécessaire… Qu'est-ce qu'on fait de l'amour quand il n'y a plus d'amour ? Dans le dessin animé, le petit gars qui est copain avec un cerf dit à l'héroïne « Moi jamais je ne te laisserai tomber ». Et Marie-Ange a envie de pleurer.

Comme tous les jours en se levant, Vernon se demande quel temps il fait à Paris. La ville lui manque. Pamela lui a offert une paire de Ray-Ban, montures dorées et verres fumés, comme celles que portaient les dealeurs dans les années 80. Vernon a l'air d'un pitre quand il les porte, mais il aime la couleur qu'elles donnent aux choses, on dirait que l'été trempe dans du whisky. Il y a un camping à quelque cinq cents mètres, ils organisent une fête de début de saison. Sur les plages, les paillotes vont bientôt ouvrir. Le vent porte le son – Daft Punk, *Get Lucky*. Au loin, un train passe. Il relie tous les villages de la côte. Il y a une petite gare, à dix minutes à pied. Aujourd'hui, les derniers arrivants débarqueront, par grappes, crachés dans ce coin perdu de l'Ile-Rousse… Dans la petite maison qui leur sert de base, il y a une douche extérieure, sur la terrasse. L'eau s'écoule le long de l'escalier fait de blocs de pierre enchâssés. Parfois, dans la journée, Vernon regarde autour de lui et il peine à croire que c'est bien sa vie à lui qui continue, ici. Il ne connaissait pas la Corse. Ils sont là depuis quinze jours. C'est le troisième lieu où ils s'installent. Il suit le mouvement. Il y a des sangliers qui passent, à quelques mètres, en famille, le soir, et des couleuvres qui traversent la terrasse, à l'heure de la sieste. Des araignées grosses comme le poing campent dans les buissons et des oiseaux immenses déploient leurs ailes au-dessus du toit. La plage n'est pas loin. Mais il n'y va jamais. Il n'aime pas que le sable lui rentre dans les bottes. Il préférait la Bretagne. Ici, les gens portent tous des tongs. On voit beaucoup trop de doigts de pied, à son goût.

Xavier est déjà debout. Il joue avec Emma, la pitbull retraitée d'élevage qu'Olga a récupérée. La chienne a les mamelles qui traînent au sol. Plus loin, trois gamins discutent, accroupis au pied d'un olivier. Ils ont une vingtaine d'années. Vernon ne les a jamais vus. Le camp est déjà plein. Dès demain, il se videra lentement, comme une baignoire dont on a retiré la bonde. Les trois petites silhouettes s'animent, l'un d'entre eux se gratte la gorge, une fille les rejoint et veut les convaincre de se lever et la suivre quelque part. Ils préfèrent rester assis à boire de la bière. Ils ont dormi dans l'une des dizaines de tentes qui ont éclos autour de la maison, en deux jours. A chaque fête, il y a plus de monde. Tout cela n'a aucun sens. Et ça ne durera pas. Vernon s'est levé avec *A Day in the Life* en tête. Le soleil cogne déjà comme un sourd. L'été commence tôt, en Corse. On est à peine en mai. Des guêpes s'activent au-dessus du café. Emilie vient s'asseoir à côté de lui. Elle est arrivée la veille. Elle ne trouve pas sa place, elle est tendue. Comme à chaque fois. Elle porte une robe bleue 50's qui lui va bien. Vernon la prend par l'épaule, il demande « Alors, t'es prête pour un petit Julos Beaucarne ? » Il a passé ce disque, en Bretagne. Emilie s'est foutue de lui toute la journée qui suivait. « J'arrive pas à croire que t'aies osé. » « C'est passé ou c'est pas passé ? » C'était l'aube. Il y avait des gens beaucoup plus jeunes qu'eux, sur la piste. « Tout est toujours à recommencer. » Il savait qu'il pouvait se le permettre. Sur la piste, ils étaient en état de prendre le truc. Ça a marché, impec. Sauf sur Emilie, que des semaines plus tard, ça suffit encore à faire rigoler.

Tout ça s'est mis en route après l'enterrement. Pendant la mise en terre de Loïc, Sylvie était restée stoïque. Les mains enfoncées dans les poches de son trench noir, la tête rentrée dans les épaules, elle fixait sans expression les gens qui défilaient pour poser une rose sur la tombe, et elle avait suivi le mouvement quand le groupe s'était discrètement rabattu vers la sortie.

Dans le RER du retour, la gueule de bois était sévère. Ils s'étaient rassemblés au fond d'un wagon, et au début personne ne disait rien. Lydia Bazooka soufflait l'air en faisant trembler ses lèvres, comme si elle cherchait à les détendre. Puis elle avait dit à Daniel : « Je ne savais pas qu'il avait autant de potes fafs, Loïc… C'était glauque, cet enterrement. » Il avait croisé les mains au-dessus de sa tête pour s'étirer : « Quand tu vois les ruines que c'est, les machins, tu te dis qu'ils sont chiés de prétendre défendre la race blanche… On est mal partis, génétiquement, avec un patrimoine pareil. La France va devenir le peuple le plus moche du monde, si on les laisse organiser ça. » Lydia avait légèrement rapproché sa hanche de la sienne, pour qu'il sache que s'il oubliait deux minutes sa petite tatoueuse, elle était disposée à reparler de tout ça, chez elle, le soir même. Alors Sylvie avait fondu en larmes. Bruyamment. Pas le genre j'écrase une larme dans mon coin et j'espère que personne ne le remarquera. Non, elle sanglotait à tout péter dans la baraque. « Vous ne voyez pas que c'est foutu ? Tout. Tout est foutu. » Autour d'elle, ils étaient restés interdits. Personne n'avait l'air de bien comprendre où elle voulait en venir : était-il question de la mauvaise ambiance à l'enterrement, du fait que l'été tirait sur la fin et qu'ils ne se verraient plus au parc, ou s'agissait-il d'un constat plus personnel ? Sélim l'avait prise dans ses bras pour la consoler. Xavier s'était laissé glisser contre la cloison du wagon, déprimé. Daniel et Lydia avaient échangé un regard consterné, genre merde, on a dû dire une grosse connerie sans le savoir. Et Pamela Kant s'était avancée au milieu du groupe, se tenant à la barre pour ne pas tomber : « Je vous aime. Je refuse qu'on se sépare comme ça. » Vernon avait attendu que quelqu'un fasse une vanne, pour détendre l'atmosphère, mais tout le monde était resté silencieux. Comme songeur.

C'est ce jour-là que tout avait basculé. Cette fois, ce n'était plus lui qui planait le plus haut. Il avait été le témoin stupéfait d'un phénomène rare : la maboulerie de groupe. Ça tenait moins aux propos qu'à l'atmosphère dans laquelle ils s'énonçaient. Il restait dans son coin, il pensait à Loïc, il le voyait danser. Ce n'était pas un vrai souvenir, c'était une image inventée, mais vive comme de la réalité. Il le voyait, les deux poings en l'air et le torse bombé, piétiner le sol et boxer le vide. Une frénésie de gaieté pure. Pamela avait glissé son bras sous le sien, comme elle savait si bien le faire, un geste d'intimité pas suffisamment sexuel pour autoriser qu'on lui passe la main entre les cuisses, mais assez tendre pour qu'on se permette de l'enlacer par la taille et du coup tout ce qui suivait se déroulait dans une pénombre mi-libidinale, mi-amicale – et elle avait demandé à Vernon avec une voix grave s'il partirait quelques jours avec elle réfléchir « à tout ça » et il avait spontanément imaginé la plage, mais sans le sable, juste Pamela Kant en maillot de bain, seule avec lui sur une terrasse, qui réfléchissait « à tout ça ». Il avait répondu oui évidemment, où tu veux quand tu veux ce que tu veux. Il n'avait pas suivi le reste de la conversation. Il était parti dans son monde, comme ça lui arrive souvent. Le groupe avait peiné à se disperser, à la gare du Nord.

Quatre jours plus tard, jugeant qu'il était remis de sa crève, Pamela l'emmenait dans les Vosges, dans un chalet paumé à quelques kilomètres de Remiremont. Elle avait décidé de quitter la ville. Elle n'avait pas l'intention de prendre dix jours de vacances. Elle disait qu'il était temps de changer de vie. Elle était entrée dans une phase qu'on aurait pu qualifier de maniaque, s'il y avait eu un pôle dépressif, pour contrebalancer. Mais personne, autour d'elle, ne l'incitait à redescendre. Une fois partagée par un groupe, une folie, si furieuse soit-elle, peut devenir un mode de vie.

La Hyène les avait rejoints. Elle se mettait au vert. Elle avait donné à l'affaire un sérieux coup d'accélérateur…

Pamela a le goût de la société secrète. La Hyène a une vision du monde ultra-paranoïaque. Les deux ensemble, désœuvrées : des étincelles. C'est là qu'était née l'idée des bases à partir desquelles s'organiseraient les cérémonies. Au début, il s'agissait juste de faire une fête « pour se revoir ». Mais dès la première nuit, dans une ancienne fabrique de papier pas encore réhabilitée qu'ils avaient occupée sans prévenir, ni laisser de trace après coup, ils étaient plus de cinquante à se rassembler.

Pourtant, ceux qui veulent assister aux cérémonies doivent se tenir prêts à quelques efforts : ils reçoivent, la veille du départ, un mot qu'on leur remet en main propre, c'est généralement un rendez-vous dans une gare routière. Mais ça peut être le train, ou une voiture. On ne sait jamais. Il y a des clauses précises. Personne ne doit utiliser de pass Navigo le jour du départ. Uniquement des billets à l'unité. Surtout pas de taxi, ni de Vélib. Une série de précautions semblables rend le déplacement extrêmement complexe. Mais chacun joue le jeu avec application, parce que ça fait partie de la mise en condition. Il faut laisser téléphone et ordinateur à la maison. Une fois arrivés à destination, quelqu'un vient récupérer les visiteurs. S'il y en a qui sont quand même venus avec leur téléphone, ils les laissent dans un appartement relais. Pamela a des fans dans les coins les plus reculés de France. Elle connaît son public : elle a le nom de ceux qui se feraient arracher le cœur plutôt que trahir une promesse qu'ils lui ont faite. Ils sont les fameux appartements relais. Tout est comme ça : extrêmement complexe et hautement improbable. Ça fait partie du charme de l'entreprise. Et chaque mois il y a plus de monde. Vernon est dans la cabine DJ, il passe la musique toute la nuit. Ce qui se raconte, c'est que pendant les cérémonies, on danse comme on n'a jamais dansé. On dit qu'il y est pour quelque chose. Vernon regarde autour de lui. Beaucoup de filles, peu d'hétéros. De plus en plus de grosses. Quelques hippies. Il faut croire qu'il y a un renouveau. Des pédés, des trans. Beaucoup de putes. Quelques beaux mecs. Des vieux, aussi. Tout le monde en tongs, c'est ça qui le gave dans la journée.

Pour les permanents, dont il fait partie, qui vivent sur les camps à plein temps, il s'agit de disparaître. Sécurité sociale compte bancaire identité digitale abonnements impositions assurances cartes grises. S'effacer du vieux monde. C'est encore flou. Mais Pamela et la Hyène ont vu large. Et ce n'est pas Laurent ou Olga, qui les ont rejoints dans la foulée, qui risquaient de les freiner beaucoup. Pamela recense, avec un sens pratique que Vernon ne soupçonnait pas, tous les endroits où ils peuvent organiser les campements, pour quelques semaines. Entre les uns et les autres, elle a suffisamment de plans pour qu'ils puissent devenir nomades pendant les dix années à venir.

Sur le camp, les conflits sont en germe, mais aucun n'est encore exprimé. Ça viendra. Entre ceux qui n'arrêtent pas de bosser et ceux qui veulent dormir, ceux qui aiment commander et ceux qui ne supportent pas qu'on les contrôle, ceux qui ne pensent qu'à se droguer et ceux qui disent que la défonce détruit les groupes, ceux qui veulent parler sérieusement et ceux qui ne racontent que des conneries, ceux qui ont envie de coucher avec tout le monde et ceux qui veulent de la monogamie… Il y aura les problèmes d'argent, les problèmes d'ego, les problèmes de manipulation, les problèmes de trahison… Il y aura tout ce qu'il faut d'embrouilles et d'occasions de se décevoir. Mais pour l'instant, ils préparent la troisième cérémonie. Ils ne célèbrent rien. Ils n'ont rien à vendre. Ils le font parce que c'est possible. Et qu'il se passe quelque chose, ces nuits. Le point commun entre tous ces gens qui affluent est impossible à définir. C'est quand ils se rassemblent qu'ils deviennent une énorme étoile – ils sont venus pour danser.

« Arrêtez de vous raconter des histoires. Ce monde est foutu. Celui qu'on a connu. Tout ce dont vous parlez, c'est déjà fini. Les attardés qui cavalent dans la prairie en exigeant le retour aux services religieux en latin, la lapidation des catins et le rétablissement du service militaire… c'est fini tout ça. Ils s'accrochent à un monde qui a disparu. Arrêtez de dire que c'était mieux, hier, et que ce sera pire, demain. On est dans l'intervalle. Il faut en profiter. Demain, tout sera à refaire. »

Il a pris l'habitude d'entendre ce genre de discours au petit déjeuner. La fille qui parle a un dragon tatoué sur tout l'arrière du crâne. Ce que ça doit faire mal, pense Vernon. Il se demande si Céleste va bien. La Hyène dit que les filles sont « au poil ». Elle ne donne pas plus d'informations sur leur sort. Lydia porte un grand chapeau de paille, qui cache le haut de son visage quand elle se penche, et donne envie de voir ses yeux. Elle sourit à Vernon en s'approchant de lui, elle roule en marchant, elle cale un filtre au creux d'une feuille à rouler qu'elle a posée sur la paume de sa main gauche. Elle demande : « T'es pas en train de faire ta playlist ? » mais elle n'écoute pas la réponse. Elle suit, bouche bée, deux garçons torse nu qui traversent la terrasse. Ils ont les épaules étonnamment larges, la cambrure du dos est marquée. Elle penche la tête sur le côté. Emilie soupire, « c'est des toboggans à baise, ça. Comment ils sont bien gaulés. C'est abusé. Ils sortent d'où ? » Vernon fait signe qu'il n'en sait rien.

Charles s'est installé sous son parasol, assis sur une chaise pliante, bac à glace rempli de bières à sa gauche, chemise mi-ouverte sur le bide et des New Balance orange et vert aux pieds. Il insiste toujours pour leur donner un peu d'argent, comme participation aux fêtes. Vernon trouve touchant d'imaginer que ce mec a fait des petites économies, et qu'il pioche dedans pour les aider à organiser des boums de campagne… Alors qu'il ne danse pas. Et qu'il déteste les tongs, au moins autant que lui. Quand Sylvie dit « je ne vois pas à quoi ça sert, vos fêtes », Charles répond inexorablement « A rien du tout. C'est ça qui est beau ».

Daniel pose un énorme sac d'amandes fraîches sur la table, il cherche à convaincre Xavier d'écrire un scénario de film de zombies. « Tu vois Karen Greenlee ? La nécrophile. Jamais repentie… Je ne te dis pas que c'est grand public, mais je suis sûr qu'il y a une niche. »

Il ne vient pas souvent. Il craint les araignées dans la chambre, la vie en collectivité et les chiottes sèches. Il a chopé, en faisant du sport, des épaules de déménageur. Sylvie s'assoit au bout de la table, elle porte un tee-shirt Thee Oh Sees dont elle a découpé les manches. Elle passe beaucoup de temps en cuisine, quand elle vient, elle continue de faire des gâteaux. Elle dit que ça ne sert à rien, ce qu'ils font, mais elle passe la moitié de sa vie parmi eux.

A côté d'eux, une brune à cheveux courts qui parle avec un accent italien répond à Olga :

— Je vois ce que tu veux dire. Tant que tu penses « défense », tu restes une proie. Si tu es une proie, tu dois apprendre à fuir. Apprends à courir, à te cacher. A éviter le contact avec les humains. Pense aux chevaux. Ils n'auraient jamais dû se laisser domestiquer. Ils pouvaient fuir, c'est ce qu'ils avaient de mieux à faire.

Et Olga désapprouve :

— Vous êtes gentils, tous, entre la médecine avec les plantes, la communication avec les animaux, être nomade, la cueillette sauvage, un peu de transe, de la méditation... mais imagine, le sous-commandant Marcos en train de faire bouillir des herbes dans une marmite en chantant « om »... Tu ne saurais pas qu'il existe, le gars. Il serait tout seul, dans la jungle, à se baquer avec les moustiques. Il faut des cagoules, des fusils et du sang qui coule, on n'en sort pas.

— Tu raisonnes avec de vieux arguments.

— La seule façon de bien se défendre, c'est d'être mieux armé que l'ennemi. Il faut constituer un stock d'armes automatiques. Le reste, c'est du blabla. Tant que vos ateliers s'appelleront « self-defense », autant étudier la peinture sur soie… quand tu voudras appeler tes ateliers « je t'arrache les couilles avec mes dents, enculé », on en reparlera…

Olga a changé. Elle boit moins. Elle pète moins les plombs. Elle a appris à couper le bois. Dans les Vosges. Avec un bûcheron du bled d'à côté, un bègue timide qui aimait son métier. Elle est repartie avec sa tronçonneuse électrique – Vernon se refuse à imaginer le genre de deal qu'elle a pu passer avec le gars, dans l'intimité de la grange, pour qu'il lui offre sa grosse bécane. Depuis, elle n'arrête pas. Elle s'est dégoté des robes insensées, à l'Armée du Salut d'Epinal – une meuf de sa corpulence avait abandonné là-bas une collection de chemises de nuit. Tronçonneuse à la main, robe longue à motifs bleuets, avec coquetteries en dentelle aux épaules… Quand elle se déplace avec son engin au bout du bras, on dirait une statue en marche. Elle construit des meubles. C'est presque une vocation. Elle débite, scie, cloue et encastre. Elle n'arrête pas de parler. Elle est obsédée par la violence. Pamela est obsédée par le pacifisme. Elles ne s'engueulent pas : elles se montent la tête, chacune confortant l'autre dans ses convictions. Olga dit : hors la terreur, pas de salut. Un mouvement qui ne fait pas couler le sang est maudit d'avance. Pamela répond que ce qui caractérise le monde tel que nous le connaissons, c'est que toutes les civilisations se construisent sur la violence. Olga renchérit : tu vois, t'es d'accord avec moi. Pamela continue – tant que nous adopterons la langue du maître, nous adopterons les comportements du maître. C'est sans fin. « La violence valide le système guerrier dans son essence même, elle le renforce sans jamais le renverser. » « Foutaises tout ça… ce n'est pas en tripotant les arbres et en dansant tout nus dans la nature que nous arriverons à quoi que ce soit… Il faut montrer les dents. Ensuite il faut tuer. A grande échelle. Les bonnes personnes. Et alors, seulement, on s'assied à la table des négociations et on écoute ce que tu veux dire… qu'est-ce que tu imagines, qu'on a inventé la guillotine parce qu'on s'ennuyait le dimanche ? Non. On a inventé la guillotine parce que c'est la meilleure façon de se faire respecter. »

Sélim raffole de ce genre de clash. Son plan de jeu favori, c'est quand Patrice se joint à eux et qu'ils se mettent à quatre sur le même thème. La veille, il a manipulé du concept jusque tard dans la nuit, dans une configuration à six : Sylvie et Xavier étaient aussi de la partie. Il a passé une soirée merveilleuse. Il en a besoin.

Il a des nouvelles de sa fille. Il reçoit par courrier des lettres confiées aux uns et aux autres, postées de n'importe quel pays, sauf de celui dans lequel elle se trouve. Il archive soigneusement les réponses qu'il rédige à son attention, faute de pouvoir les lui faire parvenir. Ils n'ont pas aussi bien communiqué depuis des années, dit-il. Il n'y a pas encore eu de perquisition chez lui. La Hyène dit que ça n'est pas forcément une bonne nouvelle. Mais Sélim est ce genre de dépressif avec un fond d'optimisme forcené. Il est convaincu que les choses vont aller en s'arrangeant.

La Hyène aussi aimerait envoyer des lettres à la fille à qui elle pense. Mais tant qu'elle ne peut pas aller la chercher, elle dit qu'elle préfère attendre. Vernon lui demande « mais tu comptes disparaître comme ça long-temps ? » et elle n'est pas pressée de rentrer. « Il faut donner le temps au temps. » Il n'en tire rien de plus.

Après les Vosges, Laurent s'était mis en tête que lui aussi avait une âme de charpentier. C'était surtout l'occasion pour lui de se promener torse nu, le mec est vraiment bien foutu. Il passait des journées entières à jouer des abdos en bricolant des trucs... Sauf que ses tabourets, bonjour... Sa logique d'assemblage ne tenait compte de rien, ni pesanteur, ni réalité des corps. Il a mis du temps à renoncer. Il s'attendait à ce que les gens s'adaptent à ses objets. Même en y mettant de la bonne volonté, un tabouret de travers finit toujours par péter. Il les a quittés, un matin, juste avant la cérémonie en Bretagne. Il avait beaucoup bossé pour préparer la gare abandonnée qu'ils avaient investie. Il avait même construit des hamacs. Il a repris son sac à dos, sans prévenir. Charles dit qu'il vit sur une ZAD.

Pamela apporte une autre cafetière pleine. Elle a attaché ses cheveux en chignon avec une barrette en bois, ses épaules sont larges et bien dessinées, elle se tient toujours comme si elle avait fait trente ans de danse classique. Elle nage beaucoup depuis qu'ils sont arrivés sur cette plage de Corse. Son corps se trans-forme, la puissance lui va bien. Elle laisse son mégot éteint posé sur le bord de la table et remplit les tasses. Vernon met la paume de la main sur la sienne pour signifier qu'il n'en veut plus. Il se lève et s'étire. Il doit se préparer.

Quand la nuit tombe, les gens se dirigent vers la chapelle. Il faut marcher une demi-heure. Ils ont quelques torches, pour le chemin. Puis tout se passera dans le noir. Ceux qui vivent là ont l'habitude. Ça a commencé par une panne du groupe électrogène, dans les Vosges, à peine arrivés au chalet. Ils ont dû passer une semaine dans l'obscurité, dès la nuit tombée. C'était l'hiver, ça commençait tôt. Seul le feu dans un coin ramenait un peu de lumière, mais tout le reste de la maison était plongé dans le noir. Ils ont tout de suite compris que ça leur convenait. Leurs yeux avaient été trop sollicités. C'était une autre façon d'être ensemble. Ils ne parlaient pas de la même manière, ils ne bougeaient pas de la même façon. Savoir que l'autre ne te regarde pas et ne pas pouvoir l'observer modifie leurs comportements. Les épurent. Depuis, les soirées sur le camp se déroulent toujours de la même façon – ils n'allument plus.

La chapelle était abandonnée. Ils la préparent depuis des jours, le camion fait des allers et retours, il faut mettre le son. C'est Sélim, cette fois, qui a amené le matériel. Il l'a emprunté à une association de Bobigny, sans prévenir qu'il le descendait en camion en Corse. La lueur de la lune entre par les alcôves, et éclaire ce qu'il faut pour qu'on distingue les silhouettes. Dans la pénombre, le micro passe. Patrice a le plan de la soirée. Il organise ça en bon chef d'équipe. Ceux et celles qui veulent parler se signalent à lui dans l'après-midi, il fait un plan, il octroie un endroit où chacun doit attendre qu'il leur apporte le micro, et la petite lumière pour ceux qui veulent lire. Ensuite, ils peuvent s'installer où ils veulent, mais tant qu'ils n'ont pas parlé, on les repère parce qu'ils ne bougent pas. « Nous ne serons pas solides. Nous nous défilerons. Nous ne serons pas purs. Nous nous faufilerons. Nous ne serons ni braves, ni droits. Nous ne serons pas des héros. Nous ne serons pas conquérants. Du bois tordu qui fait l'humanité nous ne chercherons pas à faire de l'acier. Nous n'aurons ni drapeau, ni territoire. » Il reconnaît la voix de Pénélope, la veuve de Loïc, qui est venue avec Patrice. Ils ne dorment toujours pas ensemble, mais se séparent rarement. Le son est pur. Certains se sont allongés, d'autres marchent sans but. Les voix se succèdent, dans le noir. Un garçon à la voix étonnamment basse lit un poème de García Lorca. « No duerme nadie por el cielo. Nadie, nadie. » Vernon discerne la silhouette de Xavier. Il est assis entre sa femme et sa fille. Elles sont arrivées par le dernier train. La mère était tendue, la gosse euphorique d'être à la plage. Le père a failli faire une syncope de reconnaissance, en découvrant qu'elle était venue. Vernon n'est pas inquiet. Dans la nuit, elles s'habitueront. Il n'a encore vu personne rester sur le bord de la piste, jusqu'alors. « Nous oublierons. Nous pardonnerons. Nous serons les faibles et les doux. » Ça se déploie. Il n'est plus surpris quand il sent que son vaisseau décolle. Il ne domine toujours pas ses envolées, mais il ne cherche plus à résister. Au contraire, il se laisse apprivoiser par les montées de folie. Et il sait qu'il peut compter sur elles, les soirs de fête. « Nous sommes les vaincus – et nous sommes des milliers. Nous cherchons un passage. » Vernon pense que ça ne compte pas, ce qui se dit, ça se passe à un autre niveau. Il le sent, dans sa poitrine.

Et puis plus tard, un long silence. Il lance les sons alpha d'Alex. Il prend son temps. Avec la réverb, dans la chapelle, ça se lève tout de suite. Toujours dans l'obscurité, la pureté du son. Bootsy Collins. *I'd rather be with you.* Des silhouettes se détachent et forment des grappes éphémères. La Hyène est presque immobile quand elle danse, sauf ce léger mouvement des hanches. La plupart des corps ne bougent pas encore. Beaucoup sont restés allongés. Il croise le regard de Pamela. Il établit le contact avec les absents. Mentalement, il cherche les parois mobiles – les passages secrets dans le temps et le solide des choses. Des volutes de lumière de lune s'ouvrent, entre les gens. Et comme souvent la nuit, il voit la longue silhouette d'Alex, géante dans la pépinière d'étoiles, qui se penche sur eux et les observe, souffle doucement sur le sol, en souriant. Tout autour des vivants dansent les morts et les invisibles, les ombres se confondent et ses yeux se ferment. Autour de lui, le mouvement est déclenché. Ça commence. Il les fait tous danser.

*Du même auteur :*

BAISE-MOI, Florent Massot, 1993 ; Grasset, 1999.
LES CHIENNES SAVANTES, Florent Massot, 1994 ; Grasset, 2011.
LES JOLIES CHOSES, Grasset, 1998.
MORDRE AU TRAVERS, Librio, 2001.
TEEN SPIRIT, Grasset, 2002.
BYE BYE BLONDIE, Grasset, 2004.
KING KONG THÉORIE, Grasset, 2006.
APOCALYPSE BÉBÉ, Grasset, 2010 (prix Renaudot).
VERNON SUBUTEX, tome 1, Grasset, 2015.
VERNON SUBUTEX, tome 3, Grasset, 2017.

Le Livre de Poche s'engage pour
l'environnement en réduisant
l'empreinte carbone de ses livres.
Celle de cet exemplaire est de :
**350 g éq. CO₂**
Rendez-vous sur
www.livredepoche-durable.fr

PAPIER À BASE DE
FIBRES CERTIFIÉES

Composition réalisée par Belle Page

Imprimé en France par CPI
en janvier 2018
N° d'impression : 3026819
Dépôt légal 1ʳᵉ publication : avril 2016
Édition 14 - janvier 2018
LIBRAIRIE GÉNÉRALE FRANÇAISE
21, rue du Montparnasse - 75298 Paris Cedex 06

13/2928/0